“十三五”国家重点出版物出版规划项目

中国中药资源大典

湖南卷

11

黄璐琦 / 总主编
张水寒　刘　浩 / 湖南卷主编
陈功锡　张水寒 / 主　编

北京科学技术出版社

图书在版编目（CIP）数据

中国中药资源大典. 湖南卷. 11 / 陈功锡, 张水寒主编. -- 北京 : 北京科学技术出版社, 2024. 6.
ISBN 978-7-5714-3958-3

Ⅰ. R281.4

中国国家版本馆CIP数据核字第20248PF746号

责任编辑：侍　伟　李兆弟　尤竞爽　王治华　吕　慧　庞璐璐　刘　雪
责任校对：贾　荣
图文制作：樊润琴
责任印制：李　茗
出 版 人：曾庆宇
出版发行：北京科学技术出版社
社　　址：北京西直门南大街16号
邮政编码：100035
电　　话：0086-10-66135495（总编室）　0086-10-66113227（发行部）
网　　址：www.bkydw.cn
印　　刷：北京博海升彩色印刷有限公司
开　　本：889 mm × 1 194 mm　1/16
字　　数：826千字
印　　张：37.25
版　　次：2024年6月第1版
印　　次：2024年6月第1次印刷
审 图 号：GS京（2023）1758号
ISBN 978-7-5714-3958-3

定　　价：**490.00元**

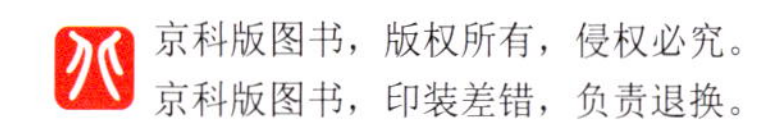

《中国中药资源大典·湖南卷》

编写委员会

总　主　编　黄璐琦

顾　　　问　邵湘宁　郭子华　肖文明　蔡光先　谭达全　秦裕辉　葛金文

主　　　编　张水寒　刘　浩

技术牵头单位　湖南省中医药研究院

普查队依托单位　（按拼音排序）

安化县中医医院
安仁县中医医院
安乡县中医医院
保靖县中医院
茶陵县中医医院
长沙市中医医院
长沙县中医医院
常德市第二中医医院
常德市第一中医医院
常宁市中医医院
郴州市中医医院
辰溪县中医医院
城步苗族自治县中医医院
慈利县中医医院
道县中医医院
东安县中医医院
洞口县中医医院
凤凰县民族中医院
古丈县中医医院
桂东县中医医院
桂阳县中医医院
汉寿县中医医院
赫山区中医医院
衡东县中医医院
衡南县中医医院
衡山县中医医院
衡阳市中医医院
衡阳市中医正骨医院
衡阳县中医医院
洪江市第一中医医院
湖南省直中医医院
湖南医药学院
湖湘中医肿瘤医院
华容县中医医院
花垣县民族中医院
会同县中医医院

嘉禾县中医医院	江华瑶族自治县民族中医医院
江永县中医院	津市市中医医院
靖州苗族侗族自治县中医医院	蓝山县中医医院
耒阳市中医医院	冷水江市中医医院
澧县中医医院	醴陵市中医院
涟源市中医医院	临澧县中医医院
临武县中医医院	临湘市中医医院
零陵区中医医院	浏阳市中医医院
龙山县中医院	隆回县中医医院
娄底市中医医院	泸溪县民族中医院
渌口区淦田镇中心卫生院	麻阳苗族自治县中医医院
汨罗市中医医院	南县中医医院
宁乡市中医医院	宁远县中医医院
平江县中医医院	祁东县中医医院
祁阳市中医医院	汝城县中医医院
桑植县民族中医院	邵东市中医医院
邵阳市中西医结合医院	邵阳市中医医院
邵阳县中医医院	韶山市人民医院
石门县中医医院	双峰县中医医院
双牌县中医医院	绥宁县中医医院
桃江县中医医院	桃源县中医医院
通道侗族自治县民族中医医院	望城区人民医院
武冈市中医医院	湘潭市中医医院
湘潭县中医医院	湘乡市中医医院
湘阴县中医医院	新化县中医医院
新晃侗族自治县中医医院	新宁县中医医院
新邵县中医医院	新田县中医医院

溆浦县中医医院

炎陵县中医医院

宜章县中医医院

益阳市中医医院

永顺县中医院

永兴县中医医院

永州市中医医院

攸县中医院

沅江市中医医院

沅陵县中医医院

岳阳市中医医院

岳阳县中医医院

云溪区中医医院

张家界市中医医院

芷江侗族自治县中医医院

资兴市中医医院

主编简介

>> 张水寒

二级研究员，博士研究生导师。享受国务院政府特殊津贴专家、享受湖南省政府特殊津贴专家、湖南省卫生健康高层次人才医学学科领军人才，入选国家“百千万人才工程”，并被授予“有突出贡献中青年专家”荣誉称号。主要从事中药资源、中药制剂及中药质量标准方面的研究。

近 10 年来，主持和参与“重大新药创制”、国家自然科学基金、“十二五”国家科技支撑计划等 20 余项课题。获得新药证书 12 项、药物临床批件 22 项、国家发明专利 13 项。发表学术论文 200 余篇，其中以第一作者和通讯作者发表 SCI 论文 30 余篇，编写专著 7 部。获得国家科学技术进步奖二等奖 1 项、省部级奖励 5 项。

2011 年以来，担任湖南省第四次全国中药资源普查技术总负责人、湖南省中药资源动态监测省级中心主任，主持建立“技术分层、突出量化、严把质控”的中药资源普查组织管理与技术保障模式；开展重点品种研究示范，大力推动普查成果转化、应用。

主编简介

>> 刘　浩

副研究员。湖南省中医药研究院中药资源研究所中药资源与鉴定研究室主任。主要从事中药资源、中药鉴定与本草学研究。

历任湖南省中药资源普查工作领导小组办公室成员、专家委员会委员、专家委员会办公室副主任，负责湖南省第四次全国中药资源普查组织管理与技术保障工作的具体实施，采集、鉴定普查标本近10万号，参与建成湖南省中药资源数据库、药用植物标本馆，熟悉湖南省中药资源基本情况及道地药材传承与发展的情况，编制省级、县级中药材产业发展规划10余份。2014年起任湖南省中药资源动态监测省级中心秘书，参与建成“一个中心，三个监测站，百个监测点”的湖南省中药资源动态监测与技术服务体系。

《中国中药资源大典·湖南卷 11》

编写委员会

主　　编　陈功锡　张水寒

副 主 编　周明高　李思迪　石晏丞　刘　浩　张代贵

编　　委　（按姓氏笔画排序）

王志成（吉首大学）

王勇庆（湖南省中医药研究院）

文　跃（湖南省中医药研究院）

石晏丞（吉首大学）

叶　凡（吉首大学）

向晓媚（吉首大学）

刘　浩（湖南省中医药研究院）

纪欣悦（吉首大学）

李思迪（吉首大学）

杨忠徐（湖南省中医药研究院）

吴一振（湘西州民族中医院/吉首大学附属中医医院）

张水寒（湖南省中医药研究院）

张代贵（吉首大学）

陈功锡（吉首大学）

陈嘉丽（吉首大学）

易嘉棋（湖南省中医药研究院）

罗远强（湘西州民族中医院/吉首大学附属中医医院）

周丛晔（吉首大学）

周明高（湘西州民族中医院/吉首大学附属中医医院）

涂　慧（湖南省中医药研究院）

盛益华（吉首大学）

序言

中药资源是中医药事业和产业发展的重要物质基础。随着中医药事业和产业蓬勃发展，社会各界对中药资源的需求量逐渐增加。为摸清中药资源家底，科学制定中药资源保护和产业发展政策措施，国家中医药管理局组织实施了第四次全国中药资源普查，对促进中药资源可持续利用、助力健康中国行动的实施和区域社会经济发展做出了重要贡献。

湖南地处云贵高原向江南丘陵、南岭山脉向江汉平原过渡的地带，属大陆性亚热带季风湿润气候区，独特的地理环境孕育了丰富的中药资源。锦绣潇湘，物华天宝，人杰地灵。湖南省作为首批6个中药资源普查试点省区之一，由湖南省中医药研究院作为技术牵头单位，组织全省技术人员队伍，出色地完成了湖南第四次中药资源普查工作任务。

张水寒和刘浩两位“伙计”基于湖南中药资源普查获得的第一手调查资料，系统整理分析、总结普查成果，牵头主编了《中国中药资源大典·湖南卷》。该书既有湖南自然社会概况、中药资源种类等总体情况介绍，又有湖南特色中药资源的历史源流与生产现状阐述，还对4 196种中药资源的基本情况进行详细介绍。该书可作为认识和了解湖南中药资源的工具书，具有重要的学术价值和应用价值。希望该书的出版，能助力湖南中药产业高质量发展，为中药资源的可持续发展、优化中药产业布局、促进学术交流和科学研究起到积极推动作用。

付梓之际，欣然为序。

中国工程院院士

中国中医科学院院长

第四次全国中药资源普查技术指导专家组组长

2024 年 4 月

前言

湖南地处云贵高原向江南丘陵过渡、南岭山脉向江汉平原过渡的中亚热带，位于东经108° 47′ ~ 114° 15′、北纬24° 38′ ~ 30° 08′。东以幕阜、武功诸山系与江西交界，西以云贵高原东缘连贵州，西北以武陵山脉毗邻重庆，南枕南岭与广东、广西相邻，北以滨湖平原与湖北接壤，形成了东、南、西三面环山，中部丘岗起伏，北部湖盆平原展开的马蹄形地形。湖南有半高山、低山、丘陵、岗地和平原等多种地貌类型，其中山地面积占全省总面积的51.22％。湖南位于长江以南的东亚季风区，加之离海洋较远，形成了气候温暖、四季分明、热量充足、雨水集中、春温多变、夏秋多旱、严寒期短、暑热期长、雨热同期的亚热带季风湿润气候。湖南为华东、华中、华南、滇黔桂4个植物区系的过渡地带，其境内植物具有较明显的东西、南北过渡性。地带性植被为常绿阔叶林，地带性土壤为红壤。湖南亚热带季风的大气候与复杂地势地貌的小环境，共同孕育了丰富的中药资源。

湖南历史文化悠久，是华夏文明的重要发祥地之一。道县玉蟾岩遗址出土了世界上现存最早的人工栽培稻标本，距今1.2万年。澧县城头山古文化遗址被称为“中国最早的城市”，距今约6 000年。宋代罗泌《路史》载炎帝“崩，葬长沙茶乡之尾……唐世尝奉祀焉”。《古今图书集成·衡州府古迹考》载：“炎帝神农氏陵，在酃之康乐乡。”“康乐乡”即今株洲市炎陵县鹿原镇。长沙马王堆汉墓出土的16部医书涉及方剂学、脉学、经络学等多门学科，代表了我国先秦时期的医药成就，其中《五十二病方》是我国现存最早的方书。

湖南中药资源的研究与应用历史悠久。马王堆汉墓出土的药材有桂皮、花椒、干姜、藁本、佩兰、辛夷、牡蛎、朱砂等，出土医书中的中药名共406个。《新唐书·地理志》载："岳州巴陵郡贡鳖甲，潭州长沙郡贡木瓜，永州零陵郡贡零陵香、石蜜、石燕，道州江华郡贡零陵香、犀角，辰州泸溪郡贡光明砂、犀角、水银、黄连、黄牙……锦州卢阳郡贡光明丹砂、犀角、水银。"唐代柳宗元《捕蛇者说》云："永州之野产异蛇，黑质而白章。"此即常用中药蕲蛇。宋代苏颂等编撰的《本草图经》，实际上是继《新修本草》后本草史上第二次全国药物普查的成果，集中反映了宋代实际的药物出产与使用情况，该书收载了当时湖南境内8州的28幅药图，包括辰州丹砂、道州石钟乳、道州滑石、道州石南、永州石燕、衡州菖蒲、衡州玄参、衡州栝楼、衡州地榆、衡州百部、衡州马鞭草、衡州五加皮、衡州乌药、澧州莎草、邵州苦参、邵州天麻、邵州乌头、鼎州茅根、鼎州连翘、鼎州地芙蓉、鼎州水麻、岳州假苏、岳州薄荷等。清代吴其濬所著《植物名实图考》收载的湖南药用植物达267种。明清之际，湖南各府县广泛修著地方志，并在"物产"中记载本地所产药材，如清道光《宝庆府志》（1849）与光绪《邵阳县志》（1876）均记载："百合，邵阳出者特大而肥美。"清末《邵阳县乡土志》（1907）载："玉竹参一名葳蕤，又名女萎，近谷皮洞多产此。"并载邵阳常见中药材尚有黄精、香附子、金樱子、栀子、金银花、桑白皮、厚朴、丹皮、天花粉、天南星、何首乌、前胡、桔梗、牛膝、五倍子、络石藤、吴茱萸、木通、车前草、香薷、木鳖子等。

中华人民共和国成立以来，党和政府高度重视中医药的传承与发展。湖南先后开展了4次全省范围的中药资源调查工作，掌握了全省中药资源的种类、分布、产量与民间药用情况的本底资料。20世纪50年代末，湖南开展了"群众性的中医采风运动"，全省献方达数十万个，湖南中医药研究所（1957年创办，1962年更名为湖南省中医药研究所，1984年更名为湖南省中医药研究院）组织专家对献方进行了研究，为各地挖掘使用中药资源奠定了坚实的基础。20世纪60—70年代，湖南开始兴起中草药群众运动。为了更好地开展中草药群众运动，湖南省中医药研究所对基层医疗工作者、赤脚医生、老药农、老草医与地方卫生局、药品检验所、医药公司提供的大量标本和资料进行了整理与鉴定，系统地梳理了这一时期湖南中药资源的种类和应用情况。1962年，湖南省中医药研究所出版了《湖南药物志（第一辑）》，该书收载药用植物417种。1972年，《湖南药物志（第二辑）》出版，收载药用植物406种。1979年，《湖南药物志（第三辑）》出版，收载药用植物341种。20世纪80年代，湖南第三次中药资源普查正式开始，此次普查共采集植物、动物、矿物标本298 785份，拍摄照片13 457张，调查到全省中药资源种类2 384种，其中植物药2 077种，动物药256种，矿物药51种；全国重点调查的363种药材中，湖南产241种；测算全省植物药蕴藏量107.8万t，动物药蕴藏量1 306 t，矿物药蕴藏量1 147万t；共收集单验方25 355个，经各地（州、市）筛选汇编的有8 000多个，经名老中医严格审查选用的有2 400余个，这2 400余个单验方编成了《湖南省中草药民间单验方选编》。

2011年，第四次全国中药资源普查试点工作启动。湖南作为首批6个试点省区之一率先启动普查工作，历时11年，先后分6批，进行了全省122个县级行政区域的中药资源普查工作。湖南本次普查共调查代表区域550个，代表区域总面积149 101.03 km^2；调查样地4 598个，样方套22 904个；采集腊叶标本116 443号、药材样品10 204份、种质资源5 913份；调查传统知识1 252份；拍摄照片1 519 340张；计算蕴藏量的种类584种；调查栽培品种160种、市场流通中药材479种；调查数据约210万条。本次普查全面掌握了湖南中药资源种类与分布、重点品种的资源量、中药材市场流通等信息，为湖南中医药事业、产业发展提供了科学依据。

湖南第四次中药资源普查为适应时代发展需求，创新应用了大量现代技术，提高了工作效率，保障了数据的完整性、一致性、准确性和实用性。通过引入空间信息技术与分层抽样方法设置的调查区域与样地更具代表性，从而使资源蕴藏量的估算更加科学。野外调查中应用GPS、数码相机、信息采集软件等获取经度、纬度、海拔等信息化数据，搭建了信息化工作平台。湖南在约210万条数据的基础上建成了湖南省中药资源数据库，实现了全省中药资源数据的长久保存、可视查询、成果转化和共享服务。本书中的基原图片、资源分布等内容充分利用了数据库的查询、统计功能，湖南省最新中药资源区划也利用了普查数据，全省被划分为湘西北武陵山中药资源区、湘西南雪峰山中药资源区、湘南南岭北部中药资源区、湘中湘东丘陵中药资源区、洞庭湖及环湖丘岗中药资源区5个中药资源分区。

编著一套图文并茂、系统全面反映湖南中药资源家底的著作是普查工作的重要组成部分。2021年，湖南第四次中药资源普查进入收尾阶段，我们组织专家对《中国中药资源大典·湖南卷》的编写体例、资源名录、图片整理及分工安排进行了多轮讨论，最后形成了编写工作方案。野外工作得到的一手数据，是我们编著本书的关键素材，书中的图片来源于野外拍摄，分布信息来源于凭证标本的采集地点，资源蕴藏量信息来源于实际调查，因此，本书充分体现了湖南第四次中药资源普查的全方位成果。

第四次全国中药资源普查技术指导专家组组长黄璐琦院士多次带领普查专家组莅临湖南指导普查工作。湖南省委、省政府高度重视中药资源普查工作；湖南省中医药管理局作为普查组织实施单位，构建了符合湖南实际情况的普查组织模式；湖南省中医药研究院作为技术牵头单位，组织成立了专家委员会，指导全省普查工作。在各方的共同努力下，湖南顺利完成了第四次中药资源普查工作。我们向支持普查工作的社会各界表示由衷的感谢，向奋战在普查一线的“伙计们”致以诚挚的敬意！

普查的大量数据是我们编著本书的优势，同时也为整理图片、撰写文稿带来了巨大的挑战，加之编者学术水平有限，书中难免存在资料取舍失当及错漏之处，敬请有关专家、学者批评指正。

编　者

2024年4月

凡例

（1）本书共14册，分为上、中、下篇。上篇综述了湖南自然社会概况、中药资源调查历史、第四次中药资源普查情况、中药资源分布；中篇论述了34种湖南道地、大宗中药资源；下篇共收录中药资源4 196种，其中药用菌类资源36种、药用植物资源3 799种、药用动物资源315种、药用矿物资源46种。另外，附录中收录药用资源305种。

（2）分类系统。菌类参考Index Fungorum最新的分类学研究成果。蕨类植物采用秦仁昌分类系统（1978）。裸子植物采用郑万钧分类系统（1978）。被子植物采用恩格勒系统（1964）。

（3）本书下篇主要介绍各中药资源，以中药资源名为条目名，下设药材名、形态特征、生境分布、资源情况、采收加工、药材性状、功能主治、用法用量及附注等，其中采收加工、药材性状、用法用量为非必要项，资料不详者项目从略。各项目编写原则简述如下。

1）条目名。该项记述中药资源物种及其科属的中文名、拉丁学名。其中蕨类植物、裸子植物、被子植物的名称主要参考《中国植物志》，藻类、动物、矿物的名称主要参考《中华本草》。

2）药材名。该项记述中药资源的药材名、药用部位与药材别名。凡《中华人民共和国药典》等法定标准收载者，原则上采用法定药材名；法定标准未收载者，主要参考《中华本草》《全国中草药名鉴》《中国中药资源志要》。药材别名记载湖南各地乡村中医、草医及民间习惯用名。

3）形态特征。该项简要描述中药资源的形态特征，突出鉴别特征。主要参考《中国植物志》，并结合普查实际所获取的信息进行描述。

4）生境分布。该项记述中药资源在湖南的生存环境与分布区域。生存环境主要源于凭证标本的生境，并参考相关志书的描述。分布区域源于凭证标本的采集地，以“地市级行政区划（县级行政区划）”的形式进行描述。在湖南五大中药资源分区中皆有分布且凭证标本超过20号者，记述为“湖南各地均有分布”。

5）资源情况。该项记述中药资源的蕴藏量情况，用丰富、较丰富、一般、较少、稀少来表示；并用“野生”或“栽培”记述药材的主要来源。

6）采收加工。该项记述药材的采收时间与加工方法。

7）药材性状。该项主要记述药材的性状特征、品质评价等内容。

8）功能主治。该项记述药材的性味、毒性、归经、功能和主治。

9）附注。该项记述中药资源最新的分类学地位与接受名的变动情况；记述《中华人民共和国药典》与地方标准收载的物种学名；描述物种的濒危等级、其他医药相关用途，以及本草、地方志书中的资源方面的记载情况等。

（4）附录。以名录形式收载中篇、下篇没有收载的湖南分布的中药资源。

目录

被子植物

茄科 Solanaceae 颠茄属 *Atropa*

颠茄 *Atropa belladonna* L.

药材名

颠茄草（药用部位：全草。别名：美女草、别拉多娜草）。

形态特征

多年生草本，或因栽培为一年生，高 0.5 ~ 2 m。根粗壮，圆柱形。茎下部单一，带紫色，上部叉状分枝，嫩枝绿色，多腺毛，老时毛逐渐脱落。叶互生或在枝上部大小不等 2 叶双生，叶柄长达 4 cm，幼时生腺毛。花俯垂，花梗长 2 ~ 3 cm，密生白色腺毛。浆果球状，直径 1.5 ~ 2 cm，成熟后紫黑色，光滑，汁液紫色；种子扁肾形，褐色，长 1.5 ~ 2 mm，宽 1.2 ~ 1.8 mm。花果期 6 ~ 9 月。

生境分布

栽培种。原产于欧洲，栽培于肥沃、疏松、排水良好、土层深厚的砂壤土中。分布于湖南永州（新田）、娄底（涟源）、湘西州（古丈）、湘潭（湘乡）、怀化（沅陵、通道）等。

资源情况

栽培资源较少。药材来源于栽培。

| 采收加工 | 在开花至结果期内采挖，除去粗茎和泥沙，切段，干燥。

| 药材性状 | 本品根呈圆柱形，直径 5 ~ 15 mm，表面浅灰棕色，具纵皱纹；老根木质，细根易折断，断面平坦，皮部狭，灰白色，木部宽广，棕黄色，形成层环纹明显，髓部白色。茎扁圆柱形，直径 3 ~ 6 mm，表面黄绿色，有细纵皱纹和稀疏的细点状皮孔，中空，幼茎有毛。叶多皱缩破碎，完整叶片卵状椭圆形，呈黄绿色至深棕色。花萼 5 裂，花冠钟状。果实球形，直径 5 ~ 8 mm，具长柄，种子多数。气微，味微苦、辛。

| 功能主治 | 镇痉，镇痛，抑制分泌，散瞳。用于复合性胃和十二指肠溃疡，胃肠道、肾、胆绞痛，呕恶，盗汗，流涎。

| 用法用量 | 入酊剂、片剂。

| 附　　注 | 本种为《中华人民共和国药典》（2020 版）颠茄草的基原植物。

茄科 Solanaceae 天蓬子属 *Atropanthe*

天蓬子 *Atropanthe sinensis* (Hemsl.) Pascher

| 药 材 名 | 天蓬子根（药用部位：根。别名：搜山虎、白商陆、小独活）。

| 形态特征 | 植株高 0.8 ~ 1.5 m，茎常带深蓝紫色。叶片纸质，椭圆形至卵形，长 11.5 ~ 17.5 cm，宽 4.5 ~ 7.5 cm，先端渐尖，基部楔形，微下延，全缘，两面无毛；叶柄几无或长达 4.5 cm。花俯垂，花梗长 2.1 ~ 2.6 cm，无毛；花萼纸质，长约 2 cm，无毛，裂片三角形，先端急尖，长为花萼长的 1/2，边缘密被绒毛；花冠漏斗状筒形，黄绿色，长约 3.2 cm，脉间具明显的网脉，外面被疏微柔毛，里面仅花冠筒基部与花丝合生处被柔毛，裂片 5，左右对称，上面 1 略大，半圆形，两侧裂片三角状半圆形，下面 2 半圆形；花柱贴于下面，从 2 裂片之间伸出，向上微弯；雄蕊内藏；花盘橙红色。蒴果直径 1.8 ~ 2 cm，果萼圆锥状，坚纸质，先端闭合，最宽处直径约 2.5 cm，

果柄长约 3 cm。花期 4 ~ 5 月，果期 8 ~ 9 月。

| 生境分布 | 生于海拔 1 200 ~ 2 000 m 的杂木林下阴湿处或沟边。分布于湖南张家界（桑植）、常德（石门）等。

| 资源情况 | 野生资源稀少。药材来源于野生。

| 采收加工 | 秋、冬季采收，洗净，切片，晒干。

| 功能主治 | 散风寒，活络止痛。用于风寒湿痹，瘫痪，跌打伤痛，破伤风。注意：本品大毒，内服宜慎。孕妇禁服。

| 用法用量 | 内服煎汤，0.9 g；或浸酒 500 ml，每次饮 5 ~ 10 ml。

茄科 Solanaceae 辣椒属 *Capsicum*

辣椒 *Capsicum annuum* L.

| 药 材 名 | 辣椒（药用部位：果实。别名：番椒、辣子）、辣椒叶（药用部位：叶。别名：番椒叶）、辣椒茎（药用部位：茎。别名：番椒茎）、辣椒根（药用部位：根。别名：辣椒头）。

| 形态特征 | 一年生草本或灌木状，高达 80 cm。茎近无毛或被微柔毛，分枝稍呈“之”字形曲折。叶长圆状卵形、卵形或卵状披针形，长 4 ~ 13 cm，全缘，先端短渐尖或尖，基部窄楔形；叶柄长 4 ~ 7 cm。花单生或数朵簇生，俯垂；花萼杯状，齿不显著；花冠白色，长约 1 cm，裂片卵形；花药灰紫色。果柄较粗，俯垂；果形多变异，长达 15 cm，成熟前绿色，成熟后红色、橙色或紫红色，味辣；种子扁肾形，长 3 ~ 5 mm，淡黄色。

| 生境分布 | 栽培于田园、山坡。湖南有广泛分布。

| 资源情况 | 栽培资源丰富。药材来源于栽培。

| 采收加工 | **辣椒：**夏、秋季果皮变红色时采收，除去枝梗，晒干。

辣椒叶：夏、秋季采摘，鲜用或晒干。

辣椒茎：秋季将倒苗前采收，切段，晒干。

辣椒根：秋季采挖，洗净，晒干。

| 药材性状 | 本品呈圆锥形、类圆锥形，略弯曲。表面橙红色、红色或深红色，光滑或较皱缩，显油性，基部微圆，常有绿棕色、具5裂齿的宿萼及果柄。果肉薄。质较脆，横切面可见中轴胎座，有菲薄的隔膜将果实分为2～3室，内含多数种子。气特异，味辛、辣。

| 功能主治 | **辣椒：**辛，热。归心、脾经。温中散寒，开胃消食。用于寒滞腹痛，呕吐，泻痢，冻疮。

辣椒叶：苦，温。归肝、脾、肾经。消肿活络，杀虫止痒。用于水肿，顽癣，疥疮，冻疮，痈肿。

辣椒茎：辛，热。归脾、肾经。散寒除湿。用于风湿，冻疮，手足无力，肾囊肿胀，功能失调性子宫出血。

辣椒根：辛，热。归脾、肝、肾经。用于手足无力，肾囊肿胀，冻疮。

| 用法用量 | **辣椒：**内服煎汤，0.9～2.4 g。外用适量。

辣椒叶：外用适量，鲜品捣敷。

辣椒茎：外用适量，煎汤洗。

辣椒根：外用适量，鲜品捣敷。

| 附　　注 | 本种为《中华人民共和国药典》（2020版）辣椒的基原植物。

茄科 Solanaceae 辣椒属 *Capsicum*

樱桃椒 *Capsicum annuum* L. var. *cerasiforum* Irish

| 药 材 名 | 五色椒根（药用部位：根。别名：五彩椒根）、五色椒（药用部位：果实。别名：五彩椒）。

| 形态特征 | 一年生或有限多年生植物，高 40 ～ 80 cm。茎近无毛或微生柔毛，分枝稍呈“之”字形曲折。叶互生，枝先端节不伸长而成双生或簇生，长圆状卵形、卵形或卵状披针形，长 4 ～ 13 cm，宽 1.5 ～ 4 cm，全缘，先端短渐尖或急尖，基部狭楔形；叶柄长 4 ～ 7 cm。花单生或双生，上举；花萼杯状，具不显著 5 齿；花冠白色，裂片卵形；花药灰紫色。果柄较粗壮，上举；果实狭锥形，长 2.1 ～ 2.4 cm，直径 2.4 ～ 2.7 cm，未成熟时绿色，成熟后红色、橙色或紫红色；种子扁肾形，长 3 ～ 5 mm，淡黄色。

| 生境分布 | 栽培种。分布于湖南邵阳（武冈）、怀化（芷江）等。

| 资源情况 | 栽培资源稀少。药材来源于栽培。

| 功能主治 | **五色椒根：**辛，温。祛风湿。用于风湿病。

五色椒果实：辛，温。祛风止血，温中健胃。用于脾胃虚寒，食欲不振。

| 用法用量 | **五色椒根：**外用适量，鲜品捣敷。

五色椒果实：内服煎汤，3 ~ 9 g。

茄科 Solanaceae 辣椒属 *Capsicum*

朝天椒 *Capsicum annuum* L. var. *conoides* (Mill.) Irish

| 药 材 名 | 朝天椒（药用部位：果实。别名：指天椒、七星椒）。

| 形态特征 | 一年生草本。茎直立，二叉分枝。单叶互生；叶卵形，长 4 ~ 7 cm，宽 2 ~ 4 cm，全缘，先端尖，基部渐狭，有柄。花常单生于叶腋间；花萼钟状，先端具 5 齿；花冠白色或带紫色，5 裂；雄蕊 5，着生于花冠基部，花药纵裂；雌蕊 1，子房 2 室，花柱细长，柱头略呈头状。浆果圆锥形或矩圆状圆柱形，长 1.5 ~ 3 cm，通常直立，萼宿存。果实成熟后红色或紫色，味极辣；种子多数，扁圆形。几乎全年开花结果。

| 生境分布 | 栽培种。分布于湖南株洲（荷塘）、邵阳（大祥、隆回、武冈）、郴州（苏仙、桂东）、永州（冷水滩、江永、江华）、怀化（鹤城、

溆浦）、常德（石门）、娄底（涟源）等。

| 资源情况 | 栽培资源丰富。药材来源于栽培。

| 采收加工 | 全年均可采收，鲜用或晒干。

| 药材性状 | 本品鲜品圆锥形，长 2 ~ 5 cm，直径 1 cm，先端渐尖，基部稍圆，具宿萼及果柄。表面红色，有光泽，光滑，果肉稍厚。横切可见中轴胎座，每室有类白色扁圆形种子。气特异，有催嚏性，味辛辣。

| 功能主治 | 辛，温。归心、胃、肝经。活血，消肿，解毒。用于疮疡，脚气，狂犬咬伤。

| 用法用量 | 外用适量，煎汤洗；或捣敷。

茄科 Solanaceae 辣椒属 *Capsicum*

菜椒 *Capsicum annuum* L. var. *grossum* (Willd.) Sendtn.

| 药 材 名 |

灯笼椒（药用部位：果实。别名：灯笼泡）。

| 形态特征 |

本种与辣椒的区别在于本种全株无毛。果实近球形，圆柱状或扁球状，长 3 ~ 7 cm，顶截平或稍内凹，茎部稍内凹，味不辣或微辣。

| 生境分布 |

栽培种。分布于湖南衡阳（衡山）等。

| 资源情况 |

栽培资源一般。药材来源于栽培。

| 采收加工 |

果实成熟时采收，鲜用或晒干。

| 功能主治 |

微辛，温。归脾、胃经。健脾和胃。用于脾胃虚寒。

茄科 Solanaceae 夜香树属 *Cestrum*

夜香树 *Cestrum nocturnum* L.

| 药 材 名 | 夜来香（药用部位：叶。别名：洋素馨、夜香花）。

| 形态特征 | 直立或近攀缘状灌木，高达 3 m，无毛。枝条细长，下垂。叶长圆状卵形或长圆状披针形，长 6 ~ 15 cm，先端渐尖，基部近圆形或宽楔形，全缘，侧脉 6 ~ 7 对；叶柄长 0.8 ~ 2 cm。花梗长 1 ~ 5 mm；花绿白色或黄绿色；花萼钟状，长 2 ~ 3 mm，裂片长约为筒部的 1/4；花冠绿色或白黄色，高脚碟状，长 1.5 ~ 2.5 cm，花冠筒长，下部细，向上渐宽大，喉部稍缢缩，裂片直立或稍开张，卵形，长约为冠筒的 1/4；雄蕊伸达花冠喉部，花丝基部具齿状附属物，花药极短，褐色；花柱伸达花冠喉部。浆果长圆形或球形，白色，多汁，长 0.6 ~ 1 cm；种子 1，长卵圆形，长约 4.5 mm。

| 生境分布 | 栽培种。分布于湖南岳阳（华容）、郴州（桂阳、嘉禾、临武、汝城）、永州（东安、蓝山、江华）、怀化（辰溪、新晃）、株洲（渌口）、衡阳（衡东）等。

| 资源情况 | 栽培资源较少。药材来源于栽培。

| 功能主治 | 苦，凉。清热消肿。外用于乳痈，痈疮。

| 用法用量 | 外用适量。

茄科 Solanaceae 曼陀罗属 *Datura*

木本曼陀罗 *Datura arborea* L.

| 药 材 名 |

木本曼陀罗（药用部位：叶、花、种子。别名：木曼陀罗、大花曼陀罗、乔木状曼陀罗）。

| 形态特征 |

常绿灌木或小乔木，高 2 ~ 3 m。茎粗壮，上部分枝，全株近无毛。单叶互生，叶片卵状披针形、卵形或椭圆形，先端渐尖或急尖，基部楔形，不对称，全缘、微波状或有不规则的缺齿，两面有柔毛；叶柄长 1 ~ 3 cm。花单生于叶腋，俯垂，芳香；花冠白色，具绿色脉纹，长漏斗状，筒中部以下较细而向上渐扩大成喇叭状，长达 23 cm，檐部直径 8 ~ 10 cm；花药长达 3 cm。浆果状蒴果，无刺，长达 6 cm。

| 生境分布 |

栽培种。分布于湖南岳阳（华容）、益阳（南县）等。

| 资源情况 |

栽培资源较少。药材来源于栽培。

| 采收加工 |

叶，7 ~ 8 月间采收，鲜用或晒干或烘干。花，

7 月下旬至 8 月下旬盛花期采摘，晒干。种子，7 ~ 10 月果实成熟时采收果实，晒干后取出种子。

| 功能主治 | 辛、苦，温；有大毒。镇静，镇痛，平喘，止咳，消痔。用于支气管哮喘，慢性喘息性支气管炎，复合性胃和十二指肠溃疡，胃痛，牙痛，风湿病，损伤疼痛，痔疮。

| 用法用量 | 内服煎汤，0.3 ~ 0.6 g；或制成酊剂、流浸膏。

茄科 Solanaceae 曼陀罗属 *Datura*

毛曼陀罗 *Datura innoxia* Mill.

| 药 材 名 | 北洋金花（药用部位：花）、毛曼陀罗子（药用部位：种子。别名：天茄子、胡茄子）、毛曼陀罗根（药用部位：根）、毛曼陀罗叶（药用部位：叶）。

| 形态特征 | 一年生直立草本或半灌木状，高 1 ~ 2 m，全体密被细腺毛和短柔毛。茎粗壮，下部灰白色，分枝灰绿色或微带紫色。叶片广卵形，长 10 ~ 18 cm，宽 4 ~ 15 cm，先端急尖，基部不对称近圆形，全缘而呈微波状或有不规则的疏齿，侧脉每边 7 ~ 10。花单生于枝叉间或叶腋，直立或斜升；花梗长 1 ~ 2 cm，初直立，花萎谢后渐转向下弓曲；花萼圆筒状而不具棱角，长 8 ~ 10 cm，直径 2 ~ 3 cm，向下渐稍膨大，5 裂，裂片狭三角形，有时不等大，长 1 ~ 2 cm，

花后宿存部分随果实增大而渐增大成五角形，果时向外反折；花冠长漏斗状，长 15 ～ 20 cm，檐部直径 7 ～ 10 cm，下部带淡绿色，上部白色，花开放后呈喇叭状，边缘有 10 尖头；花丝长约 5.5 cm，花药长 1 ～ 1.5 cm；子房密生白色柔针毛，花柱长 13 ～ 17 cm。蒴果俯垂，近球状或卵球状，直径 3 ～ 4 cm，密生细针刺，针刺有韧曲性，全果亦密生白色柔毛，成熟后淡褐色，由近先端不规则开裂；种子扁肾形，褐色，长约 5 mm，宽 3 mm。花果期 6 ～ 9 月。

| 生境分布 | 生于海拔 400 ～ 800m 的村边路旁砂质地上。分布于湖南衡阳（珠晖）、邵阳（隆回）、常德（澧县）、永州（冷水滩、道县、蓝山、江华）等。

| 资源情况 | 野生资源稀少。栽培资源稀少。药材主要来源于野生。

| 采收加工 | **北洋金花：**7 月下旬至 8 月下旬盛花期，于下午 4 ～ 5 时采摘，晒干；遇雨天在 50 ～ 60 ℃下烘 4 ～ 6 小时即可。

毛曼陀罗子：7 ～ 10 月果实成熟时采收果实，晒干后取出种子。

毛曼陀罗根：7 ～ 10 月挖取，鲜用或晒干。

毛曼陀罗叶：7 ～ 8 月间采收，鲜用或晒干或烘干。

| 功能主治 | **北洋金花：**辛，温；有毒。归肺、肝经。平喘止咳，止痛，解痉，麻醉。用于哮喘咳嗽，脘腹冷痛，风湿痹痛，肌肉疼痛，麻木，癫痫，惊风。

毛曼陀罗子：辛、苦，温；有毒。归肝、脾经。平喘，祛风，止痛。用于喘咳，惊痫，风寒湿痹，脱肛，跌打损伤，疮疖。

毛曼陀罗根：辛、苦，温；有毒。镇咳，止痛，拔脓。用于喘咳，风湿痹痛，疖癣，恶疮，狂犬咬伤。

毛曼陀罗叶：辛、苦，温；有毒。镇咳平喘，止痛拔脓。用于喘咳，痹痛，脚气，脱肛，痈疽疮疖。

| 用法用量 | **北洋金花：**内服煎汤，0.3 ～ 0.5 g；或入丸、散剂或作卷烟分次燃吸，每日量不超过 1.5 g。外用，煎汤洗；或研末调敷。

毛曼陀罗子：内服煎汤，0.15 ～ 0.3 g；或浸酒。外用，煎汤洗；或浸酒涂擦。

毛曼陀罗根：内服煎汤，0.9 ～ 1.5 g。外用，煎汤洗；或研末调涂。

毛曼陀罗叶：内服煎汤，0.3 ～ 0.6 g；或浸酒。外用适量，煎汤洗；或捣汁涂。

茄科 Solanaceae 曼陀罗属 *Datura*

白花曼陀罗 *Datura metel* L.

| 药 材 名 | 洋金花（药用部位：花）。

| 形态特征 | 一年生直立草本而呈半灌木状，高 0.5 ~ 1.5 m，全株近无毛。茎基部稍木质化。叶卵形或广卵形，先端渐尖，基部不对称圆形、截形或楔形，长 5 ~ 20 cm，宽 4 ~ 15 cm，边缘有不规则的短齿或浅裂或全缘而呈波状，侧脉每边 4 ~ 6；叶柄长 2 ~ 5 cm。花单生于枝叉间或叶腋，花梗长约 1 cm；花萼筒状，长 4 ~ 9 cm，直径 2 cm，裂片狭三角形或披针形，果时宿存部分增大成浅盘状；花冠长漏斗状，长 14 ~ 20 cm，檐部直径 6 ~ 10 cm，筒中部以下较细，向上扩大成喇叭状，裂片先端有小尖头，白色、黄色或浅紫色，单瓣，在栽培类型中有 2 重瓣或 3 重瓣；雄蕊 5，在重瓣类型中常多达 15，花药长约 1.2 cm；子房疏生短刺毛，花柱长 11 ~ 16 cm。蒴

果近球状或扁球状，疏生粗短刺，直径约 3 cm，不规则 4 瓣裂；种子淡褐色，宽约 3 mm。花果期 3 ～ 12 月。

| 生境分布 | 生于海拔 100 ～ 2 000 m 的山坡、草地或住宅附近。分布于湖南株洲（醴陵）、衡阳（珠晖、耒阳、常宁）、邵阳（大祥、新邵、武冈）、郴州（永兴）、永州（东安）、常德（临澧、石门）、益阳（安化）、怀化（沅陵）等。

| 资源情况 | 野生资源较丰富。药材来源于野生。

| 采收加工 | 4 ～ 11 月花初开时采收，晒干或低温烘干。

药材性状 本品多皱缩成条状，完整者长 9 ~ 15 cm。花萼呈筒状，长为花冠的 2/5，灰绿色或灰黄色，先端 5 裂，基部具纵脉纹 5，表面微有茸毛；花冠呈喇叭状，淡黄色或黄棕色，先端 5 浅裂，裂片有短尖，短尖下有明显的纵脉纹 3，两裂片之间微凹；雄蕊 5，花丝贴生于花冠筒内，长为花冠的 3/4；雌蕊 1，柱头棒状。晒干品质脆，气微，味微苦；烘干品质柔韧，气特异。

功能主治 辛，温；有毒。归肺、肝经。平喘止咳，解痉止痛，麻醉。用于哮喘咳嗽，脘腹冷痛，风湿痹痛，小儿慢惊风。

用法用量 入丸、散剂，内服 0.3 ~ 0.6 g；或作卷烟分次燃吸，每日量不超过 1.5 g。外用适量。

茄科 Solanaceae 曼陀罗属 *Datura*

曼陀罗 *Datura stramonium* L.

| 药 材 名 | 曼陀罗（药用部位：花）、曼陀罗叶（药用部位：叶）、曼陀罗子（药用部位：种子）。

| 形态特征 | 草本或半灌木状，高 0.5 ～ 1.5 m，全株近平滑或在幼嫩部分被短柔毛。茎粗壮，圆柱状，淡绿色或带紫色，下部木质化。叶广卵形，先端渐尖，基部不对称楔形，边缘不规则波状浅裂，裂片先端急尖，有时亦有波状牙齿，侧脉每边 3 ～ 5，直达裂片先端，长 8 ～ 17 cm，宽 4 ～ 12 cm；叶柄长 3 ～ 5 cm。花单生于枝叉间或叶腋，直立，有短梗；花萼筒状，长 4 ～ 5 cm，筒部有 5 棱角，两棱间稍向内陷，基部稍膨大，先端紧围花冠筒，5 浅裂，裂片三角形，花后自近基部断裂，宿存部分随果实增大而增大，并向外反折；花冠漏斗状，

下部带绿色，上部白色或淡紫色，檐部 5 浅裂，裂片有短尖头，长 6 ～ 10 cm，檐部直径 3 ～ 5 cm；雄蕊不伸出花冠，花丝长约 3 cm，花药长约 4 mm；子房密生柔针毛，花柱长约 6 cm。蒴果直立生，卵状，长 3 ～ 4.5 cm，直径 2 ～ 4 cm，表面有坚硬针刺或有时无刺而近平滑，成熟后淡黄色，规则 4 瓣裂；种子卵圆形，稍扁，长约 4 mm，黑色。花期 6 ～ 10 月，果期 7 ～ 11 月。

| 生境分布 | 生于海拔 800m 以下的住宅旁、路边或草地上。湖南有广泛分布。

| 资源情况 | 野生资源一般。药材主要来源于野生。

| 采收加工 | **曼陀罗：**7 月下旬至 8 月下旬盛花期，于下午 4 ～ 5 时采摘，晒干；遇雨天可在 50 ～ 60 ℃下烘干。

曼陀罗叶：夏季采摘，晒干。

曼陀罗子：夏、秋季果实成熟时采收，晒干。

| 功能主治 | **曼陀罗：**辛，温；有毒。归肺、肝经。平喘止咳，麻醉止痛，解痉止搐。用于哮喘咳嗽，脘腹冷痛，风湿痹痛，癫痫，惊风。

曼陀罗叶：苦、辛，温；有毒。归肺、心经。平喘止咳，散寒止痛。用于喘咳，脘腹疼痛，痛经，寒湿痹痛。

曼陀罗子：辛、苦，温；有大毒。归肝、脾经。平喘，祛风，止痛。用于喘咳，惊痫，风寒湿痹，脱肛，跌打损伤，疮疖。

| 用法用量 |

曼陀罗：内服煎汤，0.3 ~ 0.5 g；或入丸、散剂；或作卷烟分次燃吸，每日量不超过 1.5 g。外用适量，煎汤洗；或研末调敷。

曼陀罗叶：内服煎汤，0.3 ~ 0.6 g。外用适量。

曼陀罗子：内服煎汤，0.15 ~ 0.3 g。外用适量，煎汤洗；或浸酒涂搽。

茄科 Solanaceae 红丝线属 *Lycianthes*

红丝线 *Lycianthes biflora* (Lour.) Bitter

|药 材 名| 红丝线（药用部位：全株或叶。别名：血见愁、十萼茄）。

|形态特征| 灌木或亚灌木，高达 1.5 m；小枝、叶、叶柄、花梗及花萼均密被淡黄色柔毛及 2 至多分枝的绒毛。上部叶常双生，大小不等，全缘，上面疏被短柔毛；大叶椭圆状卵形，长 9 ~ 15 cm，先端渐尖，基部楔形下延至叶柄成窄翅，叶柄长 2 ~ 4 cm；小叶宽卵形，长 2.5 ~ 4 cm，先端短渐尖，基部宽圆形而后骤窄下延至柄成窄翅，叶柄长 0.5 ~ 1 cm；花 2 ~ 3（4 ~ 5）簇生于叶腋；花梗长 5 ~ 8 mm；花萼杯状，长 5 ~ 6 mm，萼齿 10，钻状线形，长约 2 mm；花冠淡紫色或白色，被分枝绒毛，长 0.8 ~ 1.2 cm，裂片卵状披针形，长 6 mm；花丝长 1 mm，花药长 3 mm，被微柔毛。宿萼盘状，

萼齿长 4 ~ 5 mm；浆果红色，球形，直径 6 ~ 9 mm；果柄长 1 ~ 2 cm；种子淡黄色，卵圆形或近三角形，直径 1.5 ~ 2 mm。

| 生境分布 | 生于海拔 150 ~ 1 500m 的以下阴湿的山坡谷中或林下水边。分布于湖南郴州（北湖、汝城）、永州（江永、蓝山）、湘西州（吉首、花垣、永顺、保靖）等。

| 资源情况 | 野生资源稀少。药材主要来源于野生。

| 采收加工 | 夏、秋季采集，鲜用或晒干。

| 功能主治 | 涩，凉。祛痰止咳，清热解毒，补虚。用于感冒，虚劳咳嗽，气喘，消化不良，疟疾，跌打损伤，外伤出血，骨鲠咽喉，疮疥火疔，狂犬咬伤。

| 用法用量 | 全株，外用，鲜品捣烂外敷。叶，内服煎汤，15 ~ 30 g；或煮鸡蛋服。

茄科 Solanaceae 红丝线属 *Lycianthes*

单花红丝线 *Lycianthes lysimachioides* (Wall.) Bitter

| 药 材 名 | 佛葵（药用部位：全草。别名：野辣椒、小天泡、白莲草）。

| 形态特征 | 多年生草本。茎纤细，基部常匍匐，节生不定根，常被直伸柔毛，密或稀疏。叶双生，大小不等或近相等，卵形、椭圆形或卵状披针形，先端渐尖，基部楔形下延至叶柄成窄翅，两面疏被柔毛，缘毛较密；大叶长 3 ~ 7 cm，叶柄长 0.8 ~ 3 cm；小叶长 2 ~ 4.5 cm，叶柄长 0.5 ~ 2 cm。花 1 ~ 2 腋生；花梗长 0.8 ~ 1 cm，疏被白色透明单毛；花萼杯状钟形，直径约 7 mm，具 10 肋，萼齿 10，钻状线形，长 3 ~ 5 cm，被毛；花冠白色、粉红色或淡紫色，星形，直径约 1.8 cm，冠檐长约 1.1 cm，裂片披针形，长约 1 cm，先端稍反卷，疏被微小缘毛；花冠筒长约 1.5 mm；花丝长约 1 mm，花药长

约 4 mm。浆果红色，球形，直径约 8 mm；种子卵状三角形，直径 1.5 ~ 2 mm。

| 生境分布 | 生于海拔 500 ~ 1 800m 的林下或路旁。分布于湖南株洲（醴陵）、邵阳（绥宁）、郴州（宜章）、怀化（中方、芷江）、娄底（新化）、湘西州（吉首、古丈、保靖）、常德（石门）、张家界（慈利）等。

| 资源情况 | 野生资源较少。药材来源于野生。

| 采收加工 | 8 ~ 9 月采收，晒干或鲜用。

| 功能主治 | 辛，温；有小毒。归肺、心、胆经。解毒消肿。用于痈肿疮毒，鼻疮，耳疮。

| 用法用量 | 外用适量，鲜品捣敷；或煎汤洗。

茄科 Solanaceae 红丝线属 *Lycianthes*

中华红丝线 *Lycianthes lysimachioides* (Wall.) Bitter var. *sinensis* Bitter

药材名 毛药（药用部位：全草）。

形态特征 多年生草本。茎纤细，常被较密或分散的柔毛。叶卵形或椭圆形，长 5 ~ 8 cm，宽 2.5 ~ 4 cm，先端渐尖，基部楔形下延，上面被毛，下面近无毛。花单生于叶腋；总花梗无，花梗长 0.8 ~ 1 cm，连同花萼外面均被明显而分散的毛；花白色；花萼杯状钟形，具明显的 10 脉，萼齿 10，钻状线形；花冠 5 深裂，裂片披针形，花冠筒短，隐存于花萼内；雄蕊 5，花丝无毛；子房球形，花柱纤细，较雄蕊为长。浆果球形，成熟时鲜红色，直径 3 ~ 5 mm。花期 5 ~ 8 月，果期 6 ~ 10 月。

生境分布 生于林下、溪边潮湿处。分布于湖南邵阳（洞口、新宁、武冈）、

常德（石门）、张家界（桑植）、郴州（宜章）、怀化（洪江）等。

| 资源情况 | 野生资源较少。药材来源于野生。

| 采收加工 | 夏季采收，晒干。

| 功能主治 | 苦，凉。清热解毒，祛痰止咳。用于咳嗽，哮喘，痢疾，热淋，狂犬咬伤，疔疮红肿，外伤出血。

茄科 Solanaceae 红丝线属 *Lycianthes*

紫单花红丝线 *Lycianthes lysimachioides* var. *purpuriflora* C. Y. Wu et S. C. Huang

| 药 材 名 | 紫单花红丝线（药用部位：全草）。

| 形态特征 | 植株的毛被极少。叶卵形至椭圆状卵形，先端渐尖至急尖，基部圆形至楔形，两面均被膜质透明具节的单毛或近无毛；大叶片长 5 ~ 11 cm，宽 3.5 ~ 6.5 cm，叶柄长 1.3 ~ 2.3 cm；小叶片长 3 ~ 6.5 cm，宽 2.5 ~ 4 cm，叶柄长 7 ~ 14 mm。花冠淡紫色至暗紫色，花梗近无毛，长约 5 ~ 6 mm。花期夏、秋季间。

| 生境分布 | 生于海拔 1 100 ~ 1 500 m 的林下、山谷、水边阴湿地。分布于湖南常德（石门）、张家界（桑植）、湘西州（永顺）等。

| 功能主治 | 杀虫、解毒。

茄科 Solanaceae 枸杞属 *Lycium*

枸杞 *Lycium chinense* Mill.

| 药 材 名 |

枸杞子（药用部位：果实。别名：枸杞果、北枸杞、天精）、枸杞叶（药用部位：茎、叶。别名：地仙苗、天精草）、地骨皮（药用部位：根皮。别名：杞根、杀鸭兰、红榴根皮）。

| 形态特征 |

多分枝灌木，高达 1（～ 2）m。枝条细弱，弯曲或俯垂，淡灰色，具纵纹，小枝先端呈棘刺状，短枝先端棘刺长达 2 cm。叶卵形、卵状菱形、长椭圆形或卵状披针形，长 1.5 ～ 5 cm，先端尖，基部楔形，栽培植株的叶长超过 10 cm，叶柄长 0.4 ～ 1 cm。花在长枝上 1 ～ 2 腋生，花梗长 1 ～ 2 cm；花萼长 3 ～ 4 mm，常 3 中裂或 4 ～ 5 齿裂，具缘毛；花冠漏斗状，淡紫色，花冠筒向上骤宽，较冠檐裂片稍短或与冠檐裂片近等长，5 深裂，裂片卵形，平展或稍反曲，具缘毛，基部耳片显著；雄蕊稍短于花冠，花丝近基部密被 1 圈绒毛并成椭圆状毛丛，花冠筒内壁与毛丛等高处密被 1 环绒毛，花柱稍长于雄蕊。浆果卵圆形，红色，长 0.7 ～ 1.5 cm，栽培类型长圆形或长椭圆形，长达 2.2 cm；种子扁肾形，长 2.5 ～ 3 mm，黄色。

| 生境分布 | 生于海拔 150 ～ 1 200m 的山坡、田埂或丘陵地带。湖南有广泛分布。

| 资源情况 | 野生资源丰富。栽培资源较少。药材来源于野生和栽培。

| 采收加工 | **枸杞子：**夏、秋季果实呈红色时采收，热风烘干，除去果柄；或晾至皮皱后，晒干，除去果柄。

枸杞叶：春、夏季采摘，风干。

地骨皮：春初或秋后采挖根，洗净，剥取根皮，晒干。

| 药材性状 | **枸杞子：**本品呈类纺锤形或椭圆形，长 6 ～ 20 mm，直径 3 ～ 10 mm。表面红色或暗红色，先端有小突起状的花柱痕，基部有白色的果柄痕。果皮柔韧，皱缩；果肉肉质，柔润。种子 20 ～ 50，类肾形，扁而翘，长 1.5 ～ 1.9 mm，宽 1 ～ 1.7 mm，表面浅黄色或棕黄色。气微，味甜。

枸杞叶：本品嫩茎多干缩。叶互生，偶见簇生；叶片多卷曲，展开后呈卵形、卵状菱形或卵状披针形，长 1.5 ～ 5.5 cm，宽 0.5 ～ 2 cm，全缘。表面淡绿色至棕黄色，下表面主脉明显突出。气微，味微甜。

地骨皮：本品呈筒状或槽状，长 3 ～ 10 cm，宽 0.5 ～ 1.5 cm，厚 0.1 ～ 0.3 cm。外表面灰黄色至棕黄色，粗糙，有不规则纵裂纹，易呈鳞片状剥落；内表面黄白色至灰黄色，较平坦，有细纵纹。体轻，质脆，易折断，断面不平坦，外层黄棕色，内层灰白色。气微，味微甘而后苦。

| 功能主治 |

枸杞子： 甘，平。归肝、肾经。滋补肝肾，益精明目。用于虚劳精亏，腰膝酸痛，眩晕耳鸣，阳痿遗精，内热消渴，血虚萎黄，目昏不明。

枸杞叶： 苦、甘，凉。归肝、脾、肾经。补肾益精，清热明目。用于虚劳发热，烦渴，目赤肿痛，障翳夜盲，崩漏带下，热毒疮肿。

地骨皮： 甘，寒。归肺、肝、肾经。凉血除蒸，清肺降火。用于阴虚潮热，骨蒸盗汗，肺热咳嗽，咯血，衄血，内热消渴。

| 用法用量 |

枸杞子： 内服煎汤，6 ~ 12 g。

枸杞叶： 内服煎汤，鲜品 60 ~ 240 g；或煮食；或捣汁。外用适量，煎汤洗；或捣汁滴眼。

地骨皮： 内服煎汤，9 ~ 15 g。

茄科 Solanaceae 番茄属 *Lycopersicon*

番茄 *Lycopersicon esculentum* Mill.

| 药 材 名 | 番茄（药用部位：果实。别名：西红柿）。

| 形态特征 | 一年生草本，高达 2 m。茎易倒伏。叶为羽状复叶或羽状深裂，长 10 ~ 40 cm；小叶 5 ~ 9，大小不等，卵形或长圆形，长 5 ~ 7 cm，基部楔形，偏斜，具不规则锯齿或缺裂；叶柄长 2 ~ 5 cm。花序梗长 2 ~ 5 cm，具 3 ~ 7 花；花梗长 1 ~ 1.5 cm；花萼辐状钟形，裂片披针形，宿存；花冠辐状，直径 2 ~ 2.5 cm，黄色，裂片窄长圆形，长 0.8 ~ 1 cm，常反折；花丝长约 1 mm，花药长 0.6 ~ 1 cm。浆果扁球形或近球形，肉质多汁液，橘黄色或鲜红色，光滑；种子黄色，被柔毛。

| 生境分布 | 栽培种。湖南有广泛分布。

| 资源情况 | 栽培资源丰富。药材来源于栽培。

| 采收加工 | 夏、秋季果实成熟时采收，洗净，鲜用。

| 功能主治 | 甘、酸，微寒。归胃经。生津止渴，健胃消食。用于口渴，食欲不振。

| 用法用量 | 内服煎汤；或生食。

茄科 Solanaceae 假酸浆属 *Nicandra*

假酸浆 *Nicandra physalodes* (L.) Gaertn.

| 药 材 名 | 假酸浆（药用部位：全草或果实、花。别名：果铃）。

| 形态特征 | 一年生直立草本，高达 1.5 m。茎无毛。叶互生，卵形或椭圆形，长 4 ~ 20 cm，先端尖或短渐尖，基部楔形，具粗齿或浅裂；叶柄长 1.5 ~ 6 cm。花单生于叶腋，俯垂；花梗长 1.5 ~ 4 cm；花萼钟状，长 0.8 ~ 3 cm，5 深裂至近基部，裂片宽卵形，先端尖，基部心状箭形，具 2 尖耳片，果时增大成 5 棱状，宿存；花冠钟状，淡蓝色，冠檐 5 浅裂，直径 2.4 ~ 4 cm，裂片宽短；雄蕊 5，内藏，花丝基部宽，花药椭圆形，药室平行，纵裂；子房 3 ~ 5，胚珠多数，柱头近头状，3 ~ 5 浅裂。浆果球形，直径 1 ~ 2 cm，黄色或褐色，为宿萼包被；种子肾状盘形，直径约 1 mm，具多数小凹穴；胚弯曲，近周边生，子叶半圆棒形。

| 生境分布 | 生于海拔 100 ～ 1 200m 的田边、荒地或住宅区。湖南有广泛分布。

| 资源情况 | 野生资源较丰富。药材主要来源于野生。

| 采收加工 | 全草或果实，秋季采集全草，分出果实，分别洗净，鲜用或晒干。花，夏、秋季采摘，阴干。

| 功能主治 | 甘、酸、微苦，平；有小毒。归心、肺、肝经。清热解毒，利尿。用于感冒发热，鼻渊，热淋，疮疖。

| 用法用量 | 内服煎汤，全草或花 3 ～ 9 g，鲜品 15 ～ 30 g，果实 1.5 ～ 3 g。

茄科 Solanaceae 烟草属 *Nicotiana*

烟草 *Nicotiana tabacum* L.

| 药材名 |

烟草（药用部位：叶。别名：烟叶、叶子烟、土烟）。

| 形态特征 |

一年生或多年生草本，高达 2 m。叶长圆状披针形、披针形、长圆形或卵形，长 10 ~ 30（~ 70）cm，先端渐尖，基部渐窄成耳状半抱茎；叶柄不明显或呈翅状。花序圆锥状，顶生；花梗长 0.5 ~ 2 cm；花萼筒状或筒状钟形，长 2 ~ 2.5 cm，裂片三角状披针形，长短不等；花冠漏斗状，淡黄色、淡绿色、红色或粉红色，基部带黄色，稍弓曲，长 3.5 ~ 5 cm，冠檐直径 1 ~ 1.5 cm，裂片尖；雄蕊 1，较短，不伸出花冠喉部，花丝基部被毛。蒴果卵圆形或椭圆形，与宿萼近等长；种子圆形或宽长圆形，直径约 0.5 mm，褐色。

| 生境分布 |

栽培种。湖南各地均有分布。

| 资源情况 |

栽培资源丰富。药材主要来源于栽培。

| 采收加工 | 7 月间叶片由深绿色变成淡黄色、叶尖下垂时，可按叶的成熟先后，分数次采摘，晒干或烘干或鲜用。

| 药材性状 | 本品完整者呈卵形或椭圆状披针形，长约 60 cm，宽约 25 cm，先端渐尖，基部稍下延成翅状柄，全缘或呈微波状，上面黄棕色，下面色较淡，主脉宽而凸出，具腺毛，稍湿润后带黏性。气特异，味苦、辣，作呕性。

| 功能主治 | 辛、温；有毒。归肺、脾、胃经。行气止痛，燥湿杀虫，消肿解毒。用于食滞饱胀，气结疼痛，关节痹痛，痈疽疔疮，疥癣湿疹，毒蛇咬伤，扭挫伤。

| 用法用量 | 内服煎汤，鲜品 9 ~ 15 g；或点燃吸烟。外用煎汤洗；或捣敷。

茄科 Solanaceae 碧冬茄属 *Petunia*

碧冬茄 *Petunia hybrida* Vilm.

｜药 材 名｜ 碧冬茄（药用部位：种子。别名：彩花茄、矮牵牛、灵芝牡丹）。

｜形态特征｜ 一年生草本，高达 60 cm。叶卵形，长 3 ~ 8 cm，先端渐尖，基部宽楔形或楔形，全缘，侧脉不显著，5 ~ 7 对，具短柄或近无柄。花单生于叶腋；花梗长 3 ~ 5 cm；花萼 5 深裂，裂片线形，长 1 ~ 1.5 cm，先端钝，宿存；花冠白色或紫堇色，具条纹，漏斗状，长 5 ~ 7 cm，花冠筒向上渐宽，冠檐开展，具折襞，5 浅裂；雄蕊 4 长 1 短；花柱稍长于雄蕊。蒴果圆锥状，长约 1 cm，2 瓣裂，裂瓣先端 2 浅裂；种子近球形，直径约 0.5 mm，褐色。

｜生境分布｜ 栽培种。湖南有广泛分布。

| **资源情况** | 栽培资源一般。药材来源于栽培。

| **采收加工** | 夏、秋季果实成熟时采收果实，取出种子，晒干。

| **功能主治** | 行气，杀虫。用于腹水，腹胀便秘，蛔虫病。

茄科 Solanaceae 散血丹属 *Physaliastrum*

江南散血丹 *Physaliastrum heterophyllum* (Hemsl.) Migo

|药 材 名|

龙须参（药用部位：根。别名：刺酸浆）。

|形态特征|

植株高 30 ~ 60 cm。根多条簇生，近肉质。茎直立，茎节略膨大，幼嫩时具细疏毛；枝条较粗壮，平展。叶连叶柄长 7 ~ 19 cm，宽 2 ~ 7 cm，阔椭圆形、卵形或椭圆状披针形，先端短渐尖或急尖，基部歪斜，变狭而成长 1 ~ 6 cm 的叶柄，全缘而略呈波状，两面被稀疏细毛，侧脉 5 ~ 7 对。花单生或双生；花梗细瘦，有稀柔毛，长 1 ~ 1.5 cm，果时长达 3 ~ 5 cm，变无毛；花萼短钟状，长约为花冠的 1/3，长 5 ~ 7 mm，直径 6 ~ 10 mm，外面疏生柔毛，5 深中裂，裂片直立，狭三角形，渐尖，或多或少不等长，有缘毛，花后增大成近球状，直径约 2 cm；花冠阔钟状，白色，长 1.2 ~ 1.5 cm，直径 1.5 ~ 2 cm，檐部 5 浅裂，裂片扁三角形，有细缘毛；雄蕊长为花冠之半，长 6 ~ 8 mm，花丝有稀疏柔毛。浆果直径约 1.8 cm。5 月开花，8 月果实成熟。

|生境分布|

生于海拔 450 ~ 1 100 m 的山坡、山谷林

下潮湿处。分布于湖南郴州（临武、汝城）、岳阳（平江）、湘西州（保靖）、长沙（浏阳）等。

| 资源情况 | 野生资源稀少。药材主要来源于野生。

| 采收加工 | 秋、冬季挖取，晒干。

| 药材性状 | 本品主根圆锥形，基部有多数支根，支根呈簇生状。表面浅棕色，有皱纹。肉质。气微，味微甘。

| 功能主治 | 补气。用于虚劳气怯，体弱乏力。

| 用法用量 | 内服煎汤，3 ~ 10 g。

茄科 Solanaceae 酸浆属 *Physalis*

酸浆 *Physalis alkekengi* L.

| 药 材 名 |

酸浆（药用部位：全草。别名：红姑娘、灯笼草）、酸浆根（药用部位：根。别名：天灯笼草根）。

| 形态特征 |

多年生草本，基部常匍匐生根。茎高 40 ~ 80 cm，基部略带木质，分枝稀疏或不分枝，茎节不甚膨大，常被柔毛，尤其幼嫩部分毛较密。叶长 5 ~ 15 cm，宽 2 ~ 8 cm，长卵形至阔卵形、有时菱状卵形，先端渐尖，基部不对称狭楔形，下延至叶柄，全缘而呈波状或有粗牙齿，有时每边具少数不等大的三角形大牙齿，两面被柔毛，沿叶脉毛较密，上面的毛常不脱落，沿叶脉亦有短硬毛；叶柄长 1 ~ 3 cm。花梗长 6 ~ 16 mm，开花时直立，后向下弯曲，密生柔毛且果时毛也不脱落；花萼阔钟状，长约 6 mm，密生柔毛，萼齿三角形，边缘有硬毛；花冠辐状，白色，直径 15 ~ 20 mm，裂片开展，阔而短，先端骤然狭窄成三角形尖头，外面有短柔毛，边缘有缘毛；雄蕊及花柱均短于花冠。果柄长 2 ~ 3 cm，多少被宿存柔毛；果萼卵状，长 2.5 ~ 4 cm，直径 2 ~ 3.5 cm，薄革质，网脉显著，有 10 纵肋，橙色或火红色，被

宿存的柔毛，先端闭合，基部凹陷；浆果球状，橙红色，直径 10 ~ 15 mm，柔软多汁；种子肾形，淡黄色，长约 2 mm。花期 5 ~ 9 月，果期 6 ~ 10 月。

| 生境分布 | 生于海拔 150 ~ 1 500m 的空旷地或山坡。湖南有广泛分布。

| 资源情况 | 野生资源丰富。栽培资源较少。药材来源于野生和栽培。

| 采收加工 | **酸浆：** 6 ~ 9 月采收，鲜用或晒干。

酸浆根： 夏、秋季采挖，鲜用或晒干。

| 药材性状 | **酸浆：** 本品茎圆柱形，木质化，较硬。叶互生，完整者呈阔卵形，长 5 ~ 15 cm，宽 2 ~ 8 cm，先端尖，基部不对称，波状缘有粗齿。宿萼卵球形，直径 1 ~ 1.2 cm。气微，味苦。

酸浆根： 本品根和根茎呈细长圆柱形，略扭曲，直径 1 ~ 2 mm。表面皱缩，土棕色，节明显。略具青草气，味甚苦而微辛。

| 功能主治 | **酸浆：** 酸、苦，寒。归肺、脾经。清热利咽，通利二便。用于咽喉肿痛，肺热咳嗽，黄疸，痢疾，水肿，小便淋涩，大便不利，黄水疮，湿疹，丹毒。

酸浆根： 苦，寒。归肺、脾经。清热，利湿。用于黄疸，疟疾，疝气。

| 用法用量 | **酸浆：** 内服煎汤，9 ~ 15 g；或捣汁；或研末。外用，煎汤洗；或研末调敷；或捣敷。

酸浆根： 内服煎汤，3 ~ 6 g，鲜品 24 ~ 30 g。

茄科 Solanaceae 酸浆属 *Physalis*

挂金灯 *Physalis alkekengi* L. var. *francheti* (Mast.) Makino

| 药 材 名 | 挂金灯（药用部位：全草。别名：锦灯笼）、锦灯笼（药用部位：宿萼或带果实的宿萼）。

| 形态特征 | 多年生草本，基部常匍匐生根。茎高 40 ~ 80 cm，基部略带木质。叶互生，常 2 叶生于 1 节；叶柄长 1 ~ 3 cm；叶片长卵形至阔卵形，长 5 ~ 15 cm，宽 2 ~ 8 cm，两面具柔毛，沿叶脉亦有短硬毛。花单生于叶腋，花梗长 6 ~ 16 mm，开花时直立，后向下弯曲，密生柔毛且果时毛也不脱落；花萼阔钟状，密生柔毛，5 裂，萼齿三角形，花后萼筒膨大，变为橙红色或深红色，呈灯笼状包被浆果；花冠辐状，白色，5 裂，裂片开展，阔而短，先端骤然狭窄成三角形尖头，外有短柔毛；雄蕊 5，花药淡黄绿色；子房上位，卵球形，2 室。浆果球形，橙红色，柔软多汁；种子肾形，多数，细小，淡黄色。花

期 5 ~ 9 月，果期 6 ~ 10 月。

| 生境分布 | 生于海拔 800 ~ 1 600m 的空旷地或山坡。湖南有广泛分布。

| 资源情况 | 野生资源一般。药材主要来源于野生。

| 采收加工 | **挂金灯：**夏、秋季采收，鲜用或晒干。

锦灯笼：秋季果实成熟、宿萼呈红色或橙红色时采收，干燥。

| 药材性状 | **挂金灯：**本品茎圆柱形，木质化，较硬。叶互生，完整者呈阔卵形，长 5 ~ 15 cm，宽 2 ~ 8 cm，先端尖，基部不对称，波状缘有粗齿。宿萼卵球形，直径 1.5 ~ 2.5 cm，黄绿色，薄纸质。浆果圆球形，皱缩，直径 1 ~ 1.2 cm。气微，微苦。

锦灯笼：本品宿萼略呈灯笼状，多压扁，长 3 ~ 4.5 cm，宽 2.5 ~ 4 cm。表面橙红色或橙黄色，有 5 明显的纵棱，棱间有网状细脉纹，先端渐尖，微 5 裂，基部略平截，中心凹陷处有果柄。体轻，质柔韧，中空或内有棕红色或橙红色果实。果实球形，多压扁，直径 1 ~ 1.5 cm，内含种子多数，果皮皱缩。气微，宿萼味苦，果实味甘、微酸。

|功能主治| **挂金灯：**酸、苦，寒。归肺、脾经。清热毒，利咽喉，通利二便。用于咽喉肿痛，肺热咳嗽，黄疸，痢疾，水肿，小便淋涩，大便不利，黄水疮，湿疹，丹毒。

锦灯笼：苦，寒。归肺经。清热解毒，利咽化痰，利尿通淋。用于咽痛音哑，痰热咳嗽，小便不利，热淋涩痛；外用于天疱疮，湿疹。

|用法用量| **挂金灯：**内服煎汤，9 ~ 15 g；或捣汁；或研末。外用适量，煎汤洗；或研末调敷；或捣敷。

锦灯笼：内服煎汤，5 ~ 9 g。外用适量，捣敷。

茄科 Solanaceae 酸浆属 *Physalis*

苦蘵 *Physalis angulata* L.

| 药 材 名 | 苦蘵（药用部位：全草。别名：响铃草、响泡子）、苦蘵果实（药用部位：果实。别名：苦蘵果）、苦蘵根（药用部位：根）。

| 形态特征 | 一年生草本，被疏短柔毛或近无毛，高 30 ~ 50 cm。茎多分枝，分枝纤细。叶柄长 1 ~ 5 cm，叶片卵形至卵状椭圆形，先端渐尖或急尖，基部阔楔形或楔形，全缘或有不等大的牙齿，两面近无毛，长 3 ~ 6 cm，宽 2 ~ 4 cm。花梗长 5 ~ 12 mm，纤细，和花萼生短柔毛；花萼长 4 ~ 5 mm，5 中裂，裂片披针形，生缘毛；花冠淡黄色，喉部常有紫色斑纹，长 4 ~ 6 mm，直径 6 ~ 8 mm；花药蓝紫色，有时黄色，长约 1.5 mm。果萼卵球状，直径 1.5 ~ 2.5 cm，薄纸质；浆果直径约 1.2 cm；种子圆盘状，长约 2 mm。花果期 5 ~ 12 月。

生境分布 生于海拔 500 ～ 1 500m 的山谷林下及村边路旁。湖南有广泛分布。

资源情况 野生资源丰富。药材主要来源于野生。

采收加工 **苦蘵：**夏、秋季采收，鲜用或晒干。

苦蘵果实：秋季果实成熟时采收，鲜用或晒干。

苦蘵根：夏、秋季采挖，洗净，鲜用或晒干。

功能主治 **苦蘵：**苦、酸，寒。归肺、肝、胃、膀胱经。用于感冒，肺热咳嗽，咽喉肿痛，牙龈肿痛，湿热黄疸，痢疾，水肿，热淋，天疱疮，疔疮。

苦蘵果实：酸，平。归脾、肝经。解毒，利湿。用于牙痛，天疱疮，疔疮。

苦蘵根：苦，寒。归肝、肺、肾经。利尿通淋。用于水肿腹胀，黄疸，热淋。

用法用量 **苦蘵：**内服煎汤，15 ～ 30 g；或捣汁。外用适量，捣敷；煎汤含漱或熏洗。

苦蘵果实：内服煎汤，6 ～ 9 g。外用适量，捣汁涂。

苦蘵根：内服煎汤，15 ～ 30 g。

茄科 Solanaceae 酸浆属 *Physalis*

小酸浆 *Physalis minima* L.

| 药 材 名 | 天泡子（药用部位：带果实的全草或果实。别名：黄姑娘、天泡果）。

| 形态特征 | 一年生草本。根细瘦。主轴短缩，先端多二叉分枝，分枝披散而卧于地上或斜升，生短柔毛。叶柄细弱，长 1 ~ 1.5 cm；叶片卵形或卵状披针形，长 2 ~ 3 cm，宽 1 ~ 1.5 cm，先端渐尖，基部歪斜楔形，全缘而呈波状或有少数粗齿，两面脉上有柔毛。花具细弱的花梗；花梗长约 5 mm，生短柔毛；花萼钟状，长 2.5 ~ 3 mm，外面生短柔毛，裂片三角形，先端短渐尖，缘毛密；花冠黄色，长约 5 mm；花药黄白色，长约 1 mm。果柄细瘦，长不及 1 cm，俯垂；果萼近球状或卵球状，直径 1 ~ 1.5 cm；果实球状，直径约 6 mm。

| 生境分布 | 生于海拔 300 ~ 1 000 m 的山坡、田野及土坝上。分布于湖南株洲（天

元）、衡阳（常宁）、张家界（慈利）等。

| 资源情况 | 野生资源较少。药材主要来源于野生。

| 采收加工 | 6 ~ 7 月采集带果实的全草或果实，洗净，鲜用或晒干。

| 药材性状 | 本品全草长 40 ~ 70 cm。茎呈圆柱形，多分枝，表面黄白色。叶互生，具柄；叶片灰绿色或灰黄绿色，干缩，展平后呈卵圆形或长圆形，长 2 ~ 3 cm，宽 1 ~ 1.5 cm，先端渐尖，基部渐狭，叶缘浅波状或具不规则粗齿，两面被短茸毛，下面毛较密。叶腋处有灯笼状宿萼，宿萼呈压扁状，薄膜质，黄白色，内有近球形浆果。气微，味苦。以全草幼嫩、色黄白、带果实宿萼多者为佳。

| 功能主治 | 苦，凉。清热利湿，祛痰止咳，软坚散结。用于湿热黄疸，小便不利，慢性咳喘，疳疾，瘰疬，天疱疮，湿疹，疖肿。

| 用法用量 | 内服煎汤，15 ~ 30 g。外用适量，捣敷；或煎汤洗；或研末调敷。

茄科 Solanaceae 茄属 *Solanum*

千年不烂心 *Solanum cathayanum* C. Y. Wu et S. C. Huang

药材名

千年不烂心（药用部位：全草。别名：苦茄、野番茄）。

形态特征

草质藤本，多分枝，长 0.5 ~ 3 m，茎、叶各部密被多节的长柔毛。叶互生；叶柄长 1 ~ 2 cm；叶片多数为心形，长 3 ~ 5 cm，宽 2 ~ 4 cm，先端渐尖，基部心形或截形，全缘；少数叶基部 3 深裂，裂片全缘，侧裂片短而先端钝，中裂片长，卵形至卵状披针形，先端渐尖，上面疏被白色发亮的短柔毛，下面与上面的毛被相似，但更加浓密；中脉明显，侧脉纤细，每边 4 ~ 6。聚伞花序顶生或腋外生，疏花；总花梗长 1.8 ~ 4 cm，被多节发亮的长柔毛及短柔毛；花梗长 0.8 ~ 1 cm，先端稍膨大，基部具关节，无毛；萼杯状，无毛，萼齿 5；花冠紫蓝色或白色，直径约 1 cm，开放时裂片向外反折，花冠筒隐于萼内；花丝长不及 1 mm，花药长圆形，长约 3 mm；子房卵形，花柱丝状，柱头小，头状。浆果成熟时红色，直径约 8 mm；果柄无毛，常呈弧形弯曲；种子近圆形，两侧压扁，外面具细致凸起的网纹。花期夏、秋季间，果期秋末。

| 生境分布 | 生于海拔 530 ~ 1 250 m 的灌丛、山谷、山坡等阴湿处。分布于湖南永州（零陵）、湘西州（永顺）等。

| 资源情况 | 野生资源稀少。药材主要来源于野生。

| 采收加工 | 夏、秋季采收，晒干。

| 功能主治 | 甘、苦，寒。清热解毒，息风定惊。用于小儿发热惊风，黄疸，肺热咳嗽，风火牙痛，瘰疬，妇女崩漏，带下，盆腔炎。

| 用法用量 | 内服煎汤，9 ~ 15 g。

| 附　　注 | FOC 将千年不烂心 *Solanum cathayanum* C. Y. Wu et S. C. Huang 修订为白英 *Solanum lyratum* Thumb。

茄科 Solanaceae 茄属 *Solanum*

野茄 *Solanum coagulans* Forsk.

| 药材名 | 黄水茄（药用部位：根、叶、果实。别名：丁茄）。

| 形态特征 | 多年生草本或亚灌木，高 0.5 ~ 2 m，枝、叶、花序密被灰褐色星状绒毛和皮刺。上部叶常假双生，不相等，有叶柄；叶片卵形至卵状椭圆形，先端渐尖、急尖或钝，基部偏斜，边缘浅波状圆裂，裂片通常 5 ~ 7；中脉在下面凸出，在两面均具细直刺，侧脉每边 3 ~ 4。蝎尾状花序腋外生；能孕花大，单生于花序基部，不孕花小，雄蕊退化；花萼钟形；花冠辐射状，星形，紫蓝色，裂片宽三角形；雄蕊 5，着生于花冠筒喉部；子房具多数胚珠。浆果球形，无毛，成熟时黄色，基部有宿存萼片；种子扁圆形。花期夏季，果期冬季。

| 生境分布 | 生于海拔 180 ~ 1 100 m 的灌丛或缓坡地带。分布于湖南邵阳（隆回）、怀化（会同、芷江）、湘西州（古丈、永顺、凤凰，保靖）、张家界（桑植）等。

| 资源情况 | 野生资源稀少。药材主要来源于野生。

| 采收加工 | 7 ~ 10 月采收根、叶，冬季采摘果实，鲜用或晒干。

| 功能主治 | 辛、苦，凉。止咳平喘，解毒消肿，止痛。用于咳嗽，哮喘，风湿性关节炎，热淋，睾丸炎，牙痛，痈疮溃烂。

| 用法用量 | 内服煎汤，9 ~ 15 g。外用捣敷；或煎汤洗。

| 附　　注 | FOC 将野茄学名改为 *Solanum undatum* Lamarck。

茄科 Solanaceae 茄属 *Solanum*

野海茄 *Solanum japonense* Nakai

| 药材名 | 毛风藤（药用部位：全草。别名：白毛英、毛果）。

| 形态特征 | 草质藤本，长 0.5 ~ 1.2 m，无毛或小枝被疏柔毛。叶三角状宽披针形或卵状披针形，通常长 3 ~ 8.5 cm，宽 2 ~ 5 cm，先端长渐尖，基部圆形或楔形，边缘波状，有时 3（~ 5）裂，侧裂片短而钝，中裂片卵状披针形，先端长渐尖，无毛或在两面均被具节疏柔毛或仅脉上被疏柔毛，中脉明显，侧脉纤细，通常每边 5；在小枝上部的叶较小，卵状披针形，长 2 ~ 3 cm；叶柄长 0.5 ~ 2.5 cm，无毛或具疏柔毛。聚伞花序顶生或腋外生，被疏毛；总花梗长 1 ~ 1.5 cm，近无毛；花梗长 6 ~ 8 mm，无毛，先端膨大；花萼浅杯状，直径约 2.5 mm，5 裂，萼齿三角形，长约 0.5 mm；花冠紫色，直径约

1 cm，花冠筒隐于萼内，长不及 1 mm，冠檐长约 5 mm，基部具 5 绿色斑点，先端 5 深裂，裂片披针形，长 4 mm；花丝长约 0.5 mm，花药长圆形，长 2.5 ~ 3 mm，顶孔略向前；子房卵形，直径不及 1 mm，花柱纤细，长约 5 mm，柱头头状。浆果圆形，直径约 1 cm，成熟后红色；种子肾形，直径约 2 mm。花期夏、秋季间，果熟期秋末。

| 生境分布 | 生于海拔（250 ~ ）600 ~ 1 800（ ~ 2 800） m 的荒坡、山谷、水边、路旁及山崖疏林下。分布于湖南郴州（宜章）等。

| 资源情况 | 野生资源稀少。药材主要来源于野生。

| 采收加工 | 夏、秋季采收，鲜用或晒干。

| 功能主治 | 辛、苦，平。归肝经。祛风湿，活血通络。用于风湿痹痛，经闭。

| 用法用量 | 内服煎汤，9 ~ 15 g；或浸酒。

茄科 Solanaceae 茄属 *Solanum*

喀西茄 *Solanum khasianum* C. B. Clarke

| 药 材 名 | 喀西茄（药用部位：果实）、苦天茄叶（药用部位：叶）。

| 形态特征 | 草本或亚灌木，高达 2（~ 3）m，茎、叶、花梗、花萼被硬毛、腺毛及基部宽扁的直刺，刺长 0.2 ~ 1.5 cm。叶宽卵形，长 6 ~ 15 cm，先端渐尖，基部戟形，5 ~ 7 深裂，裂片边缘不规则齿裂及浅裂，上面沿叶脉毛密，侧脉疏被直刺；叶柄长 3 ~ 7 cm。蝎尾状花序腋外生，花单生或 2 ~ 4；花萼钟状，裂片长圆状披针形，长约 5 mm，具长缘毛；花冠筒淡黄色，长约 1.5 mm，冠檐白色，裂片披针形，长约 1.4 cm，具脉纹，反曲；花药先端延长，长 6 ~ 7 mm，顶孔向上；子房被微绒毛。浆果球形，直径 2 ~ 3 cm，淡黄色，宿萼被毛及细刺，后毛及刺渐脱落；种子淡黄色，近倒卵圆形，直径 2 ~ 2.8 mm。花期春、夏季，果期夏、秋季。

| 生境分布 | 生于海拔 300 ~ 1 300 m 的沟边、路边灌丛、荒地、草坡或疏林中。湖南有广泛分布。

| 资源情况 | 野生资源较丰富。药材主要来源于野生。

| 采收加工 | **喀西茄：**秋季采收，鲜用或晒干。

苦天茄叶：夏、秋季采收，鲜用或晒干。

| 功能主治 | **喀西茄：**微苦，寒；有小毒。消炎解毒，镇痉止痛。用于风湿疼痛，跌打疼痛，神经性头痛，胃痛，牙痛，乳痈，痄腮；外用于疮毒。

苦天茄叶：微苦，凉。消炎止痛，解毒。用于小儿惊厥，麻风，腹痛，牙痛；外用于疮毒。

| 用法用量 | **喀西茄：**内服煎汤，3 ~ 6 g。外用适量，捣敷；或研末调敷。

苦天茄叶：内服煎汤，6 ~ 9 g。

| 附　　注 | 根据 FOC 将喀西茄学名改为 *Solanum aculeatissimum* Jacquin。

茄科 Solanaceae 茄属 *Solanum*

白英 *Solanum lyratum* Thunb.

| 药 材 名 | 白英（药用部位：全草或根。别名：白毛藤）。

| 形态特征 | 多年生蔓性草本，长达 4 m。茎基部有时木质化，灰褐色至灰黄色，有纵棱线和圆形皮孔；幼枝密被柔毛。叶互生，有长柄；叶片长卵形或卵状长圆形，长 3 ~ 10 cm，常在基部 3 ~ 5 裂，略呈琴状，生于枝梢的叶不分裂，两面均密生白色长柔毛。疏松聚伞花序与叶对生；总花梗与花梗均细长，有柔毛；小花白色；花萼 5 浅裂；花冠辐状，5 深裂，裂片披针形，向外反折；雄蕊 5，花药向上孔裂；雌蕊 1，子房上位，花柱细长。浆果球形，成熟时红色，基部有宿萼。夏季开花。

| 生境分布 | 生于海拔 100 ~ 1 500 m 的路边、山野草丛或灌丛中。湖南有广泛

分布。

| 资源情况 | 野生资源丰富。药材主要来源于野生。

| 采收加工 | 夏、秋季茎叶生长旺盛时采收，洗净，晒干或鲜用。

| 药材性状 | 本品茎呈圆柱形，分枝少，长 1 ~ 1.2 cm，直径 2 ~ 7 mm；外表黄绿色或棕绿色，密被灰白色柔毛，但主茎较粗处柔毛较少。叶互生，叶柄长 1 ~ 3 cm，叶片卷曲，展开后呈戟形或琴形，长 2.5 ~ 7.5 cm，宽 1.2 ~ 4 cm，表面密被茸毛。果实黄绿色或暗红色，圆球形；种子多数。质脆，断面纤维性。气微，味苦。

| 功能主治 | 苦，微寒；有小毒。归肝、胃经。清热利湿，解毒消肿，抗肿瘤。用于感冒发热，黄疸性肝炎，胆囊炎，胆结石，恶性肿瘤，带下，肾炎性水肿；外用于痈疖肿毒；根还用于风湿性关节炎。

| 用法用量 | 内服煎汤，15 ~ 30 g。外用适量，鲜全草捣敷。

茄科 Solanaceae 茄属 *Solanum*

茄 *Solanum melongena* L.

| 药 材 名 | 茄根（药用部位：根、茎）、茄叶（药用部位：叶）、茄花（药用部位：花）、茄蒂（药用部位：宿萼）、茄子（药用部位：果实）。

| 形态特征 | 一年生草本至亚灌木，高 60 ~ 100 cm，全株被星状柔毛。茎直立，粗壮，上部分枝，绿色或紫色，无刺或有疏刺。单叶互生；叶柄长 2 ~ 4.5 cm，叶片卵状椭圆形，长 8 ~ 18 cm，宽 5 ~ 11 cm，先端钝尖，基部不相等，叶缘波状浅裂，表面暗绿色，两面具星状柔毛。能孕花单生，不孕花蝎尾状，与能孕花并出；花萼钟形，先端 5 裂，裂片披针形，具星状柔毛；花冠紫蓝色，直径约 3 cm，裂片三角形，长约 1 cm；雄蕊 5，花丝短，着生于花冠喉部，花药黄色，分离，先端孔裂；雌蕊 1，子房 2 室，花柱圆球形，柱头小。浆果长椭圆形、球形或长柱形，深紫色、淡绿色或黄白色，光滑，基部有宿存萼。

花期6～8月，花后结实。

| 生境分布 | 栽培种。湖南有广泛分布。

| 资源情况 | 栽培资源丰富。药材主要来源于栽培。

| 采收加工 | **茄根：**9～10月间，植物枯萎时连根拔起，除去干叶，洗净泥土，晒干。

茄叶：6～7月采收，鲜用或晒干。

茄花：6～9月采收，晒干。

茄蒂：6～9月采收，鲜用或晒干。

茄子：夏、秋季果实成熟时采收。

| 功能主治 | **茄根：**甘、辛，寒。归大肠经。祛风利湿，止血散瘀。用于久痢，便血，痔血，风湿痹痛，脚气，妇女阴痒，皮肤瘙痒，冻疮。

茄叶：甘、辛，平。散血消肿。用于血淋，血痢，肠风下血，痈肿，冻伤。

茄花：甘，平。敛疮，止痛，利湿。用于金疮，牙痛，妇女白带过多。

茄蒂：甘，凉。凉血，解毒。用于肠风下血，痈肿，对口疮，牙痛。

茄子：甘，凉。归脾、胃、大肠经。清热，活血，消肿。用于肠风下血，跌打损伤，热毒疮痈，乳痈，皮肤溃疡。

| 用法用量 | **茄根**：内服煎汤，9 ~ 18 g；或入散剂。外用适量，煎汤洗；或捣汁涂；或烧存性，研末调敷。

茄叶：内服研末，6 ~ 9 g。外用，煎汤洗；或捣敷；或烧存性，研末调敷。

茄蒂：内服研末，6 ~ 9 g；或烧存性研末。外用，烧存性，研末掺；或生擦。

茄子：内服煎汤，15 ~ 30 g。外用适量，捣敷。

茄科 Solanaceae 茄属 *Solanum*

龙葵 *Solanum nigrum* L.

药材名 龙葵（药用部位：全草。别名：山辣椒）、龙葵子（药用部位：种子）、龙葵根（药用部位：根）。

形态特征 一年生草本，高 25 ~ 100 cm。茎直立，有棱角或不明显，近无毛或稀被细毛。叶互生；叶柄长 1 ~ 2 cm；叶片卵形，先端短尖，基部楔形或宽楔形并下延至叶柄，通常长 2.5 ~ 10 cm，宽 1.5 ~ 5.5 cm，全缘或具不规则波状粗锯齿，光滑或两面均被稀疏短柔毛。蝎尾状聚伞花序腋外生，由 3 ~ 6（~ 10）花组成；花梗长 1 ~ 2.5 cm；花萼小，浅杯状，外面疏被细毛，5 浅裂；花冠白色，辐状，5 深裂，裂片卵圆形，长约 2 mm；雄蕊 5，着生于花冠筒口，花丝分离，花药黄色，顶孔向内；雌蕊 1，球形，子房 2 室，花柱下半部密生白

色柔毛，柱头圆形。浆果球形，有光泽，直径约 8 mm，成熟时黑色；种子多数扁圆形。花果期 9 ~ 10 月。

| **生境分布** | 生于海拔 100 ~ 1200 m 的田边、路旁或荒地。湖南有广泛分布。

| **资源情况** | 野生资源丰富。药材主要来源于野生。

| **采收加工** | **龙葵、龙葵根**：夏、秋季采收，鲜用或晒干。

龙葵子：秋季果实成熟时采收，鲜用或晒干。

| **功能主治** | **龙葵**：苦，寒；有小毒。清热解毒，活血消肿。用于慢性支气管炎，丹毒，跌打损伤，痈疖，疔疮，肾炎性水肿。

龙葵子：苦，寒。清热解毒，化痰止咳。用于咽喉肿痛，疔疮，咳嗽痰喘。

龙葵根：苦、甘，寒。清热利湿，活血解毒。用于痢疾，淋浊，尿路结石，带下，风火牙痛，跌打损伤，痈疽肿痛。

| **用法用量** | **龙葵**：内服煎汤，15 ~ 30 g。外用适量，捣敷；或煎汤洗。

龙葵子：内服煎汤，6 ~ 9 g；或浸酒。外用适量，煎汤含漱；或捣敷。

龙葵根：内服煎汤，9 ~ 15 g，鲜品加倍。外用适量，捣敷；或研末调敷。

| **附　　注** | FOC 将本种学名改为 *Solanum americanum* Miller。

茄科 Solanaceae 茄属 *Solanum*

少花龙葵 *Solanum photeinocarpum* Nakamura et Odashima.

| 药 材 名 | 少花龙葵（药用部位：全草。别名：古钮菜、乌点规）。

| 形态特征 | 一年生直立草本，高约 1 m。茎无毛或近无毛。单叶互生；叶柄纤细，长 1 ~ 2 cm，具疏柔毛；叶片薄，卵形至卵状长圆形，长 4 ~ 8 cm，宽 2 ~ 4 cm，先端渐尖，基部楔形下延至叶柄而成翅，边缘微波状或具不规则波状粗齿，两面均具疏柔毛。花序近伞形，腋外生，纤细，着生花 1 ~ 6；总花梗长 1 ~ 2 cm，花梗长 5 ~ 8 mm，花小，直径约 7 mm；花萼绿色，5 裂，裂片卵形，具缘毛；花冠白色，筒部隐于花萼内，5 裂，裂片卵状披针形；雄蕊 5，着生于花冠喉部；花丝极短，花药黏合成圆锥体，顶裂；子房 2 室，胚珠多数。浆果球状，直径约 5 mm，幼时绿色，成熟时黑色；种子近卵形，两侧压扁，直径 1 ~ 1.5 mm。几乎全年开花结果。

| 生境分布 | 生于海拔 100 ~ 1 200 m 的溪边、密林阴湿处或林边荒野。分布于湖南衡阳（蒸湘）、株洲（荷塘、天元）、岳阳（汨罗）、郴州（汝城）、湘西州（保靖）、怀化（中方、麻阳、芷江、沅陵）等。

| 资源情况 | 野生资源较少。药材主要来源于野生。

| 采收加工 | 春、夏、秋季采收，鲜用或晒干。

| 药材性状 | 本品根呈圆锥形或圆柱形，弯曲，长 10 ~ 15 cm，直径 0.3 ~ 1 cm，表面棕黄色，有分枝，多须根，具纵皱纹；质韧，不易折断，断面不整齐，黄白色。茎呈圆柱形，直径 0.2 ~ 1 cm，表面绿色或黄色，具细皱纹；质韧，不易折断，断面不整齐，黄绿色至黄色，具髓或中空。叶皱缩，展开后呈长卵圆形，叶片纸质，长 2 ~ 6 cm，宽 1 ~ 4 cm，绿色或黄绿色，先端渐尖，基部楔形，全缘或略呈波状，上面具疏柔毛，下面近无毛。花小，花冠白色。浆果球状。气微，味淡。

| 功能主治 | 甘、淡，凉。归肝、肾、膀胱经。清热解毒，利湿消肿。用于高血压，痢疾，热淋，目赤，咽喉肿痛，疔疮，疖肿。

| 用法用量 | 内服煎汤，10 ~ 30 g。外用适量，捣敷；或绞汁涂搽。

茄科 Solanaceae 茄属 *Solanum*

海桐叶白英 *Solanum pittosporifolium* Hemsl.

| 药 材 名 |

海桐白英（药用部位：全草）。

| 形态特征 |

蔓生灌木，长达 1 m，植株光滑无毛，小枝具棱角。叶披针形至卵圆状披针形，长 4 ~ 10 cm，宽 1.5 ~ 3.5 cm，先端渐尖，基部楔形或钝，有时稍偏斜，全缘，两面均无毛，侧脉每边 6 ~ 7，在两面均较明显；叶柄长 0.5 ~ 2 cm。聚伞花序腋外生，疏散；总花梗长 1 ~ 5 cm；花萼小，先端 5 浅裂，裂片圆而钝；花冠白色，少数为紫色，直径 7 ~ 9 mm；花冠筒长约 1 mm，内藏于萼内，冠檐长 5 ~ 6 mm，基部有斑点，先端 5 深裂，裂片长圆状披针形，长 4 ~ 5 mm，具中脉，边缘具缘毛，开放时向外反折；雄蕊 5，着生于花冠筒上，花丝长约 1 mm，花药长约 3 mm，顶孔向内；子房卵形，直径不及 1 mm；花柱纤细，长约 7 mm，柱头头状。浆果球形，成熟后红色，直径 0.8 ~ 1.2 cm；种子扁平，直径 2 ~ 2.5 mm，外面具细致的网纹。花期 6 ~ 8 月，果期 9 ~ 12 月。

| 生境分布 |

生于海拔 500 ~ 2500 m 的路旁、沟边、密林或疏林下。分布于湖南郴州（宜章、临武）、永州（东安、蓝山）、常德（石门）、张家界（慈利、桑植）、娄底（涟源）等。

| 资源情况 | 野生资源稀少。药材主要来源于野生。

| 采收加工 | 夏、秋季采收，洗净，晒干或鲜用。

| 药材性状 | 本品茎呈圆柱形，光滑无毛，小枝具棱角，直径 2 ~ 10 mm；表面黄绿色，具纵皱纹；质硬而脆，断面黄白色，中空。叶皱缩或破碎，叶片披针形至卵圆状披针形，完整叶呈卵形或椭圆形，长 4 ~ 10 cm，宽 1.5 ~ 3.5 cm，先端渐尖，基部楔形或钝，全缘，暗绿色，两面均无毛，侧脉每边 6 ~ 7，在两面均较明显；叶柄长 0.5 ~ 2 cm。聚伞花序腋外生，疏散，总花梗长 1 ~ 5 cm；花萼小，先端 5 浅裂，裂片圆而钝；花冠筒长约 1 mm，基部有斑点，先端 5 深裂，裂片长圆状披针形，长 4 ~ 5 mm，具中脉，边缘具缘毛。浆果球形，黑色或绿色，皱缩；种子多数，外面具细致的网纹。气微，味淡。

| 功能主治 | 苦，微寒；有小毒。清热解毒，散瘀消肿，祛风除湿，抗肿瘤。

| 用法用量 | 内服煎汤，10 ~ 30 g。外用适量，鲜品捣敷。

茄科 Solanaceae 茄属 *Solanum*

珊瑚樱 *Solanum pseudocapsicum* L.

| 药 材 名 |

冬珊瑚（药用部位：根。别名：冬珊瑚、季庆果、四季果等）。

| 形态特征 |

直立分枝小灌木，高达 2 m，全株光滑无毛。单叶互生；叶柄长 2 ~ 5 mm，与叶片不能截然分开；叶片狭长圆形至倒披针形，长 1 ~ 6 cm，先端钝或短尖，基部渐狭成短柄，全缘或呈波状，两面光滑。花多单生，很少成蝎尾状花序，无总花梗或近无总花梗；花梗光滑，长 3 ~ 4 mm，花小，白色；花萼绿色，5 裂；花冠裂片 5，卵形；雄蕊 5；子房上位，2 室，花柱短，柱头截形。浆果球形，橙红色，直径 1 ~ 1.5 cm，果柄长约 1 cm，先端膨大，经久不落；种子盘状，扁平。花期 5 ~ 8 月，果期 6 ~ 12 月。

| 生境分布 |

生于海拔 600 ~ 1 500 m 的路边、沟边、空旷地。湖南有广泛分布。

| 资源情况 |

野生资源丰富。药材主要来源于野生。

| 采收加工 | 秋季采挖，晒干。

| 功能主治 | 辛、苦，温；有毒。归肾、膀胱经。活血止痛。用于腰肌劳损，闪挫扭伤。

| 用法用量 | 内服浸酒，1.5 ~ 3 g。

茄科 Solanaceae 茄属 *Solanum*

珊瑚豆 *Solanum pseudocapsicum* L. var. *diflorum* (Vell.) Bitter.

| 药 材 名 | 珊瑚豆（药用部位：全草。别名：野海椒）。

| 形态特征 | 直立分枝小灌木，高 0.3 ~ 1.5 m。小枝幼时被树枝状簇绒毛，后毛渐脱落。叶互生；叶柄长 2 ~ 5 mm；叶片卵状长圆形，长 2 ~ 5 cm，宽 1 ~ 1.5 cm，常 2 叶生于 1 处，1 大 1 小，先端钝圆，基部渐狭成柄，全缘或呈微波状。花序短，腋生，通常 1 ~ 3，单生或成蝎尾状花序；总花梗短，近无；花梗长约 5 mm；花萼绿色，略呈钟状，上端 5 裂，微被毛；花冠浅钟状，白色，5 深裂，裂片卵圆形；雄蕊 5，黄色；子房近圆形，花柱线形，柱头小，略呈头状。浆果单生，呈球状，珊瑚红色或橘黄色，直径 1 ~ 2 cm；种子多数，扁平，略呈肾形，平滑。花期 4 ~ 7 月，果期 8 ~ 12 月。

| 生境分布 | 生于田边、路旁、丛林或水沟边。分布于湖南长沙（岳麓）、邵阳（双清、大祥、邵东、隆回）、岳阳（君山）、常德（鼎城）、郴州（桂阳、桂东）、娄底（娄星、涟源）、湘潭（湘乡）、张家界（桑植）等。

| 资源情况 | 野生资源较少。药材主要来源于野生。

| 采收加工 | 夏、秋季采集，晒干。

| 功能主治 | 辛，温；有小毒。归心、肝、脾经。祛风湿，通经络，消肿止痛。用于风湿痹痛，腰背疼痛，跌打损伤，无名肿痛。

| 用法用量 | 内服煎汤，5 ~ 10 g。外用适量，研末调敷。

茄科 Solanaceae 茄属 *Solanum*

蒜芥茄 *Solanum sisymbriifolium* Lam.

药材名

蒜芥茄（药用部位：全草或枝、叶、根）。

形态特征

一年生草本，茎叶花序及萼外面均被长柔毛状腺毛及黄色或橘黄色的钻形皮刺，刺长约 2 ~ 10 mm，基部最宽约 1.5 mm，直而针尖，小枝粗壮，枝沿棱角明显。叶具柄，长圆形或卵形，长（4.5 ~ ）10 ~ 14 cm，宽 2.5 ~ 5（ ~ 8） cm，羽状深裂或半裂，裂片又呈羽状半裂或齿裂，在两面均被长柔毛状腺毛及沿中脉及侧脉着生尖而直的皮刺，叶柄长 1.5 ~ 4 cm，其上的皮刺较叶片上的粗壮。蝎尾状花序顶生或侧生，近对叶生或腋外生，总花梗长约 3 cm，花梗长约 1.5 cm，疏具长 4 ~ 5 mm 的皮刺；萼杯状，5 裂，裂片卵状披针形，长约 5 mm，宽 2 mm，先端尖，少或无皮刺，萼筒长约 4 mm，密具针状皮刺；花冠星形，亮紫色或白色，直径约 3.5 cm，5 裂，花冠筒隐于花萼内，短而不明显，长约 1 mm，冠檐长约 1.6 cm，裂片卵形，瓣间连以花瓣间膜，无毛或在外面被疏柔毛；花丝长约 1 mm，无毛，花药卵状，先端延长，基部心形，先端尖，长约 9 mm，宽 2.5 mm，先端 2 孔；子房近卵形，绿白色，

被微柔毛，直径约 2 mm，花柱丝状，长约 1.2 mm，无毛，柱头绿色，头状，先端 2 裂或裂不明显。浆果近圆形，成熟后朱红色，直径约 2 cm 或更长，几为密被皮刺的膨大的宿萼所包被；种子淡黄色，肾形，长 2.5 mm，宽 2 mm。

| 生境分布 | 生于田野。分布于湖南长沙（雨花）等。

| 资源情况 | 野生资源稀少。栽培资源较少。药材主要来源于栽培。

| 功能主治 | 解热，镇痛，止咳，利尿。用于高血压，助消化不良，泄泻，难产，肝病，肾病，结石，创伤，呼吸道感染。

茄科 Solanaceae 茄属 *Solanum*

牛茄子 *Solanum surattense* Burm. f.

| 药 材 名 | 丁茄（药用部位：全株。别名：野颠茄、颠茄）。

| 形态特征 | 多年生直立草本至亚灌木，高 30 ~ 60 cm，全株除茎、枝外，各部均被具节的纤毛，茎及小枝具淡黄色细直刺。叶单生或成对互生；叶柄粗壮，长 2 ~ 5 cm，叶片宽卵形，长 5 ~ 14 cm，宽 4 ~ 12 cm，先端短尖，基部心形，5 ~ 7 裂或中裂，裂片三角形或近卵形，脉上有直刺。聚伞花序腋外生，短而少花；花梗纤细，被直刺及纤毛；花萼呈杯状，有刺，5 裂；花冠白色，5 裂，裂片披针形，先端尖；雄蕊 5，着生于花冠喉部，花药顶裂；子房球形，2 室，胚珠多数。浆果扁球形，直径约 3.5 cm，初绿白色，成熟后橙红色，基部有带细刺的宿存萼，果柄长 2 ~ 2.5 cm，具细直刺；种子干后扁而薄，边缘翅状，直径约 4 mm。花果期 1 ~ 11 月。

| 生境分布 | 生于海拔 350 ~ 1180 m 的路旁荒地、疏林或灌丛中。湖南有广泛分布。

| 资源情况 | 野生资源一般。药材主要来源于野生。

| 采收加工 | 全年均可采收，鲜用或晒干。

| 药材性状 | 本品根呈近圆柱形，分枝而扭曲，先端有时附具细直皮刺的残茎，茎枝无毛，或切成长 2 ~ 3 cm 的短段，直径 5 ~ 15 mm。表面灰黄色，刮去栓皮后呈白色。体轻，质松，断面黄白色，有裂隙，髓心淡绿色。气特异，味苦、辛。

| 功能主治 | 苦、辛，温；有毒。镇咳平喘，散瘀止痛。用于慢性支气管炎，哮喘，胃痛，风湿腰腿痛，跌打损伤，痈肿疮毒，寒性脓疡。

| 用法用量 | 内服煎汤，3 ~ 6 g；或研末，0.3 ~ 0.9 g。外用适量，捣敷；或煎汤洗；或研末调敷。

| 附　　注 | FOC 将本种学名改为 *Solanum capsicoides* All。

茄科 Solanaceae 茄属 *Solanum*

阳芋 *Solanum tuberosum* L.

|药 材 名| 阳芋（药用部位：块茎。别名：马铃薯、土豆、洋芋）。

|形态特征| 一年生草本，高 30 ~ 80 cm，无毛或被疏柔毛。地下块茎呈椭圆形，扁圆形或长圆形，直径 3 ~ 10 cm，外皮黄白色，内面白色，具芽眼，着生于匍匐茎上，呈密集状。奇数不相等的羽状复叶；总叶柄长 3 ~ 5 cm，小叶柄长 1 ~ 8 mm；小叶 6 ~ 8 对，常大小相间，卵形或矩圆形，最大者长约 6 cm，最小者长、宽均不及 1 cm，先端钝尖，基部稍不等，全缘，两面均被白色疏柔毛，叶脉在下面凸起，侧脉每边 6 ~ 7，先端略弯。伞房花序顶生，后侧生；花萼钟形，直径约 1 cm，外被疏柔毛，5 裂，裂片披针形，先端长渐尖；花冠辐状，白色或蓝紫色，直径 2.5 ~ 3 cm，花冠筒隐于花萼内，先端

5 裂，裂片略呈三角形；雄蕊 5，花丝短，花药长圆形，长约为花丝的 5 倍；雌蕊 1，子房上位，2 室，花柱较雄蕊稍长，柱头头状，结实少。浆果圆球形，光滑，直径约 1.5 cm，成熟时红色；种子扁圆形。花期夏季。

| 生境分布 | 栽培种。湖南有广泛分布。

| 资源情况 | 栽培资源丰富。药材主要来源于栽培。

| 采收加工 | 夏、秋季采收，洗净，鲜用或晒干。

| 药材性状 | 本品块茎呈扁球形或长圆形，直径 3 ~ 10 cm，表面白色或黄色，节间短而不明显，侧芽着生于凹陷的芽眼内，一端有短茎基或茎痕。质硬，富含淀粉。气微，味淡。

| 功能主治 | 甘，平。和胃健中，解毒消肿。用于胃痛，痄腮，痈肿，湿疹，烫伤。

| 用法用量 | 内服适量，煮食；或煎汤。外用适量，磨汁涂。

茄科 Solanaceae 茄属 *Solanum*

黄果茄 *Solanum xanthocarpum* Schrad. et Wendl.

| 药材名 | 黄果茄（药用部位：根、果实、种子。别名：刺茄）。

| 形态特征 | 直立或匍匐草本，高 50 ~ 70 cm，有时基部木质化，植株各部均被星状绒毛和细长的针状皮刺。单叶互生；叶柄长 2 ~ 3.5 cm；叶片卵状长圆形，长 4 ~ 6 cm，宽 3 ~ 4.5 cm，先端尖或钝，基部近心形或偏斜，边缘深波状或深裂。聚伞花序腋外生，通常具 3 ~ 5 花；花萼钟形，5 裂，外面有小刺；花冠辐状，蓝紫色，5 裂，裂瓣卵状三角形，外被绒毛；雄蕊 5；子房卵圆形，花柱纤细，柱头截形。浆果球形，直径 1.3 ~ 1.9 cm，初时绿色并具深绿色条纹，成熟后则变为淡黄色；种子近肾形，扁平。花期冬季至翌年夏季，果熟期夏、秋季。

| 生境分布 | 生于海拔 100 ~ 1 300 m 的村边、路旁、荒地及干旱河谷沙滩上。

分布于湖南湘潭（湘潭）、益阳（资阳、赫山）、永州（蓝山）、娄底（新化）等。

| 资源情况 | 野生资源稀少。药材主要来源于野生。

| 采收加工 | 夏、秋季采收根，秋、冬季采摘果实，洗净，晒干或鲜用。

| 药材性状 | 本品根呈不规则圆柱形，多扭曲，有分枝，长达 30 cm，直径 0.7 ~ 5 cm；表面灰黄色或棕黄色，粗糙，可见凸起的细根痕及斑点，皮薄，有的剥落，剥落处呈淡黄色；质硬，断面淡黄色或黄白色，纤维性。

| 功能主治 | 苦、辛，温。归肝经。祛风湿，消瘀止痛。用于风湿痹痛，牙痛，睾丸肿痛，痈疖。

| 用法用量 | 内服煎汤，9 ~ 15 g。外用适量，涂擦；或研末敷。

| 附　　注 | FOC 将本种学名改为 *Solanum viginianum* L.。

茄科 Solanaceae 龙珠属 *Tubocapsicum*

龙珠 *Tubocapsicum anomalum* (Franch. et Sav.) Makino.

| 药 材 名 | 龙珠（药用部位：全草或根、果实）。

| 形态特征 | 多年生草本，高达 1.5 m，全株无毛。茎粗壮，分枝，绿色。单叶互生或成对；叶柄长不足 1 cm；叶片薄纸质，卵形、椭圆形或卵状披针形，长 5 ~ 18 cm，宽 3 ~ 10 cm，先端渐尖，基部歪斜楔形，全缘或有不明显的粗波状齿。花 2 ~ 6 簇生于叶腋或枝腋，俯垂；花梗细弱，长 1 ~ 2 cm，结果时上端肥厚；花萼皿状，5 裂，果时稍增大而宿存；花冠淡黄色，钟状，直径 6 ~ 8 mm，裂片卵状三角形，先端尖锐，向外反卷，有短缘毛；雄蕊 5，稍伸出花冠，花药黄色，2 室，花丝细长；雌蕊 1，花柱与雄蕊近等长，柱头头状。浆果球形，直径 7 ~ 10 mm，成熟后红色；种子淡黄色。花果期 8 ~ 10 月。

| 生境分布 | 生于海拔 300 ~ 1 500 m 的山谷、山旁或山坡密林中。湖南有广泛分布。

| 资源情况 | 野生资源一般。药材主要来源于野生。

| 采收加工 | 7 ~ 8 月采收全草，秋季果实成熟时采收果实或挖取根部，鲜用或晒干。

| 功能主治 | 苦，寒。归膀胱、胃、大肠经。清热解毒，通利小便。用于小便淋痛，痢疾，疔疮。

| 用法用量 | 内服煎汤，30 ~ 60 g。外用适量，捣敷。

玄参科 Scrophulariaceae 毛麝香属 *Adenosma*

毛麝香 *Adenosma glutinosum* (L.) Druce.

| 药 材 名 | 毛麝香（药用部位：全草。别名：毛老虎、麝香草）。

| 形态特征 | 多年生草本，高 30 ~ 60 cm。茎直立，粗壮，密被多细胞腺毛和柔毛，基部木质化。叶对生，具短柄或近无柄；叶片卵状披针形至宽卵形，长 2 ~ 8 cm，先端钝，基部浑圆或阔楔尖，边缘有钝锯齿，两面均被茸毛，叶背面、苞片、小苞片、萼片均具黄色透明腺点，腺点脱落后留下褐色窝孔。总状花序顶生；花梗先端有 1 对小苞片；萼片 5，后方 1 萼片较宽大，狭披针形；花冠蓝色或紫红色，长 1 ~ 2.5 cm，上唇直立，圆卵形、截形或微凹，下唇 3 裂；雄蕊 4，内藏，药室分离，前方 2 雄蕊仅 1 室发育；花柱先端膨大，柱头以下翅状。蒴果卵状，长约 8 mm，4 瓣裂。花果期 7 ~ 10 月。

| 生境分布 | 生于海拔 300 ～ 1 200 m 的山野草丛中。分布于湖南永州（江永）等。

| 资源情况 | 野生资源稀少。药材主要来源于野生。

| 采收加工 | 夏、秋季采收，切段，晒干或鲜用。

| 药材性状 | 本品长 20 ～ 30 cm。根残存。茎直径 2 ～ 4 mm，有分枝；外表黑褐色，有浅纵纹，被疏长毛；质坚，易折断，中空，稍呈纤维性。叶极皱缩，上面黑褐色，下面浅棕褐色，被柔毛，密具下凹的腺点。有的可见花或果实，花萼宿存，茶褐色，5 裂，其中 1 裂片显著长且大。蒴果茶褐色或黄棕色。气香浓烈，味稍辣而凉。

| 功能主治 | 辛，温。祛风湿，消肿痛，行气血，止痛痒。用于风湿骨痛，小儿麻痹，气滞腹痛，疮疖肿毒，湿疹，跌打损伤，蛇虫咬伤。

| 用法用量 | 内服煎汤，10 ～ 15 g。外用适量，煎汤洗；或捣敷。

玄参科 Scrophulariaceae 毛麝香属 *Adenosma*

球花毛麝香 *Adenosma indianum* (Lour.) Merr.

| 药 材 名 | 大头陈（药用部位：全草。别名：乌头风、千锤草）。

| 形态特征 | 一年生草本，高 1 m，全株被多细胞柔毛。茎直立，单生或分枝。叶对生，具短柄，柄半抱茎；叶片椭圆形，长 3 ~ 5 cm，先端钝，边缘有细锯齿，背面有小腺点。穗状花序短而近头状，顶生或腋生；苞片披针形，向上渐小，下部的比花长；花无梗；小苞片 2，丝状；萼片 5，分生，狭披针形，稍不等宽；花冠紫色或深蓝紫色，长 6 ~ 7 mm，上唇直立，卵圆形，先端凹陷，下唇扩展，3 裂；雄蕊 4，前面 1 对略长，花药仅 1 室发育，另 1 室小而中空。蒴果卵形，为宿存花萼所包，棕褐色。花果期 10 月。

| 生境分布 | 生于海拔 300 ~ 1 200 m 的山坡、旷野、草丛中。分布于湖南永州（江

永）等。

资源情况 野生资源稀少。药材主要来源于野生。

采收加工 10 月花开时采收，切段，晒干或鲜用。

药材性状 本品根呈须状，地上部分被毛。茎呈类方柱形，有分枝，长 15 ~ 60 cm，直径 1 ~ 3 mm；表面棕褐色或黑褐色，具细纵纹，节稍膨大；质稍韧，断面黄白色，中空。叶对生，有柄；叶片多脱落或皱缩，破碎，完整者展平后呈卵形或长卵圆形，长 3 ~ 5cm，宽 0.5 ~ 1.5 cm；先端钝，基部楔形，边缘有锯齿。穗状花序顶生或腋生，呈球状或长圆形；花萼筒状，5 裂；花冠多脱落。气香，味辛凉、微苦。

功能主治 辛、苦，平。疏风解表，化湿消滞。用于感冒头痛，发热，腹痛泄泻，消化不良。

用法用量 内服煎汤，15 ~ 30 g，鲜品加倍。外用适量，捣敷。

玄参科 Scrophulariaceae 金鱼草属 *Antirrhinum*

金鱼草 *Antirrhinum majus* L.

| 药 材 名 |

龙头花（药用部位：全草。别名：金鱼草、龙头菜）。

| 形态特征 |

多年生草本，高可达 80 cm。茎直立，基部木质化，茎中上部被腺毛，基部有时分枝。茎下部的叶常对生，茎上部的叶常互生；具短柄，叶片披针形至圆状披针形，长 2 ~ 6 cm，无毛，先端尖，基部楔形，全缘。总状花序顶生，密被腺毛；花梗长 5 ~ 7 mm；花萼与花梗近等长，花萼 5 深裂，裂片卵形，钝或极尖；花冠颜色多种，红色、紫色至白色，长 3 ~ 5 cm，在中部向上唇隆起，封闭喉部，使花冠呈假面状；雄蕊 4，二强。蒴果卵形，长约 15 mm，基部强烈向前延伸，被腺毛，先端孔裂。

| 生境分布 |

栽培种。较耐寒，不耐热；喜阳光，也耐半阴，生长适温 16℃ ~ 26℃。分布于湖南益阳（赫山）、岳阳（湘阴）、怀化（新晃）等。

| 资源情况 |

栽培资源稀少。药材来源于栽培。

| 采收加工 | 夏、秋季采收，切段，晒干或鲜用。

| 功能主治 | 苦，凉。归肝经。清热解毒，活血消肿。用于疮疡肿毒，跌打损伤。

| 用法用量 | 内服煎汤，15 ~ 30 g。外用适量，鲜品捣敷。

玄参科 Scrophulariaceae 来江藤属 *Brandisia*

来江藤 *Brandisia hancei* Hook. f.

| 药 材 名 | 蜜糖罐（药用部位：全株。别名：蜜桶花、猫花）。

| 形态特征 | 灌木，高 2 ~ 3 m，全株密被锈黄色星状绒毛，枝及叶上面逐渐变无毛。叶柄短，长约 5 mm，有锈色绒毛；叶片革质，长卵形，长 3 ~ 10 cm，宽 3.5 cm，先端锐尖，基部近心形，全缘。花单生于叶腋，花梗长 1 cm，中上部有 1 对披针形小苞片，均有毛；花萼宽钟状，内面密生绢毛，具 10 脉，长、宽均为 1 cm，萼齿宽卵状三角形，先端凸突或具短锐头；花冠橙红色，外面被星状绒毛，长约 2 cm，上唇宽大，2 裂，裂片三角形，下唇较短，3 裂，裂片舌状；雄蕊与上唇等长；子房卵圆形，与花柱均被星状毛。蒴果卵圆形，略扁平，具星状毛。花期 11 月至翌年 2 月，果期 3 ~ 4 月。

| 生境分布 | 生于海拔 500 ～ 1 600 m 的林中及林缘。分布于湖南湘西州（吉首、永顺、龙山、凤凰）、怀化（麻阳、新晃）等。

| 资源情况 | 野生资源稀少。药材主要来源于野生。

| 采收加工 | 全年均可采收，切段，晒干或鲜用。

| 药材性状 | 本品茎呈圆柱形，多分枝，长 50 ～ 90 cm，幼枝表面密被锈黄色星状绒毛；质脆，易折断。单叶对生，叶柄短，长约 5 mm，有锈黄色星状绒毛；叶片皱缩，易碎，完整者展开后呈卵状披针形或披针形，长 3 ～ 10 cm，宽 3.5 cm，先端锐尖，基部近心形或圆形，全缘，少数有锯齿；上表面绿色或暗紫色，下表面密被锈黄色星状绒毛，呈灰白色。花单生于叶腋，花梗长约 1 cm，中上部有 1 对披针形小苞片，均被毛；花萼钟形，上部 5 裂；花冠二唇形，上唇宽大，2 裂，下唇平展，较短，3 裂，均被星状绒毛。蒴果卵圆形；种子小。气微，味微苦。

| 功能主治 | 微苦，凉。归肝、心、脾经。祛风利湿，清热解毒。用于风湿筋骨痛，浮肿，泻痢，黄疸，劳伤吐血，骨髓炎，骨膜炎，疮疖。

| 用法用量 | 内服煎汤，10 ～ 20 g；或浸酒。外用适量，鲜品捣敷；或煎汤洗。

玄参科 Scrophulariaceae 来江藤属 *Brandisia*

岭南来江藤 *Brandisia swinglei* Merr.

| 药 材 名 |

岭南来江藤（药用部位：全株）。

| 形态特征 |

直立灌木或略蔓性，高达 2 m，全株密被褐灰色星状绒毛，枝及叶上面渐变无毛。花单生于叶腋，有时 2 花同生，花梗、小苞片和花萼均被褐灰色星状绒毛。叶片卵圆形，稀卵状长圆形，长 3 ~ 11 cm，宽 1 ~ 5.5 cm，先端锐尖至近尾状长锐尖，基部宽楔形至近心形，全缘或具不规则疏锯齿，干后多变黑色；叶柄长达 8 mm，具毛。花梗长达 8 mm，上端有 2 条状小苞片；花萼钟形，长 1.5 cm，内面有绢毛，外面具 10 脉，5 裂至 1/2 处，萼齿狭长，长大于宽，狭三角状卵形，先端渐狭成长锐头，齿间的缺刻底部尖锐；花冠黄色，长约 2.5 cm，除管的基部光滑外，外面均被褐灰色星状绒毛，瓣片内面有疏毛，上唇 2 裂，裂片歪卵形，下唇侧裂片长圆状卵形，小于长圆形的中裂片；雄蕊隐藏于花冠喉部；花柱基部与卵圆形的子房均有星状绒毛。蒴果小，扁圆形，短于萼片，有横行细纹，仅有部分星状毛宿存；种子稍弓曲，长约 4.5 mm，种皮、种翅有网眼。花期 6 ~ 11 月，果期 12 月至翌年 1 月。

| 生境分布 | 生于海拔 500 ~ 1 000 m 的坡地。分布于湖南郴州（汝城）等。

| 资源情况 | 野生资源稀少。药材主要来源于野生。

| 采收加工 | 春、夏季枝叶繁茂时采收，晒干或鲜用。

| 药材性状 | 本品叶片呈卵圆形，稀卵状长圆形，长 3 ~ 11 cm，宽 1 ~ 5.5 cm，先端锐尖至近尾状长锐尖，基部宽楔形至近心形，全缘或具不规则疏锯齿，干品墨绿色或黑色；叶柄长达 8 mm，具毛。

| 功能主治 | 苦，寒。归心经。清热解毒，祛风利湿，止血。用于梅毒，附骨疽，骨膜炎，黄疸，跌打损伤，风湿筋骨痛，乳痈，浮肿，泻痢，吐血，心悸等。

| 用法用量 | 内服煎汤，10 ~ 15 g。外用适量，捣汁涂。

玄参科 Scrophulariaceae 黑草属 *Buchnera*

黑草 *Buchnera cruciata* Hamilt.

| 药 材 名 | 鬼羽箭（药用部位：全草。别名：羽箭草、黑骨草）。

| 形态特征 | 一年生直立草本，干时黑色，高 15 ~ 50 cm，全株被弯曲短毛。茎有时上部分枝。基生叶莲座状，叶片倒卵形，长 1 ~ 3 cm；下部的茎生叶对生，长圆形，长 2 ~ 5 cm，宽 3 ~ 5 mm，无柄；上部的茎生叶有时互生，狭披针形至条形，全缘，偶有齿。穗状花序圆柱状而略呈四棱形，着生于茎或分枝的先端，长 1 ~ 4.5 cm；花密集，无梗；苞片卵形，先端渐尖，长约 5 mm；花萼下有 1 对钻状小苞片，花萼与苞片等长，筒状，短 5 裂，被柔毛；花冠蓝紫色，狭筒状，多少具棱，稍弯曲，长 6 ~ 7 mm，喉部收缩，外面被柔毛，花冠裂片倒卵形或倒披针形；雄蕊 4，内藏，花药长约 1 mm，1 室，先端

具短尖，子房卵形。蒴果近圆柱形，室背 2 裂，果瓣硬厚，长约 5 mm；种子多数，三角状卵形或椭圆形，多少具螺旋形条纹。花果期 4 月至翌年 1 月。

| 生境分布 | 生于海拔 1 200 m 以下的旷野、山坡及疏林中。分布于湖南怀化（通道）等。

| 资源情况 | 野生资源稀少。药材主要来源于野生。

| 采收加工 | 秋季采收，鲜用或晒至半干，收回堆放，用麻布包覆盖，焖 2 日，晒干。

| 药材性状 | 本品呈黑色或黑褐色，稍被白毛。茎中空。基生叶呈卵形或倒卵形，茎生叶呈线形。先端多具花序或果序。气微，味微苦。

| 功能主治 | 淡、微苦，凉。清热解毒，凉血止血。用于流行性感冒，身发斑痧，伤寒，癫痫，皮肤风毒肿痛。

| 用法用量 | 内服煎汤，10 ~ 15 g。外用适量，鲜品捣敷。

玄参科 Scrophulariaceae 幌菊属 *Ellisiophyllum*

幌菊 *Ellisiophyllum pinnatum* (Wall.) Makino

| 药材名 | 幌菊（药用部位：全草）。

| 形态特征 | 多年生柔弱、匍匐草本，除花冠外全体被短柔毛。匍匐茎纤细、蔓延，长可达 1 m，节间短，长 1.5 ~ 4 cm，节稍膨大，下生纤维状不定根。叶单生于节上，上升，具长 2.5 ~ 6 cm 的长柄，直径约 1.2 mm，与匍匐茎等粗或稍粗；叶片卵形或矩圆状卵形，纸质，长 2 ~ 5 cm，通常羽状深裂几至中肋，少有浅裂而具大圆齿，裂片 5 ~ 9，倒卵形，中部以上或上部有具短凸尖的圆齿。花单生于叶腋，花梗纤细，与叶柄近等长，果期卷曲；苞片小，钻状三角形；花萼钟状，膜质，长 5 ~ 7 mm，5 裂至中部，裂片卵形至长椭圆形；花冠白色，长 7 ~ 12 mm，漏斗状，花冠筒长约为花冠的 1/2 或稍短，

内面从喉部至近基部密被单细胞髯毛，裂片 5，矩圆形至匙形；雄蕊 4，着生于花冠喉部，花药狭箭形，2 室，先端结合；花盘发达，杯状，包裹子房的 2/3，子房卵形，先端被髯毛或近无毛，花柱略比花冠短，柱头 2 浅裂。蒴果圆球形，直径 4 ~ 5 mm，被包于宿萼内；种子大而少数，扁圆形，直径约 1.5 mm，种皮有胶黏质，密被亚盾状长毛。花果期 7 ~ 9 月。

| 生境分布 | 生于海拔 1 500 ~ 2 000 m 的田野、沟边、草地及疏林中。分布于湖南邵阳（隆回、洞口）、湘西州（龙山）等。

| 资源情况 | 野生资源稀少。药材来源于野生。

| 功能主治 | 滋阴润燥，平肝明目。用于头晕目眩，肺热咳嗽，黄疸等。

玄参科 Scrophulariaceae 鞭打绣球属 *Hemiphragma*

鞭打绣球 *Hemiphragma heterophyllum* Wall.

| 药 材 名 | 鞭打绣球（药用部位：全草。别名：红顶珠、地红参、地草果）。

| 形态特征 | 多年生铺散匍匐草本，全株被短柔毛。茎纤细，多分枝，节上生根；茎皮薄，老后易破损剥落。叶二型；主茎上的叶对生，叶柄短，长 2 ~ 5（~ 10）mm 或有时近无柄，叶片圆形、心形至肾形，长 8 ~ 20 mm，先端钝或渐尖，基部截形、微心形或宽楔形，边缘共有锯齿 5 ~ 9 对，叶脉不明显；分枝上的叶簇生，稠密，针形，长 3 ~ 5 mm，有时枝先端的叶稍扩大为条状披针形。花单生于叶腋，近无梗；花萼裂片 5，近相等，三角状狭披针形，长 3 ~ 5 mm；花冠白色至玫瑰色，辐射对称，长约 6 mm，花冠裂片 5，圆形至矩圆形，近相等，大而开展，有时上面有透明小点；雄蕊 4，内藏；花柱长

约 1 mm，柱头小，不增大，钻状或 2 叉裂。果实卵球形，红色，长 5 ~ 6 mm，最长可达 10 mm，近肉质，有光泽；种子卵形，长不及 1 mm，浅棕黄色，光滑。花期 4 ~ 6 月，果期 6 ~ 8 月。

| 生境分布 | 生于海拔 500 ~ 1 000 m 的山地、草坡或石隙。分布于湖南常德（石门）等。

| 资源情况 | 野生资源稀少。药材来源于野生。

| 采收加工 | 夏、秋季采收，切段，晒干或鲜用。

| 功能主治 | 微甘、淡，温。归心、肝经。祛风除湿，清热解毒，活血止痛。用于风湿痹痛，经闭腹痛，瘰疬，疮肿湿毒，咽痛，齿龈肿痛，跌打损伤。

| 用法用量 | 内服煎汤，10 ~ 15 g；或研末。外用适量，煎汤含漱；或鲜品捣敷；或捣汁搽。

玄参科 Scrophulariaceae 石龙尾属 *Limnophila*

紫苏草 *Limnophila aromatica* (Lam.) Merr.

| 药 材 名 | 止咳草（药用部位：全草。别名：水芙蓉、水薄荷、麻雀草）。

| 形态特征 | 一年生或多年生草本。茎简单至多分枝，高 30 ~ 70 cm，无毛或被腺，基部倾卧而节上生根。叶无柄，对生或 3 叶轮生，卵状披针形至披针状椭圆形或披针形，长 10 ~ 50 mm，宽 3 ~ 15 mm，具细齿，基部多少抱茎，具羽状脉。花具梗，排列成顶生或腋生的总状花序，或单生于叶腋；花梗长 5 ~ 20 mm，无毛或被腺；小苞片条形至条状披针形，长 1.5 ~ 2 mm；花萼长 4 ~ 6 mm，无毛至被腺，在果实成熟时具凸起的条纹；花冠白色、蓝紫色或粉红色，长 10 ~ 13 mm，外面疏被细腺，内面被白色柔毛；花柱先端扩大，具 2 极短的片状柱头。蒴果卵珠形，长约 6 mm。花果期 3 ~ 10 月。

| 生境分布 | 生于海拔 150 ~ 1 100 m 的旷野、塘边水湿处。分布于湖南岳阳（岳阳）、郴州（永兴、汝城）等。

| 资源情况 | 野生资源稀少。药材来源于野生。

| 采收加工 | 全年均可采收，鲜用或晒干。

| 功能主治 | 辛、微涩，凉。清热止咳，解毒消肿。用于感冒，咳嗽，百日咳，毒蛇咬伤，痈疮肿毒，癣疥，皮肤瘙痒。

| 用法用量 | 内服煎汤，15 ~ 30 g。外用适量，加米酒捣敷；或鲜品捣敷。

玄参科 Scrophulariaceae 石龙尾属 *Limnophila*

石龙尾 *Limnophila sessiliflora* (Vahl) Blume.

| 药材名 | 石龙尾（药用部位：全草。别名：虱婆草、菊藻、宝塔草）。

| 形态特征 | 多年生两栖草本。茎细长，沉水部分无毛或几无毛；气生部分长 6 ~ 40 cm，简单或多少分枝，被多细胞短柔毛，稀几无毛。沉水叶长 5 ~ 35 mm，多裂，裂片细而扁平或呈毛发状，无毛；气生叶全部轮生，椭圆状披针形，具圆齿或开裂，长 5 ~ 18 mm，宽 3 ~ 4 mm，无毛，密被腺点，有脉 1 ~ 3。花无梗，稀具长不超过 1.5 mm 的梗，单生于气生茎和沉水茎的叶腋；小苞片无，稀具 1 对长不超过 1.5 mm 的全缘的小苞片；花萼长 4 ~ 6 mm，被多细胞短柔毛，在果实成熟时不具凸起的条纹，萼齿长 2 ~ 4 mm，卵形，长渐尖；花冠长 6 ~ 10 mm，紫蓝色或粉红色。蒴果近球形，两侧扁。花果期 7 月至翌年 1 月。

| 生境分布 | 生于海拔 100 ~ 1 100 m 的水塘、沼泽、水田或路旁、沟边湿处。分布于湖南长沙（岳麓）、株洲（茶陵）、常德（安乡）、永州（东安、江永）、湘西州（吉首）、张家界（慈利）等。

| 资源情况 | 野生资源稀少。药材来源于野生。

| 采收加工 | 春、夏季采收，鲜用或晒干。

| 功能主治 | 苦，寒。消肿解毒，杀虫灭虱。用于烫火伤，疮疖肿毒，头虱。

| 用法用量 | 内服煎汤，6 ~ 9 g。外用适量，捣敷；或煎汤洗。

玄参科 Scrophulariaceae 钟萼草属 *Lindenbergia*

野地钟萼草 *Lindenbergia muraria* (Roxburgh ex D. Don) Bruhl

| 药材名 | 野地钟萼草（药用部位：全草）。

| 形态特征 | 一年生草本，高 10 ~ 40 cm，被疏柔毛或近无毛。主根不发达，侧根多数，纤维状，须根多。茎圆筒形，简单或常有分枝，伸直或倾斜状上升，基部木质化。叶柄细弱，被柔毛；叶片卵形，质薄，近膜质，长 2.5 ~ 5 cm，基部楔形，先端急尖或钝，边缘除基部外具细圆锯齿，两面被疏毛或后变无毛。花单生于叶腋，花梗长 1 ~ 5 mm，细弱，被柔毛，伸展或下弯；花萼长 4 ~ 5 mm，被密毛，萼筒膜质，带白色，上部 5 等裂，萼齿矩圆状卵形，钝头或具小短尖，主脉及次脉各 5，均清楚；花冠黄色，长 8 ~ 9 mm，花冠筒稍长于花萼，内外皆被毛，唇部近无毛，上唇截形，先端微具凹缺，下唇后

半部有明显的褶襞，裂片矩圆状卵形，近相等，钝头；雄蕊花药圆形，有柄；子房及花柱基部皆密被长纤毛，柱头球形，无毛。蒴果卵圆形，长约 5 mm，先端渐尖，密被毛，包于宿萼之内，花柱常宿存；种子狭矩圆形或圆柱形，长 0.5 ~ 0.7 mm，深黄色。花期 7 ~ 9 月，果期 10 月。

| 生境分布 | 生于海拔 500 ~ 1 500 m 的路旁、河边或干山坡上。分布于湖南郴州（临武）、永州（道县）、湘西州（花垣、永顺）等。

| 资源情况 | 野生资源稀少。药材来源于野生。

| 采收加工 | 春、夏、秋季采收，洗净，鲜用或晒干。

| 功能主治 | 苦，寒。清热解毒。用于疮疡肿毒。

| 用法用量 | 内服煎汤，3 ~ 9 g。外用适量，鲜品捣敷。

玄参科 Scrophulariaceae 母草属 *Lindernia*

长蒴母草 *Lindernia anagallis* (Burm. f.) Pennell

| 药 材 名 | 鸭嘴癀（药用部位：全草。别名：长果母草、双须蜈蚣、小接骨）。

| 形态特征 | 一年生草本，长 10 ~ 40 cm。根须状。茎开始简单，不久即分枝，下部匍匐生蔓，节上生根，并有根茎，有条纹，无毛。叶仅下部者有短柄；叶片三角状卵形、卵形或矩圆形，长 4 ~ 20 mm，宽 7 ~ 12 mm，先端圆钝或急尖，基部截形或近心形，边缘有不明显的浅圆齿，侧脉 3 ~ 4 对，约以 45° 角伸展，上下两面均无毛。花单生于叶腋，花梗长 6 ~ 10 mm，在果期达 2 cm，无毛；花萼长约 5 mm，仅基部连合，齿 5，狭披针形，无毛；花冠白色或淡紫色，长 8 ~ 12 mm，上唇直立，卵形，2 浅裂，下唇开展，3 裂，裂片近相等，比上唇稍长；雄蕊 4，全育，前面 2 雄蕊的花丝在颈部有短

棒状附属物；柱头2裂。蒴果条状披针形，比花萼长2倍，室间2裂；种子卵圆形，有疣状突起。花期4～9月，果期6～11月。

| 生境分布 | 生于海拔1 500 m以下的林边、溪旁及田野的较湿润处。湖南各地均有分布。

| 资源情况 | 野生资源较丰富。药材来源于野生。

| 采收加工 | 夏、秋季采收，鲜用或切段，晒干。

| 功能主治 | 甘、微苦，凉。清热解毒，活血消肿。用于风热咳嗽，扁桃体炎，肠炎，消化不良，月经不调，闭经，带下，目赤肿痛，牙痛，痈疽，肿毒，毒蛇咬伤，跌打损伤。

| 用法用量 | 内服煎汤，10～15 g，鲜品30～60 g。外用适量，捣敷；或捣汁涂。

玄参科 Scrophulariaceae 母草属 *Lindernia*

狭叶母草 *Lindernia angustifolia* (Benth.) Wettst.

| 药 材 名 | 羊角草（药用部位：全草。别名：羊角桃、蛇舌草、目目箭）。

| 形态特征 | 一年生草本，少亚直立而几无分枝或常有极多的分枝，下部弯曲上升，长超过 40 cm；根须状而多；茎枝有条纹而无毛。叶几无柄；叶片条状披针形至披针形或条形，长 1 ~ 4 cm，宽 2 ~ 8 mm，先端渐尖而圆钝，基部楔形，成极短的狭翅，全缘或有少数不整齐的细圆齿，脉自基部发出 3 ~ 5，中脉变宽，两侧 1 ~ 2 脉细，但显然直走基部，两面无毛。花单生于叶腋，有长梗，梗在果时伸长达 35 mm，无毛，有条纹；萼齿 5，仅基部连合，狭披针形，长约 2.5 mm，果时长达 4 mm，先端圆钝或急尖，无毛；花冠紫色、蓝紫色或白色，长约 6.5 mm，上唇 2 裂，卵形，圆头，下唇开展，3 裂，仅略长于

长达 14 mm，比宿萼长约 2 倍；种子矩圆形，浅褐色，有蜂窝状孔纹。花期 5 ~ 10 月，果期 7 ~ 11 月。

| 生境分布 | 生于海拔 1 500 m 以下的水田、河流旁等低湿处。分布于湖南岳阳、怀化（新晃）、张家界（慈利）等。

| 资源情况 | 野生资源稀少。药材来源于野生。

| 采收加工 | 夏、秋季采收，鲜用或切段晒干。

| 功能主治 | 辛、苦，平。清热利湿，解毒消肿。用于湿热黄疸，泄泻，痢疾，咽喉肿痛，跌打损伤，急性胃肠炎。

| 用法用量 | 内服煎汤，15 ~ 30 g；或研末。外用适量，鲜品捣敷。

| 附　　注 | FOC 将狭叶母草学名改为 *Lidernia micrantha* D. Don。

玄参科 Scrophulariaceae 母草属 *Lindernia*

泥花草 *Lindernia antipoda* (L.) Alston

| 药 材 名 | 水虾子草（药用部位：全草。别名：水辣椒、定经草、米碎草）。

| 形态特征 | 一年生草本。根须状，成丛。茎幼时亚直立，长大后多分枝，枝基部匍匐，下部节上生根，弯曲上升，高可达 30 cm，茎枝有沟纹，无毛。叶片矩圆形、矩圆状披针形、矩圆状倒披针形或几为条状披针形，长 0.8 ~ 4 cm，宽 0.6 ~ 1.2 cm，先端急尖或圆钝，基部下延，有宽短叶柄而近抱茎，近全缘或有少数不明显的锯齿至有明显的锐锯齿，两面无毛。花多在茎枝先端呈总状着生，花序长者可达 15 cm，含花 2 ~ 20；苞片钻形；花梗有条纹，先端变粗，长者可达 1.5 cm，花期上升或斜展，在果期平展或反折；花萼仅基部连合，齿 5，条状披针形，沿中肋和边缘略有短硬毛；花冠紫色、紫白色

或白色，长可达 1 cm，花冠管长可达 7 mm，上唇 2 裂，下唇 3 裂，上唇与下唇近等长；后方 1 对雄蕊有性，前方 1 对雄蕊退化，花药消失，花丝端钩曲有腺；花柱细，柱头扁平，片状。蒴果圆柱形，先端渐尖，长约为宿萼的 2 倍或更长；种子为不规则三棱状卵形，褐色，有网状孔纹。花果期春季至秋季。

| 生境分布 | 生于海拔 1 500 m 以下的田边及潮湿的草地中。湖南各地均有分布。

| 资源情况 | 野生资源较丰富。药材来源于野生。

| 采收加工 | 夏、秋季采收，鲜用或切段晒干。

| 药材性状 | 本品多皱缩，全株无毛。茎呈圆柱状，有纵纹，下部茎节间有时具须根，断面实心。叶对生，多皱缩，叶片展平后呈长圆形、狭椭圆形或线状倒披针形，长 0.8 ~ 4 cm，宽 0.6 ~ 1.2 cm，先端圆或有时急尖，基部楔形，下延成柄，边缘具细锯齿，有时近全缘，两面无毛。花紫色、淡紫蓝色或白色，略呈二唇形，上唇 2 浅裂，下唇 3 裂，与上唇近等长。蒴果柱形，长约 2 mm，先端渐尖。气微，味淡。

| 功能主治 | 甘、微苦，寒。清热解毒，利尿通淋，活血消肿。用于肺热咳嗽，咽喉肿痛，泄泻，热淋，目赤肿痛，痈疽疔毒，跌打损伤，毒蛇咬伤。

| 用法用量 | 内服煎汤，10 ~ 15 g，鲜品 30 ~ 60 g；或捣汁；或浸酒。外用适量，鲜品捣敷。

玄参科 Scrophulariaceae 母草属 *Lindernia*

母草 *Lindernia crustacea* (L.) F. Muell

| 药材名 | 母草（药用部位：全草。别名：气痛草、四方草、开怀草）。

| 形态特征 | 草本，高 10 ~ 20 cm，常铺散成密丛。根须状。茎多分枝，枝弯曲上升，微方形，有深沟纹，无毛。叶柄长 1 ~ 8 mm；叶片三角状卵形或宽卵形，长 10 ~ 20 mm，宽 5 ~ 11 mm，先端钝或短尖，基部宽楔形或近圆形，边缘有浅钝锯齿，上面近无毛，下面沿叶脉有稀疏柔毛或近无毛。花单生于叶腋或在茎枝先端排列成极短的总状花序，花梗细弱，长 5 ~ 22 mm，有沟纹，近无毛；花萼坛状，长 3 ~ 5 mm，成腹面较深而侧、背均开裂较浅的 5 齿，齿三角状卵形，中肋明显，外面有稀疏粗毛；花冠紫色，长 5 ~ 8 mm，花冠管略长于萼，上唇直立，卵形，钝头，有时 2 浅裂，下唇 3 裂，中间

裂片较大，仅稍长于上唇；雄蕊 4，全育，二强；花柱常早落。蒴果椭圆形，与宿萼近等长；种子近球形，浅黄褐色，有明显的蜂窝状瘤突。花果期全年。

| 生境分布 | 生于海拔 1 300 m 以下的田边、草地、路边等低湿处。湖南各地均有分布。

| 资源情况 | 野生资源较丰富。药材来源于野生。

| 采收加工 | 夏、秋季采收，鲜用或晒干。

| 药材性状 | 本品常皱缩成团，无毛或嫩枝被毛。茎呈四棱形，扭曲，多分枝，下部茎节上有时具须根，断面有时中空。叶对生，多皱缩，具短柄，叶片展平后呈阔卵形或三角状卵形，长 8 ~ 15 mm，先端钝或短尖，基部宽楔形或圆形，边缘有疏浅齿。有时带花，花淡紫色、浅蓝色，二唇形，上唇直立，常 2 浅裂，下唇略较长。蒴果椭圆形或倒卵形。气微，味淡。

| 功能主治 | 微苦、淡，凉。归心、肺、大肠经。清热利湿，活血止痛。用于风热感冒，湿热泻痢，肾炎性水肿，带下，月经不调，痈疖肿毒，毒蛇咬伤，跌打损伤，肝炎，消化不良。

| 用法用量 | 内服煎汤，10 ~ 15 g，鲜品 30 ~ 60 g；或研末；或浸酒。外用适量，鲜品捣敷。

玄参科 Scrophulariaceae 母草属 *Lindernia*

宽叶母草 *Lindernia nummulariifolia* (D. Don) Wettstein.

药材名

小地扭（药用部位：全草。别名：元叶母草、五角苓、飞疗药）。

形态特征

一年生草本，高 5 ~ 15 cm。根须状。茎直立，不分枝或有时多枝丛密，枝倾卧后上升。茎枝四方形，棱上有短毛。叶对立，无柄或有短柄；叶片宽卵形或近圆形，长 0.5 ~ 2 cm，宽 0.4 ~ 1.5 cm，先端圆钝，基部宽楔形或近心形，边缘有浅圆锯齿，齿端有小突尖，侧脉 2 ~ 3 对从基部发出。伞形花序顶生或腋生，仅顶生者有总花梗，花有梗或无梗两种类型有时出现在同一植株上；无小苞片；萼齿 5，长约 3 mm，分裂至中部，裂片披针形；花冠紫色，少有蓝色或白色，上唇直立，卵形，下唇开展，3 裂；雄蕊 4，全育，前面 1 对花丝基部有齿状附属物。蒴果长椭圆形，先端渐尖，比宿存萼约长 2 倍；种子棕褐色。花期 7 ~ 9 月，果期 8 ~ 11 月。

生境分布

生于海拔 1 500 m 以下的田边、沟旁等湿润处。分布于湖南衡阳（雁峰、蒸湘、祁东）、郴州（临武）、怀化（会同）、湘西州（吉

首）等。

资源情况 野生资源稀少。药材来源于野生。

采收加工 夏、秋季采收，鲜用或晒干。

功能主治 苦，凉。凉血解毒，散瘀消肿。用于咯血，疔疮肿毒，毒蛇咬伤，狂犬病，跌打损伤。

用法用量 内服煎汤，10 ~ 15 g；或浸酒。外用适量，鲜品捣敷。

玄参科 Scrophulariaceae 母草属 *Lindernia*

陌上菜 *Lindernia procumbens* (Krock.) Philcox

| 药材名 | 陌上菜（药用部位：全草。别名：白猪母菜、对座神仙、白胶墙）。

| 形态特征 | 直立草本。根细密成丛。茎高 5 ~ 20 cm，基部多分枝，无毛。叶无柄；叶片椭圆形至矩圆形多少带菱形，长 1 ~ 2.5 cm，宽 6 ~ 12 mm，先端钝至圆头，全缘或有不明显的钝齿，两面无毛，叶脉并行，自叶基发出 3 ~ 5。花单生于叶腋，花梗纤细，长 1.2 ~ 2 cm，比叶长，无毛；花萼仅基部连合，齿 5，条状披针形，长约 4 mm，先端具钝头，外面微被短毛；花冠粉红色或紫色，长 5 ~ 7 mm，花冠管长约 3.5 mm，向上渐扩大，上唇短，长约 1 mm，2 浅裂，下唇甚大于上唇，长约 3 mm，3 裂，侧裂片椭圆形，较小，中裂片圆形，向前突出；雄蕊 4，全育，前方 2 雄蕊的附属物呈腺体状且短小，

花药基部微凹；柱头2裂。蒴果球形或卵球形，与花萼近等长或略长于花萼，室间2裂；种子多数，有格纹。花期7～10月，果期9～11月。

|生境分布| 生于海拔1 200 m以下的水边及潮湿处。湖南各地均有分布。

|资源情况| 野生资源一般。药材来源于野生。

|采收加工| 夏、秋季采收，鲜用或晒干。

|功能主治| 淡、微甘，寒。归肝、脾、大肠经。清热解毒，凉血止血。用于湿热泻痢，目赤肿痛，尿血，痔疮肿痛。

|用法用量| 内服煎汤，10～15 g。外用适量，煎汤洗。

玄参科 Scrophulariaceae 母草属 *Lindernia*

旱田草 *Lindernia ruellioides* (Colsm.) Pennell

| 药 材 名 | 旱田草（药用部位：全草。别名：调经草、鸭嘴癀、地下茶）。

| 形态特征 | 一年生草本，高 10 ~ 15 cm，稀主茎直立，常分枝而生蔓，节上生根，长可达 30 cm，近无毛。叶柄长 3 ~ 20 mm，先端渐宽而连于叶片，基部多少抱茎；叶片矩圆形、椭圆形、卵状矩圆形或圆形，长 1 ~ 4 cm，宽 0.6 ~ 2 cm，先端圆钝或急尖，基部宽楔形，边缘除基部外密生整齐而急尖的细锯齿，但无芒刺，两面有粗涩的短毛或近无毛。花为顶生的总状花序，有花 2 ~ 10；苞片披针状条形；花梗短，向先端渐粗而连于萼，无毛；花萼在花期长约 6 mm，在果期长达 10 mm，仅基部连合，齿条状披针形，无毛；花冠紫红色，长 10 ~ 14 mm，花冠管长 7 ~ 9 mm，上唇直立，2 裂，下唇开展，

3裂，裂片几相等，或中间稍大；前方2雄蕊不育，后方2雄蕊能育，但无附属物；花柱有宽而扁的柱头。蒴果圆柱形，向先端渐尖，比宿萼约长2倍；种子椭圆形，褐色。花期6～9月，果期7～11月。

| 生境分布 | 生于海拔1 200 m以下的草地、平原、山谷及林下。分布于湖南邵阳（洞口、武冈）、永州（东安、江华）、湘西州（吉首）、常德（石门）、张家界（慈利、桑植）等。

| 资源情况 | 野生资源稀少。药材来源于野生。

| 采收加工 | 夏、秋季采收，鲜用或晒干。

| 功能主治 | 甘、淡，平。归肝、脾经。理气活血，解毒消肿。用于月经不调，痛经，闭经，乳痈，瘰疬，跌打损伤，蛇犬咬伤。

| 用法用量 | 内服煎汤，15～30 g；或炖服。外用适量，捣敷。

玄参科 Scrophulariaceae 通泉草属 *Mazus*

纤细通泉草 *Mazus gracilis* Hemsl.

| 药材名 | 纤细通泉草（药用部位：全草）。

| 形态特征 | 多年生草本，无毛或很快变无毛。茎完全匍匐，长可达 30 cm，纤细。基生叶匙形或卵形，连叶柄长 2 ~ 5 cm，质薄，边缘有疏锯齿；茎生叶通常对生，倒卵状匙形或近圆形，有短柄，连柄长 1 ~ 2.5 cm，边缘有圆齿或近全缘。总状花序通常侧生，少有顶生，上升，长达 15 cm，花疏稀；花梗在果期长 1 ~ 1.5 cm，纤细；花萼钟状，长 4 ~ 7 mm，萼齿与萼筒等长，卵状披针形，急尖或钝头；花冠黄色有紫斑或白色、蓝紫色、淡紫红色，长 12 ~ 15 mm，上唇短而直立，2 裂，下唇 3 裂，中裂片稍突出，长卵形，有 2 疏生腺毛的纵折皱；子房无毛。蒴果球形，被包于宿存的稍增大的花萼内，室背开裂；

种子小而多数，棕黄色，平滑。花果期 4 ~ 7 月。

| 生境分布 | 生于海拔 500 m 以下的潮湿的丘陵、路旁及水边。分布于湖南邵阳（城步）、岳阳（平江）、株洲（炎陵）等。

| 资源情况 | 野生资源丰富。药材来源于野生。

| 功能主治 | 清热解毒，健胃，止痛。用于偏头痛，食积；外用于脓疱疮，烫火伤等。

玄参科 Scrophulariaceae 通泉草属 *Mazus*

通泉草 *Mazus japonicus* (Thunb.) O. Kuntze

| 药 材 名 |

通泉草（药用部位：全草。别名：脓泡药、汤湿草、绿兰花）。

| 形态特征 |

一年生草本，高 3 ~ 30 cm，无毛或疏生短柔毛。主根伸长，垂直向下或短缩，须根纤细，多数，散生或簇生。体态上变化很大，茎 1 ~ 5 或更多，直立，上升或倾卧状上升，着地部分节上常能长出不定根，分枝多而披散，少不分枝。基生叶少至多数，有时呈莲座状或早落，倒卵状匙形至卵状倒披针形，膜质至薄纸质，长 2 ~ 6 cm，先端全缘或有不明显的疏齿，基部楔形，下延成带翅的叶柄，边缘具不规则的粗齿或基部 1 ~ 2 浅羽裂；茎生叶对生或互生，少数，与基生叶相似或几乎等大。总状花序生于茎、枝先端，常在近基部生花，伸长或上部呈束状，通常具 3 ~ 20 花，花疏稀；花梗在果期长达 10 mm，上部的花梗较短；花萼钟状，花期长约 6 mm，果期多少增大，萼片与萼筒近等长，卵形，先端急尖，脉不明显；花冠白色、紫色或蓝色，长约 10 mm，上唇裂片卵状三角形，下唇中裂片较小，稍突出，倒卵圆形；子房无毛。蒴果球形；种子小而多数，黄色，种皮

上有不规则的网纹。花果期 4 ~ 10 月。

| 生境分布 | 生于海拔 1 500 m 以下的湿润的草坡、沟边、路旁及林缘。湖南各地均有分布。

| 资源情况 | 野生资源丰富。药材来源于野生。

| 采收加工 | 春、夏、秋季采收，洗净，鲜用或晒干。

| 药材性状 | 本品常缠结成团。主根伸长，垂直向下或短缩，直径 1 ~ 2 mm，表面淡黄白色；须根纤细，多数。茎单一或多数丛生，略具 4 棱，淡绿色或黄棕色，全株被短柔毛，节明显，节间长 1.5 ~ 4 cm，表面有细纵纹。叶对生或互生，倒卵形至匙形，长 2 ~ 6 cm，基部楔形，下延成带翅的叶柄，边缘具不规则粗齿。总状花序顶生，花紫色或蓝色，花冠唇形。气微香，味苦。

| 功能主治 | 苦、微甘，凉。清热解毒，利湿通淋，健脾消积。用于热毒痈肿，脓疱疮，疔疮，烫火伤，尿路感染，腹水，黄疸性肝炎，消化不良，疳积。

| 用法用量 | 内服煎汤，10 ~ 15 g。外用适量，鲜品捣敷。

| 附　　注 | FOC 将通泉草学名改为 *Mazus pumilus* (N. L. Burman) Steenis。

玄参科 Scrophulariaceae 通泉草属 *Mazus*

匍茎通泉草 *Mazus miquelii* Makino

| 药 材 名 | 匍茎通泉草（药用部位：全草。别名：野田菜）。

| 形态特征 | 多年生草本，无毛或少有疏柔毛。主根短缩，须根多数，纤维状簇生。茎有直立茎和匍匐茎，直立茎倾斜上升，高 10 ~ 15 cm，匍匐茎花期发出，长达 15 ~ 20 cm，着地部分节上常生不定根，有时不发育。基生叶常多数呈莲座状，连柄长 3 ~ 7 cm，边缘具粗锯齿，有时近基部缺刻状羽裂；茎生叶在直立茎上多互生，在匍匐茎上多对生，具短柄，连柄长 1.5 ~ 4 cm，卵形或近圆形，宽不超过 2 cm，具疏锯齿。总状花序顶生，伸长，花疏稀；在下部的花梗长达 2 cm，越往上越短；花萼呈钟状漏斗形，长 7 ~ 10 mm，萼齿与萼筒等长，披针状三角形；花冠紫色或白色而有紫斑，长 1.5 ~ 2 cm，

上唇短而直立，先端2深裂，下唇中裂片较小，稍突出，倒卵圆形。蒴果圆球形，稍伸出萼筒。花果期2 ~ 8月。

| 生境分布 | 生于海拔300 m以下的潮湿的路旁、荒林及疏林中。湖南各地均有分布。

| 资源情况 | 野生资源一般。药材来源于野生。

| 采收加工 | 春、夏季采收，洗净，鲜用或晒干。

| 功能主治 | 苦，平。止痛，健胃，解毒。用于偏头痛，消化不良；外用于疔疮，脓疱疮，烫伤。

| 用法用量 | 内服煎汤，9 ~ 15 g。外用适量，鲜品捣敷。

玄参科 Scrophulariaceae 通泉草属 *Mazus*

美丽通泉草 *Mazus pulchellus* Hemsl. ex Forbes et Hemsl.

| 药 材 名 | 美丽通泉草（药用部位：全草。）。

| 形态特征 | 多年生草本，高约 20 cm，幼时密被白色或锈色短柔毛，后变无毛。根茎短缩，须根纤细，簇生。花茎 1 ~ 5，草质，直立或上升，简单或有少数分枝，无叶。叶全为基生，呈莲座状，倒卵状匙形至矩圆状匙形，质较薄，薄纸质至纸质，长可达 20 cm，先端圆形，基部渐狭窄成有翅的柄，边缘有缺刻状锯齿、重锯齿或不整齐羽裂。总状花序具多花，花稀疏；花梗长而纤细，下部的花梗长达 4 cm，上部的花梗长于花萼；苞片窄披针形，长 2 ~ 5 mm；花萼钟状，长 5 ~ 7 mm，萼齿远比萼筒短，长卵形，先端锐尖；花冠红色、紫色或深紫堇色，长 2 ~ 2.5 cm，上唇直立而短，2 裂，裂片近圆形，

先端截形，上有流苏状细齿，下唇 3 裂，中裂片较小稍突出，裂片先端均多少有流苏状细齿；子房无毛。蒴果呈卵圆形。花果期 3 ~ 6 月。

| 生境分布 | 生于海拔 1 300 m 以下的阴湿岩缝及林下。分布于湖南邵阳（邵阳）、益阳（桃江）、怀化（麻阳）、湘西州（古丈、永顺）等。

| 资源情况 | 野生资源稀少。药材来源于野生。

| 采收加工 | 春、夏季采收，洗净，鲜用或晒干。

| 功能主治 | 苦，凉。清热解毒。用于劳伤吐血，跌打损伤。

| 用法用量 | 内服煎汤，15 ~ 20 g。外用适量，鲜品捣敷。

玄参科 Scrophulariaceae 通泉草属 *Mazus*

毛果通泉草 *Mazus spicatus* Vant.

| 药 材 名 |

毛果通泉草（药用部位：全草）。

| 形态特征 |

多年生草本。高 10 ~ 30 cm。茎圆柱形，细瘦，坚挺。基生叶少数而早枯萎；茎生叶对生或上部的互生，倒卵形至倒卵状匙形，膜质，长 1 ~ 4 cm，基部渐狭成有翅的柄，边缘有缺刻状锯齿。总状花序顶生，短或伸长可达 20 cm；花稀疏；苞片小；花萼钟状，长 5 ~ 8 mm，萼齿与筒部近等长，三角状披针形；花冠白色或淡紫色，长 8 ~ 12 mm，上唇裂片狭尖，下唇侧裂片圆形，全缘，中裂片较小，稍突出；子房被长硬毛。蒴果小，卵球形，淡黄色；种子表皮有细网纹。花期 5 ~ 6 月，果期 7 ~ 8 月。

| 生境分布 |

生于山坡及路旁草丛中。分布于湖南常德（澧县、桃源）、怀化（麻阳、芷江）等。

| 资源情况 |

野生资源较少。药材来源于野生。

| **采收加工** | 夏、秋季采收，晒干。

| **功能主治** | 清热解毒。用于热毒疮疡。

玄参科 Scrophulariaceae 通泉草属 *Mazus*

弹刀子菜 *Mazus stachydifolius* (Turcz.) Maxim.

| 药材名 | 弹刀子菜（药用部位：全草。别名：地菊花、山刀草、毛曲菜）。

| 形态特征 | 多年生草本，高 10 ~ 50 cm，粗壮，全株被多细胞白色长柔毛。根茎短。茎直立，稀上升，圆柱形，不分枝或在基部分 2 ~ 5 枝，老时基部木质化。基生叶匙形，有短柄，常早枯萎；茎生叶对生，上部的叶常互生，无柄，长椭圆形至倒卵状披针形，纸质，长 2 ~ 4（~ 7）cm，以茎中部的叶较大，边缘具不规则锯齿。总状花序顶生，长 2 ~ 20 cm，有时稍短于茎，花稀疏；苞片三角状卵形，长约 1 mm；花萼漏斗状，长 5 ~ 10 mm，果时增长达 16 mm，直径超过 1 cm，比花梗长或与花梗近等长，萼齿略长于筒部，披针状三角形，先端长锐尖，10 脉纹明显；花冠蓝紫色，长 15 ~ 20 mm，

花冠筒与唇部近等长，上部稍扩大，上唇短，先端 2 裂，裂片狭长三角形，先端锐尖，下唇宽大，开展，3 裂，中裂片较侧裂片约小 1 倍，近圆形，稍突出，褶襞 2，从喉部直通至上下唇裂口，被黄色斑点和稠密的乳头状腺毛；雄蕊 4，二强，着生于花冠筒近基部；子房上部被长硬毛。蒴果呈扁卵球形，长 2 ~ 3.5 mm。花期 4 ~ 6 月，果期 7 ~ 9 月。

| 生境分布 | 生于海拔 1 500 m 以下的较湿润的路旁、草坡及林缘。湖南各地均有分布。

| 资源情况 | 野生资源一般。药材来源于野生。

| 采收加工 | 开花结果时采收，鲜用或晒干。

| 功能主治 | 微辛，凉。归肝经。清热解毒，凉血散瘀。用于便秘下血，疮疖肿毒，毒蛇咬伤，跌打损伤。

| 用法用量 | 内服煎汤，15 ~ 30 g。外用适量，鲜品捣敷。

玄参科 Scrophulariaceae 山罗花属 *Melampyrum*

山罗花 *Melampyrum roseum* Maxim.

| 药材名 | 山罗花（药用部位：全草。别名：山萝花、球锈草）。

| 形态特征 | 直立草本，全体疏被鳞片状短毛，有时茎上还有 2 列多细胞柔毛。茎通常多分枝，少不分枝，近四棱形，高 15 ~ 80 cm。叶柄长约 5 mm，叶片披针形至卵状披针形，先端渐尖，基部圆钝或楔形，长 2 ~ 8 cm，宽 0.8 ~ 3 cm；苞叶绿色，仅基部具尖齿至整个边缘具多条刺毛状长齿，稀近全缘，先端急尖至长渐尖。花萼长约 4 mm，常被糙毛，脉上常生多细胞柔毛，萼齿长三角形至钻状三角形，有短睫毛；花冠紫色、紫红色或红色，长 15 ~ 20 mm，筒部长为檐部长的 2 倍左右，上唇内面密被须毛。蒴果卵状渐尖，长 8 ~ 10 mm，直或先端稍向前偏，被鳞片状毛，稀无毛；种子黑色，长 3 mm。花期夏、秋季。

| 生境分布 | 生于海拔 900 ~ 1 800 m 的山坡灌丛及高草丛中。分布于湖南郴州（桂阳、临武、桂东）等。

| 资源情况 | 野生资源稀少。药材来源于野生。

| 采收加工 | 7 ~ 8 月采收，洗净，鲜用或晾干。

| 功能主治 | 苦，凉。清热解毒。用于痈疮肿毒，肺痈，肠痈。

| 用法用量 | 内服煎汤，15 ~ 30 g。外用适量，鲜品捣敷。

玄参科 Scrophulariaceae 沟酸浆属 *Mimulus*

四川沟酸浆 *Mimulus szechuanensis* Pai

| 药 材 名 | 四川沟酸浆（药用部位：全草）。

| 形态特征 | 多年生直立草本，高达 60 cm。根茎长，节上有成丛的纤维状须根。茎四方形，无毛或有时疏被柔毛，常分枝，角处有狭翅。叶卵形，长 2 ~ 6 cm，宽 1 ~ 3 cm，先端锐尖，基部宽楔形，渐狭成长达 1.5 cm 的短柄，边缘有疏齿，背面沿脉有时有柔毛。花单生于茎枝近先端的叶腋，花梗长 1 ~ 5 cm，间有微毛或腺状微毛；花萼圆筒形，长 1 ~ 1.5 cm，果期膨大成囊泡状，长达 2 cm，肋有狭翅，萼口斜形，肋与边缘均被多细胞柔毛，萼齿 5，刺状，后方 1 萼齿较大；花冠长约 2 cm，黄色，喉部有紫斑，花冠筒稍长于花萼，上下唇近等长。蒴果长椭圆形，长 1 ~ 1.5 cm，稍扁，包于宿存的萼内；种子棕色，卵圆形，有明显的网纹。花期 6 ~ 8 月。

| 生境分布 | 生于海拔 1 300 ~ 2 100 m 的林下阴湿处、水沟边、溪旁。分布于湖南长沙（宁乡）、邵阳（新邵、绥宁）、岳阳（汨罗）、常德（汉寿）、张家界（武陵源）、益阳（桃江）、怀化（芷江、洪江）、娄底（涟源）等。

| 资源情况 | 野生资源较少。药材来源于野生。

| 药材性状 | 本品根茎长，节上有成丛的纤维状须根。茎四方形，无毛或有时疏被柔毛，常分枝，角处有狭翅。叶卵形，边缘有疏齿，羽状脉，背面沿脉有时有柔毛。蒴果长椭圆形，包于宿存的萼内；种子棕色，卵圆形，有明显的网纹。

| 采收加工 | 全年均可采收，洗净，晒干。

| 功能主治 | 涩，平。清热解毒，利湿，消肿，止血。用于湿热痢疾，脾虚泄泻，带下。

| 用法用量 | 内服煎汤，10 ~ 30 g。

玄参科 Scrophulariaceae 沟酸浆属 *Mimulus*

沟酸浆 *Mimulus tenellus* Bunge

| 药材名 | 猫眼睛（药用部位：全草。别名：酸浆草、水芥草）。

| 形态特征 | 多年生草本，铺散，无毛。茎长达 40 cm，多分枝，下部匍匐生根，四方形，角处具窄翅。叶卵形或卵状三角形，长 1 ~ 3 cm，疏生锯齿；叶柄与花梗近等长，较叶片短。花单生于叶腋；花萼圆筒形，长约 5 mm，果期肿胀成囊泡状，增大近 1 倍，5 肋稍窄翅状，萼口平截，萼齿短而齐或后方 1 萼齿较大，刺状；花冠长 7 ~ 8 mm，漏斗状，黄色，喉部有红色斑点，唇短，沿喉部密被髯毛。蒴果椭圆形，较宿存花萼短；种子卵圆形，具乳头状突起。花果期 6 ~ 9 月。

| 生境分布 | 生于海拔 200 ~ 700 m 的水边、林下湿地。分布于湖南邵阳（邵阳）、

岳阳（湘阴）、张家界（永定）、益阳（赫山）、怀化（会同、麻阳、新晃）、湘西州（吉首、花垣、古丈）等。

| 资源情况 | 野生资源较少。药材来源于野生。

| 采收加工 | 全年均可采收，洗净，鲜用或晒干。

| 功能主治 | 涩，平。清热解毒，止泻，止痛，健脾燥湿，止带。用于湿热痢疾，脾虚泄泻，带下，毒蛇咬伤。

| 用法用量 | 内服煎汤，10 ~ 30 g。

玄参科 Scrophulariaceae 沟酸浆属 *Mimulus*

尼泊尔沟酸浆 *Mimulus tenellus* Bunge var. *nepalensis* (Benth.) Tsoong

| 药 材 名 | 尼泊尔沟酸浆（药用部位：全草）。

| 形态特征 | 多年生草本，高 15 ~ 20 cm，无毛。茎常近直立，有翅，多分枝，下部常匍匐生根，四方形。叶卵形、三角状卵形至卵状长圆形，长 1 ~ 3 cm，宽 4 ~ 15 mm，先端急尖，基部截形，边缘具明显的疏锯齿；叶柄细长，与叶片等长或较叶片短，偶被柔毛。花单生于叶腋，花梗与叶近等长；花萼较大，圆筒形，长约 1 cm，果期增大，肿胀成囊泡状，沿肋偶被茸毛，或有时稍具窄翅，萼口平截，萼齿 5，短而齐，细小，刺状；花冠较花萼长 1.5 倍，漏斗状，黄色，喉部有红色斑点，唇短，先端圆形，直立，沿喉部被密髯毛；雄蕊同花柱无毛，内藏。蒴果椭圆形，较萼稍短；种子卵圆形，具细微的乳头状突起。花果期 6 ~ 9 月。

| 生境分布 | 生于海拔 800 ~ 2 200 m 的水边、湿地。分布于湖南邵阳（邵阳、洞口）、永州（东安、双牌）、怀化（鹤城、中方、辰溪）、常德（石门）、郴州（安仁）等。

| 资源情况 | 野生资源较少。药材来源于野生。

| 采收加工 | 夏、秋季采收，洗净，晒干。

| 功能主治 | 涩，平。清热解毒，利湿。用于痢疾，肺炎，急、慢性肝炎，疮疖肿毒，毒蛇咬伤。

| 用法用量 | 内服煎汤，10 ~ 30 g。

玄参科 Scrophulariaceae 鹿茸草属 *Monochasma*

沙氏鹿茸草 *Monochasma savatieri* Franch. ex Maxim.

| 药 材 名 | 白毛鹿茸草（药用部位：全草。别名：绵毛鹿茸草、千年艾、千重塔）。

| 形态特征 | 多年生草本，高 15 ~ 23 cm，常有残留的隔年枯茎，全株因密被绵毛而呈灰白色，上部近花处除被绵毛外，还具腺毛。主根粗短，下部发出弯曲的支根，成密丛。茎多数，丛生，基部多倾卧或弯曲，老时木质化，通常不分枝。叶交互对生，下部者间距极短，仅 4 mm，密集，向上逐渐疏离，相隔可达 10 mm，至花序附近间距最大，可达 16 mm；叶片大小亦作相同的变异，下方者最小，鳞片状，向上则逐渐增大成长圆状披针形至线状披针形，长 12 ~ 20 mm，宽 2 ~ 3 mm，最长可达 25 mm，先端锐尖，或具锐头而有小凸尖，基部渐狭，多少下延至茎而成狭棱，中脉面凹背凸，两面均密被灰白色绵毛，老时上面的毛多少脱落。总状花序顶生；花少数，单生于

叶腋，具长 2 ~ 7 mm 的短梗；叶状小苞片 2，长 9 ~ 15 mm，宽 1 ~ 2 mm，生于花萼管基部；花萼筒状，膜质，被绵毛，或绵毛与腺毛相杂。蒴果长圆形，长约 9 mm，先端具稍弯尖喙。花期 3 ~ 4 月。

| 生境分布 | 生于海拔 100 ~ 1 000 m 的山坡向阳处杂草中、马尾松林下。分布于湖南长沙（望

城、宁乡、浏阳）、株洲（攸县、茶陵、渌口）、衡阳（衡阳、祁东、衡东）、岳阳（岳阳楼、岳阳）、常德（津市、临澧 ）、郴州（桂阳、永兴、汝城）等。

| 资源情况 | 野生资源一般。药材来源于野生。

| 采收加工 | 夏季采收，除去杂质，晒干。

| 药材性状 | 本品呈灰白色，全株密被白色绒毛。茎呈圆柱形，细而硬，有的可见对生、互生或 3 叶轮生的叶痕。叶多已破碎，完整叶片呈狭披针形，长 0.6 ～ 3 cm，宽 0.1 ～ 0.3 cm，全缘，无柄，上表面被绒毛，毛较下表面稀疏。蒴果长圆形，包藏于有毛的宿萼内，先端尖锐，具 4 纵沟，成熟时沿一侧开裂。种子多数，细小，黄色，椭圆形，扁平。气微，味微苦、涩。

| 功能主治 | 微苦、涩，平。归心、肝、胃经。清热解毒，祛风止痛，凉血止血。用于感冒，烦热，咳嗽，吐血，血痢，便血，月经不调，风湿骨痛，牙痛，乳痈。

| 用法用量 | 内服煎汤，10 ～ 15 g。外用适量，煎汤洗；或捣敷。

玄参科 Scrophulariaceae 鹿茸草属 *Monochasma*

鹿茸草 *Monochasma sheareri* Maxim. ex Franch. et Savat.

| 药材名 | 鹿茸草（药用部位：全草）。

| 形态特征 | 一年生草本，下部被少量绵毛，上部仅有短毛或几无毛，全株多少呈绿色。主根短而木质化，长 10 ~ 15 mm，常分为多条支根。茎丛生，细弱。叶交互对生，无柄，线形或线状披针形，全缘，茎下部叶鳞片状，长约 2 mm，宽 1 mm，贴茎，呈覆瓦状。总状花序顶生，花稀疏；花梗长 2 ~ 5（~ 9）mm；小苞片 2；萼筒长 4 ~ 5 mm，具 9 凸肋，萼齿 4，线状披针形，长 0.8 ~ 1 cm，花后萼筒膨大，肋呈窄翅状，齿长超过花冠；花冠淡紫色，二唇形，外面疏被白色柔毛，上唇 2 浅裂，下唇伸展，3 深裂至基部，裂片披针状长圆形；雄蕊二强；子房长卵形。蒴果卵形，长 6 ~ 8 mm，为宿萼所包，室背开裂；种子扁椭圆形，长 1.5 mm，被毛。

| 生境分布 | 生于海拔 100 ~ 300 m 的多沙山坡及草丛中。分布于湖南常德（津市）、湘潭（湘乡）等。

| 资源情况 | 野生资源稀少。药材来源于野生。

| 采收加工 | 夏季采收，除去杂质，晒干。

| 功能主治 | 苦，凉。归心、肝、胃经。清热解毒，祛风止痛，凉血止血。用于感冒，肺炎发热，咳嗽，吐血，血痢，便血，月经不调，风湿骨痛，牙痛，乳痈。

| 用法用量 | 内服煎汤，10 ~ 15 g。外用适量，煎汤洗；或捣敷。

玄参科 Scrophulariaceae 泡桐属 *Paulownia*

南方泡桐 *Paulownia australis* Gong Tong

| 药 材 名 |

泡桐皮（药用部位：树皮）、泡桐叶（药用部位：叶）。

| 形态特征 |

乔木，树冠伞状，枝下高达 5 m，枝条开展。叶片卵状心形，全缘或浅波状而有角，先端锐尖头，下面密生黏毛或星状绒毛。花序枝宽大，其侧枝长超过中央主枝的 1/2，故花序呈宽圆锥形，长达 80 cm，小聚伞花序有短总花梗，仅位于花序先端的小聚伞花序有极短而不明显的总花梗；花萼在开花后部分脱毛或不脱毛，浅裂达 1/3 至 2/5；花冠紫色，腹部稍带白色并有 2 明显纵褶，长 5 ~ 7 cm，管状钟形，檐部二唇形。果实椭圆形，长约 4 cm，幼时具星状毛，果皮厚可达 2 mm。花期 3 ~ 4 月，果期 7 ~ 8 月。

| 生境分布 |

生于海拔 200 ~ 1 500 m 的山坡灌丛、疏林及荒地或栽培于庭院、村庄。湖南各地均有分布。

| 资源情况 |

野生资源丰富。栽培资源丰富。药材来源于

野生和栽培。

| 采收加工 | **泡桐皮**：全年均可采收，剥取树皮，或结合修剪取皮，鲜用或晒干。

泡桐叶：夏、秋季采摘，鲜用或晒干。

| 功能主治 | **泡桐皮**：祛风解毒，接骨消肿。用于风湿痹痛，疮痈肿毒，跌打骨折。

泡桐叶：解毒消肿，止血。用于痈疽，疔疮，外伤出血。

| 附　　注 | 本种在FOC中被修订为泡桐科Paulowniaceae泡桐属*Paulownia*南方泡桐*Paulownia taiwaniana* T. W. Hu et H. J. Chang。

玄参科 Scrophulariaceae 泡桐属 *Paulownia*

楸叶泡桐 *Paulownia catalpifolia* Gong Tong

| 药 材 名 | 楸叶泡桐（药用部位：果实、叶）。

| 形态特征 | 大乔木，树冠为高大圆锥形，树干通直。叶片通常长卵状心形，长约为宽的 2 倍，先端长渐尖，全缘或波状而有角，上面无毛，下面密被星状绒毛。花序枝的侧枝不发达，花序金字塔形或狭圆锥形，长一般在 35 cm 以下，小聚伞花序有明显的总花梗，与花梗近等长；花萼浅钟形，在开花后逐渐脱毛，浅裂达 1/3 ~ 2/5 处，萼齿三角形或卵圆形；花冠浅紫色，长 7 ~ 8 cm，较细，管状漏斗形，内部常密布紫色细斑点，先端直径不超过 3.5 cm，喉部直径 1.5 cm，基部向前弓曲，檐部二唇形。蒴果椭圆形，幼时被星状绒毛，长 4.5 ~ 5.5 cm，果皮厚达 3 mm。花期 4 月，果期 7 ~ 8 月。

| 生境分布 | 生于山地丘陵或较干旱寒冷地区。湖南各地均有分布。

| 资源情况 | 野生资源丰富。栽培资源丰富。药材来源于野生和栽培。

| 功能主治 | 祛风，解毒，消肿，止痛，化痰止咳。用于筋骨疼痛，疮疡肿毒，崩漏，带下，气管炎。

玄参科 Scrophulariaceae 泡桐属 *Paulownia*

兰考泡桐 *Paulownia elongata* S. Y. Hu

| 药 材 名 | 河南桐（药用部位：根）、河南桐叶（药用部位：叶）。

| 形态特征 | 乔木，高达 10 m 以上，树冠宽圆锥形，全株具星状绒毛。小枝褐色，有凸起的皮孔。叶片通常卵状心形，有时具不规则的角，长达 34 cm，先端渐狭长而具锐头，基部心形或近圆形，上面毛不久脱落，下面密被无柄的树枝状毛；花序枝的侧枝不发达，故花序呈金字塔形或狭圆锥形，长约 30 cm，小聚伞花序的总花梗长 8 ~ 20 mm，与花梗近等长，有花 3 ~ 5，稀有单花；花萼倒圆锥形，长 16 ~ 20 mm，基部渐狭，分裂至约 1/3 处成 5 卵状三角形的齿，花萼管部的毛易脱落；花冠漏斗状钟形，紫色至粉白色，长 7 ~ 9.5 cm，花冠管在基部以上稍弓曲，外面有腺毛和星状毛，内面无毛而有紫色细小斑点，檐部略呈二唇形，直径 4 ~ 5 cm；雄蕊长达 25 mm；子

房和花柱有腺，花柱长 30 ~ 35 mm。蒴果卵形，稀卵状椭圆形，长 3.5 ~ 5 cm，有星状绒毛，宿萼碟状，先端具长 4 ~ 5 mm 的喙，果皮厚 1 ~ 2.5 mm；种子连翅长 4 ~ 5 mm。花期 4 ~ 5 月，果期秋季。

| 生境分布 | 生于海拔 100 ~ 500 m 的林中及坡地。分布于湖南长沙（岳麓）、怀化（麻阳）等。

| 资源情况 | 野生资源稀少。栽培资源较少。药材来源于栽培。

| 采收加工 | **河南桐：**秋、冬季采挖，洗净，除去须根，鲜用或晒干。

河南桐叶：夏、秋季采摘，鲜用或晒干。

| 功能主治 | **河南桐根：**苦，寒。归肺、大肠经。祛风解毒，消肿止痛。用于风湿腿痛，下肢浮肿，筋骨疼痛，疮疡肿毒。

河南桐叶：苦，寒。清热解毒。用于痈疽，疔疮，咽喉肿痛。

| 用法用量 | **河南桐：**内服煎汤，15 ~ 30 g。外用适量，鲜品捣敷。

河南桐叶：内服煎汤，15 ~ 30 g。外用以醋蒸贴、捣敷或捣汁涂。

| 附　　注 | 本种与楸叶泡桐的区别在于后者叶片为长卵状心形，长几为宽的 2 倍；花冠细瘦，管状漏斗形；果实椭圆形。

玄参科 Scrophulariaceae 泡桐属 *Paulownia*

川泡桐 *Paulownia fargesii* Franch.

| 药材名 | 川泡桐果（药用部位：果实）、川泡桐根（药用部位：根）。

| 形态特征 | 乔木，高达 20 m。树冠宽圆锥形，主干明显；小枝紫褐色至褐灰色，有圆形凸出皮孔。叶卵圆形或卵状心形，长超过 20 cm，全缘或浅波状，先端长渐尖成锐尖头，上面疏生短毛，下面毛具柄和短分枝，毛的疏密度有很大变化，直至无毛；叶柄长 11 cm。花序枝的侧枝长可达主枝的 1/2，花序宽大圆锥形，长约 1 m；小聚伞花序无总梗或几无总梗，有花 3 ~ 5；花梗长不及 1 cm；花萼倒圆锥形，基部渐窄，长达 2 cm，不脱毛，分裂至中部成三角状卵形的萼齿，边缘较薄；花冠近钟形，白色、有紫色条纹至紫色，长 5.5 ~ 7.5 cm，外面有短腺毛，内面常无紫斑，花冠管在基部以上突然膨大，多少弓曲；雄蕊长 2 ~ 2.5 cm；子房有腺，花柱长 3 cm。蒴果椭圆形或

卵状椭圆形，长 3 ~ 4.5 cm，宿萼贴伏于果实基部或稍伸展，常不反折；种子长圆形，连翅长 5 ~ 6 mm。

| 生境分布 | 生于海拔 500 ~ 1 100 m 的林中及坡地。分布于湖南长沙（长沙）、株洲（攸县）、常德（澧县）等。

| 资源情况 | 野生资源稀少。药材来源于野生和栽培。

| 采收加工 | **川泡桐果：** 夏、秋季采摘，晒干。

川泡桐根： 秋季采挖，洗净，鲜用或晒干。

| 药材性状 | **川泡桐果：** 本品呈椭圆形或卵状椭圆形，长 3 ~ 4.5 cm，宿萼贴伏于基部或稍伸展，常不反折；种子长圆形，连翅长 5 ~ 6 mm。气微，味微甘、苦。

川泡桐根： 本品呈圆柱形，长短不等，直径约 2 cm。表面灰褐色至棕褐色，粗糙，有明显的皱纹和纵沟，具横裂纹及凸起的侧根残痕。质坚硬，不易折断，断面不整齐，皮部棕色或淡棕色，木部宽广，黄白色，显纤维性，有多数孔洞（导管）及放射状纹理。气微，味微苦。

| 功能主治 | **川泡桐果：** 苦，寒。归肺经。祛痰，止咳，平喘。用于咳嗽，痰多，气喘，慢性支气管炎。

川泡桐根： 微苦，微寒。归肺、大肠经。除风湿，解热毒。用于风湿热痹，筋骨疼痛，肠风下血，疮疡肿毒，跌打损伤。

| 用法用量 | **川泡桐果：** 内服煎汤，15 ~ 30 g。

川泡桐根： 内服煎汤，15 ~ 30 g。外用适量，鲜品捣敷。

玄参科 Scrophulariaceae 泡桐属 *Paulownia*

白花泡桐 *Paulownia fortunei* (Seem.) Hemsl.

| 药 材 名 | 泡桐根（药用部位：根或根皮）、泡桐树皮（药用部位：树皮。别名：白桐皮、水桐树皮、桐木皮）、泡桐叶（药用部位：叶。别名：桐叶、白桐叶）、泡桐花（药用部位：花）、泡桐果（药用部位：果实。别名：毛泡桐）。

| 形态特征 | 乔木，高达 30 m。树皮灰褐色。叶片长卵状心形，有时为卵状心形，长 20 cm，先端长渐尖或具锐尖头，成熟叶片下面密被绒毛，有时毛很稀疏至近无毛；叶柄长达 12 cm。花序枝几无或仅有短侧枝；花萼倒圆锥形，长 2 ~ 2.5 cm，花后逐渐脱毛，分裂至 1/4 或 1/3 处，萼齿卵圆形至三角状卵圆形，果期变为狭三角形；花冠管状漏斗形，白色，仅背面稍带紫色或浅紫色，长 8 ~ 12 cm，管部在基部以上不突然膨大，而逐渐向上扩大，稍稍向前曲，外面有星状毛，腹部

无明显纵褶，内部密布紫色细斑块；雄蕊长 3 ~ 3.5 cm，有疏腺；子房有腺，有时具星状毛，花柱长约 5.5 cm。蒴果长圆形或长圆状椭圆形，长 6 ~ 10 cm，先端的喙长达 6 mm，宿萼开展或漏斗状，果皮木质，厚 3 ~ 6 mm；种子连翅长 6 ~ 10 mm。花期 3 ~ 4 月，果期 7 ~ 8 月。

| 生境分布 | 生于海拔 150 ~ 500 m 的山坡、林中、山谷及荒地。湖南各地均有分布。

| 资源情况 | 野生资源较丰富。栽培资源较丰富。药材来源于野生和栽培。

| 采收加工 | **泡桐根：**秋季采收，洗净，鲜用或晒干。

泡桐树皮：全年均可采收，鲜用或晒干。

泡桐叶：夏、秋季采摘，鲜用或晒干。

泡桐花：春季花开时采收，晒干或鲜用。

泡桐果：夏、秋季采摘，晒干。

药材性状

泡桐根：本品呈圆柱形，长短不等，直径约 2 cm。表面灰褐色至棕褐色，粗糙，有明显的皱纹与纵沟，具横裂纹及凸起的侧根残痕。质坚硬，不易折断，断面不整齐，皮部棕色或淡棕色，木部宽广，黄白色，显纤维性。有多数孔洞（导管）及放射状纹理。气微，味微苦。

泡桐树皮：本品表面灰褐色，有不规则纵裂。小枝皮有明显的皮孔，常具黏质短腺毛。味淡、微甜。

泡桐叶：本品长卵状心形或卵状心形，长达 20 cm，先端长渐尖或具锐尖头，下面密被绒毛，有时毛很稀疏至近无毛，叶柄长达 12 cm。气微，味苦。

泡桐花：本品长 8 ~ 12 cm。花萼灰褐色，长 2 ~ 2.5 cm，质厚，裂片被柔毛，内表面毛较密；花冠白色，干者外面灰黄色至灰棕色，密被茸毛，内面色浅，腹部具紫色斑点，筒部茸毛稀少。气微香，味微苦。

泡桐果：本品长圆形或长圆状椭圆形，长 6 ~ 10 cm，表面粗糙，有类圆形疣状斑点，近先端处灰黄色，被星状毛；果皮厚 3 ~ 6 mm，木质；宿萼 5 浅裂。种子长 6 ~ 10 mm。气微，味微甘、苦。

功能主治

泡桐根：微苦，微寒。祛风止痛，解毒活血。用于风湿热痹，筋骨疼痛，疮疡肿毒，跌打损伤。

泡桐树皮： 苦，寒。祛风除湿，消肿解毒。用于风湿热痹，淋病，丹毒，痔疮肿毒，肠风下血，外伤肿痛，骨折。

泡桐叶： 苦，寒。清热解毒，止血消肿。用于痈疽，疔疮肿毒，创伤出血。

泡桐花： 苦，寒。清肺利咽，解毒消肿。用于肺热咳嗽，急性扁桃体炎，细菌性痢疾，急性肠炎，急性结膜炎，腮腺炎，疖肿，疮癣。

泡桐果： 苦，微寒。归肺经。化痰，止咳，平喘。用于慢性支气管炎，咳嗽，咳痰。

｜用法用量｜

泡桐根： 内服煎汤，15 ~ 30 g。外用适量，鲜品捣敷。

泡桐树皮： 内服煎汤，15 ~ 30 g。外用适量，鲜品捣敷；或煎汁涂。

泡桐叶： 内服煎汤，15 ~ 30 g。外用以醋蒸贴；或捣敷；或捣汁涂。

泡桐花： 内服煎汤，10 ~ 25 g。外用适量，鲜品捣敷；或制成膏剂搽。

泡桐果： 内服煎汤，15 ~ 30 g。

玄参科 Scrophulariaceae 泡桐属 *Paulownia*

台湾泡桐 *Paulownia kawakamii* Ito.

| 药 材 名 | 台湾泡桐（药用部位：树皮。别名：华东泡桐、黄毛泡桐、空桐树）、台湾泡桐叶（药用部位：叶）。

| 形态特征 | 小乔木，高 6 ~ 12 m。树冠伞形，主干矮；小枝褐灰色，有明显皮孔。叶片心形，大者长达 48 cm，先端具锐尖头，全缘或 3 ~ 5 裂或有角，两面均有粘毛，老时显现单条粗毛，叶面常有腺；叶柄较长，幼时具长腺毛。花序枝的侧枝发达，而几与中央主枝等势或稍短，花序为宽大圆锥形，长 1 m，小聚伞花序无总花梗或位于下部者具短总梗，但比花梗短，有黄褐色绒毛，常具花 3，花梗长达 12 mm；花萼有绒毛，具明显的凸脊，深裂至一半以上，萼齿狭卵圆形，具锐头，边缘有明显的绿色沿；花冠近钟形，浅紫色至蓝紫色，长 3 ~ 5 cm，外面有腺毛，花冠管基部细缩，向上扩大，檐部二唇形，直径 3 ~ 4 cm；

雄蕊长 10 ~ 15 mm；子房有腺，花柱长约 14 mm。蒴果卵圆形，长 2.5 ~ 4 cm，先端有短喙，果皮薄，厚不到 1 mm，宿萼辐状，常强烈反卷；种子长圆形，连翅长 3 ~ 4 mm。花期 4 ~ 5 月，果期 8 ~ 9 月。

| 生境分布 | 生于海拔 200 ~ 1 500 m 的山坡灌丛、疏林及荒地。湖南各地均有分布。

| 资源情况 | 野生资源一般。栽培资源一般。药材来源于野生和栽培。

| 采收加工 | **台湾泡桐：**全年均可采剥，或结合修剪采剥，鲜用或晒干。

台湾泡桐叶：夏、秋季采摘，鲜用或晒干。

| 功能主治 | **台湾泡桐：**苦、涩，寒。祛风解毒，接骨消肿。用于风湿痹痛，疮痈肿毒，跌打骨折。

台湾泡桐叶：苦，寒。解毒消肿，止血。用于痈疽，疔疮，外伤出血。

| 用法用量 | **台湾泡桐：**内服煎汤，15 ~ 30 g。外用适量，鲜品捣敷。

台湾泡桐叶：内服煎汤，10 ~ 15 g。外用适量，鲜品捣敷。

玄参科 Scrophulariaceae 泡桐属 *Paulownia*

毛泡桐 *Paulownia tomentosa* (Thunb.) Steud.

| 药材名 | 泡桐根（药用部位：根或根皮）、泡桐树皮（药用部位：树皮。别名：冈桐皮、日本泡桐皮、紫花桐皮）、泡桐叶（药用部位：叶。别名：桐叶）、泡桐花（药用部位：花）、泡桐果（药用部位：果实。别名：毛泡桐）。

| 形态特征 | 乔木，高达 20 m。树皮褐灰色；小枝有明显皮孔。叶片心形，长 40 cm，先端锐尖头，全缘或波状浅裂，上面毛稀疏，下面毛密或较疏。花序枝的侧枝不发达，长约为中央主枝的 1/2 或更短，一般不及 50 cm，小聚伞花序的总花梗长 1 ~ 2 cm，几与花梗等长，具花 3 ~ 5；花萼浅钟形，长约 1.5 cm，外面绒毛不脱落，分裂至中部或裂过中部；花冠紫色，漏斗状钟形，长 5 ~ 7.5 cm，在离花冠管基部约 5 mm 处弓曲，向上突然膨大，外面有腺毛，内面几无毛，檐

部二唇形，直径不及 5 cm；雄蕊长 2.5 cm；子房卵圆形，有腺毛，花柱短于雄蕊。蒴果卵圆形，长 3 ~ 4.5 cm，宿萼不反卷，果皮厚约 1 mm；种子连翅长 2.5 ~ 4 mm。花期 4 ~ 5 月，果期 8 ~ 9 月。

| 生境分布 | 生于海拔 1 800 m 以下的较寒冷和干旱地区。分布于湘西南、湘南、湘中、湘东、湘北等。

| 资源情况 | 野生资源丰富。药材来源于野生和栽培。

| 采收加工 | **泡桐根**：秋季采挖，洗净，鲜用或晒干。

泡桐树皮：全年均可采收，鲜用或晒干。

泡桐叶：夏、秋季采摘，鲜用或晒干。

泡桐花：春季花开时采收，鲜用或晒干。

泡桐果：夏、秋季采摘，晒干。

| 药材性状 | **泡桐根**：本品呈圆柱形，长短不等，直径约 2 cm。表面灰褐色至棕褐色，粗糙，有明显的皱纹与纵沟，具横裂纹及凸起的侧根残痕。质坚硬，不易折断，断面不整齐，皮部棕色或淡棕色，木部宽广，黄白色，显纤维性。有多数孔洞（导管）及放射状纹理。气微，味微苦。

泡桐树皮：本品表面褐灰色，有不规则纵裂。小枝皮有明显的皮孔，常具黏质短腺毛。味淡、微甜。

泡桐叶：本品心形，长 40 cm，先端锐尖，基部心形，全缘或波状浅裂，上面毛稀疏；下面毛密或较疏，老叶下面的灰褐色树枝状毛常具柄和 3 ~ 12 细长丝状分枝，新枝上的叶较大，其毛常不分枝，有时具黏质腺毛；叶柄常有黏质短腺毛。气微，味苦。

泡桐花：本品长 5 ~ 7.5 cm。花萼较小，长约 1.2 cm；花冠紫红色，干者灰棕色，内面紫色斑点众多。气微香，味微苦。

泡桐果：本品卵圆形，长 3 ~ 4.5 cm，直径 2 ~ 3 cm。表面红褐色至黑褐色，有黏质腺毛，先端尖嘴状，长 6 ~ 8 mm，基部圆形，自顶至基部两侧各有棱线 1，易沿棱线裂成 2 瓣，内表面淡棕色，光滑而有光泽，各有 1 纵隔。果皮革质，厚 0.5 ~ 1 mm。宿萼 5 中裂，呈五角星形，裂片卵状三角形。果柄扭曲，长 2 ~ 3 cm。种子多数，着生于半圆形肥厚的中轴上，细小，扁而有翅，长 2.5 ~ 4 mm。气微，味微甘、苦。

| 功能主治 |

泡桐根：微苦，微寒。祛风止痛，解毒活血。用于风湿热痹，筋骨疼痛，疮疡肿毒，跌打损伤。

泡桐树皮：苦，寒。祛风除湿，消肿解毒。用于风湿热痹，淋病，丹毒，痔疮肿毒，肠风下血，外伤肿痛，骨折。

泡桐叶：苦，寒。清热解毒，止血消肿。用于痈疽，疔疮肿毒，创伤出血。

泡桐花：苦，寒。清肺利咽，解毒消肿。用于肺热咳嗽，急性扁桃体炎，细菌性痢疾，急性肠炎，急性结膜炎，腮腺炎，疖肿，疮癣。

泡桐果：苦，微寒。归肺经。化痰，止咳，平喘。用于慢性支气管炎，咳嗽，咳痰。

| 用法用量 |

泡桐根：内服煎汤，15 ～ 30 g。外用适量，鲜品捣敷。

泡桐树皮：内服煎汤，15 ～ 30 g。外用适量，鲜品捣敷；或煎汁涂。

泡桐叶：内服煎汤，15 ～ 30 g。外用以醋蒸贴；或捣敷；或捣汁涂。

泡桐花：内服煎汤，10 ～ 25 g。外用适量，鲜品捣敷；或制成膏剂搽。

泡桐果：内服煎汤，15 ～ 30 g。

玄参科 Scrophulariaceae 马先蒿属 *Pedicularis*

亨氏马先蒿 *Pedicularis henryi* Maxim.

| 药材名 |

凤尾参（药用部位：根。别名：羊肚参、江南马先蒿、互叶凤尾参）。

| 形态特征 |

多年生草本，高 16 ~ 36 cm，密被锈褐色毛。根丛生，少数膨大成肉质纺锤形，具须根。茎多从基部发出 3 ~ 5，中空，多分枝，基部倾卧，上部略有棱角，弯曲上升。叶茂密，互生；具短柄，中部叶叶柄较长；叶片纸质，长圆状披针形至线状长圆形，长 1.5 ~ 3.5 cm，宽 0.5 ~ 1 cm，羽状深裂或全裂，裂片每边 6 ~ 8（~ 12），裂片长圆形至卵形，边缘有具白色胼胝之齿，常反卷。花生于茎顶叶腋，或成总状花序；花梗长 3 ~ 5 mm，纤细，被短毛；花萼稍圆筒状，先端 5 裂或退化成 3 裂，基部细，先端圆形膨大，具反卷的小齿；花冠紫红色，长约 2 cm，略向右扭转，上部渐扩大，盔直立，中部向前上方弓曲成短粗的含雄蕊的部分，前端狭缩成指向前下方的短喙，喙端 2 浅裂，下唇侧裂斜椭圆形，中裂圆形；雄蕊 2 对，均被长柔毛；花柱略伸出。蒴果斜披针状卵形，从宿萼裂口伸出；种子卵形而尖，形似桃。花期 5 ~ 9 月，果期 8 ~ 11 月。

| 生境分布 | 生于海拔 400 ~ 1 420 m 的空旷处、草丛及林边。分布于湖南郴州（宜章、桂东、汝城、安仁）、湘潭（湘乡）、邵阳（隆回）、怀化（麻阳、沅陵）等。

| 资源情况 | 野生资源较少。药材来源于野生。

| 采收加工 | 秋季采挖，洗净，晒干。

| 药材性状 | 本品根簇生 1 束，少数膨大成肉质纺锤形；先端留有残余的根茎。表面棕黑色，有纵皱纹。质柔韧。气微，味微苦。

| 功能主治 | 甘、微苦，微温。归肝、脾经。补气血，强筋骨，健脾胃。用于头晕耳鸣，心慌气短，手足痿软，筋骨疼痛，支气管炎，小儿食积，营养不良。

| 用法用量 | 内服煎汤，15 ~ 30 g。

玄参科 Scrophulariaceae 马先蒿属 *Pedicularis*

返顾马先蒿 *Pedicularis resupinata* L.

| 药材名 |

返顾马先蒿（药用部位：根。别名：马屎蒿、马新蒿、芝麻七）、马先蒿（药用部位：地上部分。别名：阿兰内）。

| 形态特征 |

多年生草本，高 30 ~ 70 cm，直立。根多数丛生。茎常单出，上部多分枝，粗壮而中空，多方形有棱，有疏毛或几无毛。叶密生，均茎出，互生或有时下部甚或中部对生；叶片膜质至纸质，卵形至长圆状披针形，前方渐狭，基部广楔形或圆形，边缘有钝圆的重齿，齿上有浅色的胼胝或刺状尖头，且常反卷，长 25 ~ 55 mm，宽 10 ~ 20 mm，向上渐小而变为苞片，两面无毛或有疏毛。花单生于茎枝先端的叶腋中，无梗或有短梗；花萼长 6 ~ 9 mm，长卵圆形，多少膜质；花冠长 20 ~ 25 mm，淡紫红色，花冠管长 12 ~ 15 mm，伸直，近端处略扩大，自基部起即向右扭旋，脉理清晰可见，此种扭旋使下唇及盔部成为回顾之状，盔的直立部分与花管同一指向，在此部分以上作 2 次多少膝盖状弓曲；雄蕊花丝前面 1 对有毛；柱头伸出喙端。蒴果斜长圆状披针形，长 11 ~ 16 mm，仅稍长于花萼。花期 6 ~ 8 月，果期 7 ~ 9 月。

| 生境分布 | 生于海拔 300 ~ 2 000 m 的湿润草地及林缘。分布于湖南湘西州（花垣）。

| 资源情况 | 野生资源稀少。药材来源于野生。

| 采收加工 | **返顾马先蒿：**秋季采挖，除去泥土，晒干。

马先蒿：夏、秋季花开时采收，阴干。

| 药材性状 | **返顾马先蒿：**不详。

马先蒿：茎呈方柱形，直径 2 ~ 4 mm，表面绿色或紫色。质脆，易折断，断面皮部浅黄绿色，髓部类白色，有的中空。叶多脱落或破碎，完整叶展平后呈披针形，长 2 ~ 8 cm，宽 0.6 ~ 1.5 cm，先端尖，基部广楔形，边缘具钝圆的羽状重齿，背面偶有白色斑点，两面有疏毛或无毛。苞片叶状。花萼长卵形，长约 7 mm，一边深裂；花冠紫色，长 2 ~ 2.5 cm，旋转扭曲。蒴果斜长圆状披针形。气微，味微苦。

| 功能主治 | **返顾马先蒿：**苦，平。归肾、膀胱经。祛风湿，利小便。用于风湿关节疼痛，尿路结石，小便不利，带下，大风癞疾，疥疮。

马先蒿：苦，凉。拢敛扩散之毒，清胃火，止泻。用于眼花，胃胀，痧症，肉毒症。

| 用法用量 | **返顾马先蒿：**内服煎汤，6 ~ 9 g；或研末开水送服，6 g。外用适量，煎汤洗。

马先蒿：内服煎汤，3 ~ 6 g；或研末入丸、散剂。

玄参科 Scrophulariaceae 松蒿属 *Phtheirospermum*

松蒿 *Phtheirospermum japonicum* (Thunb.) Kanitz

| 药 材 名 |

松蒿（药用部位：全草）。

| 形态特征 |

一年生草本。全被腺毛。茎直立或弯曲。叶具长柄，叶片长三角状卵形，长 15 ~ 55 mm，宽 8 ~ 30 mm，近基部的叶羽状全裂，向上的叶则为羽状深裂。花梗长 2 ~ 7 mm；花萼长 4 ~ 10 mm，萼齿 5，叶状，披针形；花冠紫红色至淡紫红色，长 8 ~ 25 mm，外面被柔毛，上唇裂片三角状卵形，下唇裂片先端圆钝；花丝基部疏被长柔毛。蒴果卵珠形，长 6 ~ 10 mm；种子卵圆形，扁平，长约 1.2 mm。花果期 6 ~ 10 月。

| 生境分布 |

生于山坡灌丛中。分布于湖南长沙（浏阳）、衡阳（衡山）、邵阳（城步、武冈）、张家界（慈利、桑植）、怀化（沅陵、芷江、洪江）、湘西州（泸溪、凤凰、保靖、永顺）等。

| 资源情况 |

野生资源一般。药材来源于野生。

| 采收加工 | 夏、秋季采收，晒干。

| 药材性状 | 本品茎直立，上部多分枝，具腺毛，有黏性。叶对生，多皱缩而破碎，完整叶片三角状卵形，羽状深裂，两侧裂片长圆形，先端裂片较大，卵圆形，边缘具细锯齿，叶两面均有腺毛。花序顶生；花萼钟状；花冠淡红紫色。味微辛。

| 功能主治 | 微辛，凉。归肺、脾、胃经。清热利湿，解毒。用于黄疸，水肿，风热感冒，口疮，鼻炎，疮疖肿毒。

玄参科 Scrophulariaceae 地黄属 *Rehmannia*

湖北地黄 *Rehmannia henryi* N. E. Br.

| 药 材 名 | 鄂地黄（药用部位：根。别名：岩白菜）。

| 形态特征 | 多年生直立草本。全体被多细胞腺毛。根略增粗，直径约 3 mm。茎 1 至多分枝，高 15 ~ 40 cm。叶多基生，莲座状；叶柄长 1 ~ 6 cm；叶片椭圆状倒卵形，长 3 ~ 18 cm，羽状浅裂，裂片有尖齿；茎生叶小得多，浅裂至齿状缺刻。总状花序顶生，有少花；苞片叶状，向上渐小；花梗上升，长达 5 cm，近基部具 1 ~ 2 丝状小苞片；花萼钟状，长 2 cm，筒部占花萼长的一半，萼齿狭披针形，先端钝，全缘或有齿，后面 1 萼齿较长；花冠黄色，有红色斑点，花冠筒长 4.5 ~ 5 cm，背腹略扁，稍弓曲，外面被腺毛，内面仅腹部两折皱处及花丝着生处有毛，上唇长 1 cm，2 裂，向外反卷，下唇长 1.5 cm，

3裂，两面疏被毛。

| 生境分布 | 生于路旁或石缝中。分布于湘西北等。

| 资源情况 | 野生资源一般。药材来源于野生。

| 功能主治 | 补血，止血，强壮。用于吐血，鼻衄，子宫出血；外用于创伤出血。

玄参科 Scrophulariaceae 玄参属 *Scrophularia*

玄参 *Scrophularia ningpoensis* Hemsl.

药材名

玄参（药用部位：根。别名：元参、水萝卜、黑参）。

形态特征

高大草本，高可超 1 m。支根数条，纺锤形或胡萝卜状膨大，直径超过 3 cm。茎四棱形，有浅槽。叶在茎下部多对生而具叶柄，在茎上部有时互生而叶柄极短，叶柄长者达 4.5 cm；叶形多变，多为卵形，有时上部为卵状披针形或披针形，基部楔形、圆形或近心形，边缘具细锯齿，稀具不规则的细重锯齿，长 8 ～ 30 cm。花序由顶生和腋生的聚伞圆锥花序合成大型圆锥花序，长 50 cm，在较小的植株中，仅有顶生聚伞圆锥花序，长不及 10 cm，聚伞花序常 2 ～ 4 回复出；花梗长 0.3 ～ 3 cm，有腺毛；花萼长 2 ～ 3 mm，裂片圆形，边缘稍膜质；花冠褐紫色，长 8 ～ 9 mm，上唇比下唇长约 2.5 mm，裂片圆形，边缘相互重叠，下唇裂片多少卵形，中裂片稍短；雄蕊比下唇短，花丝肥厚，退化雄蕊大而近圆形；花柱长约 3 mm。蒴果卵圆形，连同短喙长 8 ～ 9 mm。花期 6 ～ 10 月，果期 9 ～ 11 月。

| 生境分布 | 生于海拔 1 700 m 以下的竹林、溪旁、丛林及高草丛中。湖南各地均有分布，亦常栽培。

| 资源情况 | 野生资源丰富。药材来源于野生和栽培。

| 采收加工 | 冬季茎叶枯萎时采挖，除去根茎、幼芽、须根及泥沙，晒或烘至半干，堆放 3 ~ 6 天，反复数次至干燥。

| 药材性状 | 本品根呈类圆柱形，中间略粗或上粗下细，有的微弯曲，长 6 ~ 20 cm，直径 1 ~ 3 cm。表面灰黄色或灰褐色，有不规则的纵沟、横长皮孔样突起和稀疏的横裂纹和须根痕。质坚实，不易折断，断面黑色，微有光泽。气特异似焦糖，味甘、微苦。

| 功能主治 | 甘、苦、咸，微寒。归肺、胃、肾经。清热凉血，滋阴降火，解毒散结。用于热入营血，温毒发斑，热病伤阴，舌绛烦渴，津伤便秘，骨蒸劳嗽，目赤，咽痛，白喉，瘰疬，痈肿疮毒。

| 用法用量 | 内服煎汤，9 ~ 15 g。

| 附　　注 | 本种为《中华人民共和国药典》（2020 版）玄参的基原植物。

玄参科 Scrophulariaceae 阴行草属 *Siphonostegia*

阴行草 *Siphonostegia chinensis* Benth.

| 药 材 名 |

北刘寄奴（药用部位：全草。别名：金钟茵陈）。

| 形态特征 |

一年生草本，高 30 ~ 80 cm，干时变为黑色，密被锈色短毛。茎多单一，中空，基部常有少数宿存膜质鳞片，下部常不分枝，而上部多分枝；枝 1 ~ 6 对，对生，细长，坚挺。叶对生，无柄或有短柄；叶片厚纸质，广卵形，长 8 ~ 55 mm，宽 4 ~ 60 mm，两面皆密被短毛，中肋在上面微凹入，在背面明显凸出，边缘作疏远的二回羽状全裂，裂片仅约 3 对，仅下方 2 裂片羽状开裂，小裂片 1 ~ 3，外侧裂片较长，内侧裂片较短或无，线形或线状披针形，宽 1 ~ 2 mm，具锐尖头，全缘。花对生于茎枝上部；苞片叶状，花梗短，有小苞片 2；花萼筒长 1 ~ 1.5 cm，主脉 10，厚而粗壮，凸起，脉间凹入成沟，萼齿 5，长为花萼筒的 1/4 ~ 1/3；花冠长 2.2 ~ 2.5 cm，上唇红紫色，下唇黄色，上唇背部被长纤毛，下唇褶襞瓣状；雄蕊二强，花丝基部被毛。蒴果长约 1.5 cm，黑褐色；种子黑色。花期 6 ~ 8 月。

| 生境分布 | 生于海拔 800 ~ 1 700 m 的干山坡与草地中。湖南各地均有分布。

| 资源情况 | 野生资源丰富。药材来源于野生。

| 采收加工 | 秋季采收，洗净，晒干。

| 药材性状 | 本品长 30 ~ 80 cm，全株被短毛。根短而弯曲，稍有分枝。茎呈圆柱形，有棱，有的上部有分枝，表面棕褐色或黑棕色；质脆，易折断，断面黄白色，中空或有白色髓。叶对生，多脱落破碎，完整者羽状深裂，黑绿色。总状花序顶生，花有短梗；花萼长筒状，黄棕色至黑棕色，有明显的 10 纵棱，先端 5 裂；花冠棕黄色，多脱落。蒴果狭卵状椭圆形，较花萼稍短，棕黑色；种子细小。气微，味淡。

| 功能主治 | 苦，寒。归脾、胃、肝、胆经。活血祛瘀，通经止痛，凉血，止血，清热利湿。用于跌打损伤，外伤出血，瘀血经闭，月经不调，产后瘀痛，癥瘕积聚，血痢，血淋，湿热黄疸，水肿腹胀，白带过多。

| 用法用量 | 内服煎汤，6 ~ 9 g。

| 附　　注 | 本种为《中华人民共和国药典》（2020 版）北刘寄奴的基原植物。

玄参科 Scrophulariaceae 阴行草属 *Siphonostegia*

腺毛阴行草 *Siphonostegia laeta* S. Moore

|药 材 名| 光亮阴行草（药用部位：全草。别名：土茵陈、黄花茵陈）。

|形态特征| 一年生草本，高 30 ~ 70 cm，全株密被腺毛。茎常单一，基部木质化，不分枝，常在中部以上分枝；枝 3 ~ 5 对，细长柔弱。叶对生，叶柄长 0.6 ~ 1 cm；叶三角状长卵形，长 1.5 ~ 2.5 cm，宽 0.8 ~ 1.5 cm，边缘亚掌状 3 深裂，裂片不等，中裂片较大，羽状浅裂。总状花序，生于茎枝先端；花成对；苞片叶状，与花萼等长或较花萼短，菱状长卵形至卵状披针形，先端渐尖，稍羽裂或近全缘，密被细腺毛；花萼管状钟形，萼齿 5，绿色，草质，披针形，全缘；花冠黄色，有时上唇背部微紫色，下唇褶襞非瓣状，密被长卷毛；雄蕊二强，花丝密被毛。蒴果长 1.2 ~ 1.3 cm，黑褐色，先端稍有短突尖；种子多数，长 1 ~ 1.5 mm，黄褐色，长卵圆形。花期 7 ~ 9

月，果期 9 ～ 10 月。

| 生境分布 | 生于海拔 220 ～ 500 m 的草丛或灌木林中较阴湿之处。湖南各地均有分布。

| 资源情况 | 野生资源一般。药材来源于野生。

| 采收加工 | 8 ～ 9 月采收，洗净，鲜用或晒干。

| 功能主治 | 苦，寒。归胃经。解毒消肿，止咳化痰。用于痈肿疮疖，咳嗽。

| 用法用量 | 内服煎汤，9 ～ 15 g，鲜品 30 ～ 60 g；或研末。外用适量，研末调敷。

玄参科 Scrophulariaceae 独脚金属 *Striga*

独脚金 *Striga asiatica* (L.) Kuntze

| 药材名 | 独脚金（药用部位：全草）。

| 形态特征 | 一年生半寄生草本。高 10 ~ 20（~ 30）cm，直立，全体被刚毛。茎单生，少分枝。叶较狭窄，仅基部的为狭披针形，其余的为条形，

长 0.5 ~ 2 cm，有时为鳞片状。花单朵腋生或在茎先端形成穗状花序；花萼有 10 棱，长 4 ~ 8 mm，5 裂几达中部，裂片钻形；花冠通常黄色，稀红色或白色，长 1 ~ 1.5 cm，花冠筒先端急剧弯曲，上唇短 2 裂。蒴果卵状，包于宿存的花萼内。花期秋季。

| 生境分布 | 生于庄稼地和荒草地，寄生于寄主的根上。分布于湖南郴州（宜章）、永州（东安）等。

| 资源情况 | 野生资源较少。药材来源于野生。

| 功能主治 | 甘、淡，平。清肝，健脾，消食，杀虫。用于疳积，小儿泄泻，小儿夏季热，黄疸，夜盲，毒蛇咬伤。

玄参科 Scrophulariaceae 蝴蝶草属 *Torenia*

长叶蝴蝶草 *Torenia asiatica* L.

| 药 材 名 | 长叶蝴蝶草（药用部位：全草）。

| 形态特征 | 一年生草本，疏被向上弯曲的硬毛，铺散或倾卧而后上升。茎具棱或狭翅，自基部起多分枝；枝对生，或由于一侧不发育而成二歧状。叶具长 0.3 ~ 0.5 cm 的叶柄；叶片卵形或卵状披针形，两面疏被短糙毛，边缘具带短尖的锯齿或圆锯齿，先端渐尖，稀急尖，基部近圆形，多少下延。花单生于分枝顶部叶腋或顶生，或 3 ~ 5 花于近顶部的叶腋排成伞形花序；花萼狭长，长 1.5 ~ 2 cm，宽约 4 mm，上部稍扩大，萼齿 2，长三角形，先端渐尖，具 5 宽 1 ~ 1.5 mm 的翅，其中后方有 2 翅较窄；果期花萼长 2.5 ~ 3 cm，宽约 0.7 cm，呈长椭圆形，先端渐尖而稍弯曲，常裂成 3 ~ 4 小齿；花冠长 3 ~ 3.5 cm，暗紫色，上唇倒卵圆形，下唇 3 裂片近圆形，各有 1

蓝色斑块。蒴果长椭圆形；种子小，矩圆形或近球形，黄色。花果期 5 ~ 11 月。

| 生境分布 | 生于海拔 300 ~ 1 000 m 的沟边湿润处。分布于湖南株洲（荷塘）、衡阳（祁东）、郴州（临武）、长沙（浏阳）等。

| 资源情况 | 野生资源稀少。药材来源于野生。

| 采收加工 | 夏、秋季采收，洗净，鲜用或晒干。

| 功能主治 | 甘、微苦，凉。归肝、胆、肺经。清热利湿，解毒，化瘀。用于热咳，黄疸，泻痢，疔毒，跌打损伤。

| 用法用量 | 内服煎汤，15 ~ 30 g。外用适量，鲜品捣敷。

玄参科 Scrophulariaceae 蝴蝶草属 *Torenia*

紫斑蝴蝶草 *Torenia fordii* Hook. f.

| 药 材 名 | 紫斑蝴蝶草（药用部位：全草。别名：紫斑翼萼、福氏翼萼）。

| 形态特征 | 直立粗壮草本，全株被柔毛，高 25 ~ 40 cm。叶具长 1 ~ 1.5 cm 的叶柄；叶片宽卵形至卵状三角形，长 3 ~ 5 cm，宽 2.5 ~ 4 cm，上面疏被白色柔毛，下面以脉上毛较多，边缘具三角状急尖的粗锯齿，先端略尖，基部突然收狭成宽楔形。总状花序顶生；花梗长约 1 cm，果期时长可达 2 cm；苞片长卵形，长 0.5 ~ 1 cm，多少包裹花梗，先端渐尖，具缘毛；花萼倒卵状纺锤形，长约 1.2 cm，宽 5 ~ 7 mm，果期时长达 1.8 cm，宽 8 mm，具 5 翅，翅宽彼此不等，其中 2 翅较宽，宽可达 2 mm，翅上被缘毛；萼齿 2，近相等，卵状三角形，先端渐尖，果期开裂成 5 长约 7 mm、宽约 2.6 mm、先端渐尖的萼齿；花冠黄色，长 1.5 ~ 1.8 cm，上唇长约 4 mm，宽约

5 mm，浅裂或微凹，下唇 3 裂片彼此近相等，长约 3 mm，宽约 3.5 mm，先端钝圆，两侧裂片先端蓝色，中裂片先端橙黄色；前方 1 对花丝各具 1 齿状附属物。蒴果圆柱状，两侧扁，具 4 槽，长 9 ~ 11 mm，宽 2 ~ 3 mm。花果期 7 ~ 10 月。

| 生境分布 | 生于海拔 300 ~ 800 m 的山边、溪旁或疏林下。分布于湖南湘潭（湘潭）、邵阳（邵东）、永州（江永）、湘西州（吉首、龙山）等。

| 资源情况 | 野生资源稀少。药材来源于野生。

| 采收加工 | 夏、秋季采收，鲜用或晒干。

| 药材性状 | 本品多皱缩，茎、叶被柔毛，叶对生，叶柄长 1 ~ 1.5 cm，叶片宽卵形至卵状三角形，长 3 ~ 5 cm，宽 2.5 ~ 4 cm，边缘具三角状急尖的粗锯齿。总状花序顶生，花梗长 1 ~ 2 cm。蒴果圆柱状，藏于宿存萼内。气微，味淡。

| 功能主治 | 微苦，凉。归肝、胆经。清热解毒。用于疮毒，目赤肿痛。

| 用法用量 | 内服煎汤，10 ~ 15 g。

玄参科 Scrophulariaceae 蝴蝶草属 *Torenia*

兰猪耳 *Torenia fournieri* Linden. Ex Benth

|药 材 名| 蓝猪耳（药用部位：全草。别名：兰猪耳、老蛇药、倒胆草）。

|形态特征| 一年生直立草本，高 15 ~ 50 cm。茎几无毛，具 4 窄棱，节间通常长 6 ~ 9 cm，简单或自中、上部分枝。叶具长 1 ~ 2 cm 的柄；叶片长卵形或卵形，长 3 ~ 5 cm，宽 1.5 ~ 2.5 cm，几无毛，先端略尖或短渐尖，基部楔形，边缘具带短尖的粗锯齿。花具长 1 ~ 2 cm 的花梗，通常在枝的先端排列成总状花序；苞片条形，长 2 ~ 5 mm；花萼椭圆形，绿色或顶部与边缘略带紫红色，长 1.3 ~ 1.9 cm，宽 0.8 cm，具 5 枚宽约 2 mm、多少下延的翅，果实成熟时，翅宽可达 3 mm；萼齿 2，多少三角形，彼此近相等，有时齿端又稍开裂；花冠长 2.5 ~ 4 cm，超出萼齿部分长 10 ~ 23 mm；花冠筒淡青紫色，背黄色，上唇直立，

浅蓝色，宽倒卵形，长 1 ~ 1.2 cm，宽 1.2 ~ 1.5 cm，先端微凹，下唇裂片矩圆形或近圆形，彼此几相等，长约 1 cm，宽 0.8 cm，紫蓝色，中裂片的中下部有 1 黄色斑块；花丝不具附属物。蒴果长椭圆形，长约 1.2 cm，宽 0.5 cm；种子小，黄色，圆球形或扁圆球形，表面有细小的凹窝。花果期 6 ~ 12 月。

| 生境分布 | 生于海拔 300 ~ 1 700 m 的山坡、路旁或阴湿处。湖南各地均有分布。

| 资源情况 | 野生资源较少。栽培资源较少。药材来源于野生和栽培。

| 采收加工 | 夏、秋季采收，洗净，鲜用或晒干。

| 功能主治 | 苦，凉。归肝、胆、肺经。清热利湿，止咳止呕，活血解毒。用于黄疸，血淋，呕吐，腹泻，风热咳嗽，跌打损伤，毒蛇咬伤，疔毒。

| 用法用量 | 内服煎汤，15 ~ 30 g。外用适量，鲜品捣敷。

玄参科 Scrophulariaceae 蝴蝶草属 *Torenia*

光叶蝴蝶草 *Torenia glabra* Osbeck

| 药 材 名 |

水韩信草（药用部位：全草。别名：水远志、蓝花草、倒胆草）。

| 形态特征 |

一年生草本，匍匐或多少直立。节上生根；分枝多，长而纤细。叶具长 2 ~ 8 mm 的叶柄；叶片三角状卵形、长卵形或卵圆形，长 1.5 ~ 3.2 cm，宽 1 ~ 2 cm，边缘具带短尖的圆锯齿；基部突然收缩，多少呈截形或宽楔形，无毛或疏被柔毛。花具长 0.5 ~ 2 cm 的花梗，单朵腋生或顶生，或排列成伞形花序；花萼具 5 宽略超过 1 mm 而多少下延的翅，长 0.8 ~ 1.5 cm，果期长 1.5 ~ 2 cm，萼齿 2，长三角形，先端渐尖，果期开裂成 5 小尖齿；花冠长 1.5 ~ 2.5 cm，超出萼齿的部分长 4 ~ 10 mm，紫红色或蓝紫色；前方 1 对花丝各具一长 1 ~ 2 mm 的线状附属物。花果期 5 月至翌年 1 月。

| 生境分布 |

生于海拔 300 ~ 1 500 m 的山坡、路旁或阴湿处。湖南各地均有分布。

| 资源情况 | 野生资源一般。药材来源于野生。

| 采收加工 | 夏、秋季采收，洗净，鲜用或晒干。

| 功能主治 | 甘、微苦，凉。归肝、胆、肺经。清热利湿，解毒，化瘀。用于热咳，黄疸，泻痢，疔毒，跌打损伤。

| 用法用量 | 内服煎汤，15 ~ 30 g。外用适量，鲜品捣敷。

| 附　　注 | FOC 将本种中文名和学名改为长叶蝴蝶草 *Torenia asiatica* L.。

玄参科 Scrophulariaceae 蝴蝶草属 *Torenia*

紫萼蝴蝶草 *Torenia violacea* (Azaola) Pennell

| 药 材 名 | 香椒草（药用部位：全草。别名：方形草、地泡子、马铃草）。

| 形态特征 | 一年生草本，直立或多少外倾，高 8 ~ 35 cm，自近基部起分枝。叶具长 5 ~ 20 mm 的叶柄；叶片卵形或长卵形，先端渐尖，基部楔形或多少截形，长 2 ~ 4 cm，宽 1 ~ 2 cm，向上逐渐变小，边缘具略带短尖的锯齿，两面疏被柔毛。花具长约 1.5 cm 的花梗，果期花梗长可达 3 cm，花在分枝顶部排成伞形花序或单生于叶腋，稀同时有总状排列的存在；花萼矩圆状纺锤形，具 5 翅，长 1.3 ~ 1.7 cm，宽 0.6 ~ 0.8 cm，果期长达 2 cm，宽 1 cm，翅宽达 2.5 mm 而略带紫红色，基部圆形，翅几不延，顶部裂成 5 小齿；花冠长 1.5 ~ 2.2 cm，其超出萼齿部分长仅 2 ~ 7 mm，淡黄色或白色，上唇多少直立，近

圆形，直径约 6 mm，下唇 3 裂片彼此近相等，长约 3 mm，宽约 4 mm，各有 1 蓝紫色斑块，中裂片中央有 1 黄色斑块；花丝不具附属物。花果期 8 ～ 11 月。

| 生境分布 | 生于海拔 200 ～ 2 000 m 的山坡草地、林下、田边及路旁潮湿处。湖南各地均有分布。

| 资源情况 | 野生资源丰富。药材来源于野生。

| 采收加工 | 夏、秋季采收，洗净，鲜用或晒干。

| 药材性状 | 本品多皱缩，茎四方形，茎、叶疏被柔毛。叶对生，叶柄长 0.5 ～ 2 cm，叶片卵形或长卵形，长 2 ～ 4 cm，边缘具钝齿。伞形花序顶生或侧生，花梗长约 1.5 cm。蒴果藏于宿存萼内。气微，味淡。

| 功能主治 | 苦，凉。归肝、脾、胃经。消食化积，解暑，清肝。用于疳积，中暑呕吐，腹泻，目赤肿痛。

| 用法用量 | 内服煎汤，10 ～ 15 g。

玄参科 Scrophulariaceae 呆白菜属 *Triaenophora*

呆白菜 *Triaenophora rupestris* (Hemsl.) Solereder.

| 药材名 | 巴东岩白菜（药用部位：全草。别名：岩白菜、矮白菜、岩壁菜）。

| 形态特征 | 多年生草本，高 25 ~ 50 cm，全株密被白色绵毛，在茎、花梗、叶柄及花萼上的绵毛常结成网膜状。茎简单或基部分枝，多少木质化，近具花葶。基生叶较厚，多少革质，具长 3 ~ 6 cm 的叶柄；叶片卵状矩圆形或长椭圆形，长 7 ~ 13 cm，两面被白色绵毛或近无毛，边缘具粗锯齿或为多少带齿的浅裂片，顶部钝圆，基部近圆形或宽楔形。花具长 0.6 ~ 2 cm 的花梗；小苞片条形，长约 5 mm，着生于花梗中部；花萼长 1 ~ 1.5 cm，小裂齿长 3 ~ 6 mm；花冠紫红色，狭筒状，伸直或稍弯曲，长约 4 cm，外面被多细胞长柔毛，上唇裂片宽卵形，长约 5 mm，宽 6 mm，下唇裂片矩圆状卵形，长约 6 mm，宽 5 mm；花丝无毛，着生处被长柔毛；子房卵形，无毛，

长约 5 mm；花柱长稍超过雄蕊，先端 2 裂，裂片近圆形。蒴果矩圆形；种子小，矩圆形。花期 7 ～ 9 月。

｜生境分布｜ 生于海拔 290 ～ 1 200 m 的悬岩、灌丛、沟边、岩石。分布于湖南怀化（麻阳）、湘西州（永顺）等。

｜资源情况｜ 野生资源稀少。药材来源于野生。

｜采收加工｜ 夏、秋季采收，洗净，鲜用或晒干。

｜药材性状｜ 本品多皱缩，全株被绵毛，基生叶具长 3 ～ 6 cm 的叶柄，叶片卵状矩圆形或长椭圆形，长 7 ～ 13 cm，边缘具粗锯齿或为多少带齿的浅裂片。花具长 0.6 ～ 2 cm 的花梗，小苞片条形。气微，味淡。

｜功能主治｜ 甘，凉。补肾，明目，调经。用于目昏多泪，肾虚腰痛，月经不调。

｜用法用量｜ 内服煎汤，10 ～ 15 g。

｜附　　注｜ 本种为国家二级重点保护野生植物。

玄参科 Scrophulariaceae 婆婆纳属 *Veronica*

北水苦荬 *Veronica anagallis-aquatica* L.

| 药 材 名 | 水苦荬（药用部位：全草。别名：仙桃草、接骨仙桃、虫虫草）、水苦荬果（药用部位：带虫瘿的果实）。

| 形态特征 | 多年生（稀为一年生）草本，通常全株无毛，极少在花序轴、花梗、花萼和蒴果上有腺毛。根茎斜走。茎直立或基部倾斜，不分枝或分枝，高 10 ~ 100 cm。叶无柄，上部的叶半抱茎，多为椭圆形或长卵形，少为卵状矩圆形，更少为披针形，长 2 ~ 10 cm，宽 1 ~ 3.5 cm，全缘或有疏而小的锯齿。花序比叶长，多花；花梗与苞片近等长，上升，与花序轴成锐角，果期弯曲向上，使蒴果靠近花序轴，花序通常宽不超过 1 cm；花萼裂片卵状披针形，急尖，长约 3 mm，果期直立或叉开，不紧贴蒴果；花冠浅蓝色、浅紫色或白色，直径 4 ~ 5 mm，裂片宽卵形；雄蕊短于花冠。蒴果近圆形，长、宽近相等，

几与花萼等长，先端圆钝而微凹，花柱长约 2 mm。花期 4 ~ 9 月。

| 生境分布 | 生于海拔 150 ~ 800 m 的水边及沼地。分布于湖南湘潭（湘潭）、衡阳（石鼓、衡南、衡山）、邵阳（洞口）、益阳（桃江）、常德（石门）等。

| 资源情况 | 野生资源一般。药材来源于野生和栽培。

| 采收加工 | **水苦荬：**夏季果实中红虫未逸出前采收有虫瘿的全草，洗净，切碎，鲜用或晒干。
水苦荬果：立夏前后采收，晾干。

| 药材性状 | **水苦荬：**本品根茎倾斜弯曲，节部残留须根，表面灰棕色，直径 1 ~ 5 mm；茎多不分枝，黄棕色或棕褐色；质轻，易折断，断面中空。叶对生，无柄，多破碎或卷曲，褐绿色或黑绿色，草质，完整者为椭圆形或长卵形。气微，味淡。
水苦荬果：本品近圆形，长、宽近相等，几与花萼等长，先端圆钝而微凹。气微，味淡。

| 功能主治 | **水苦荬：**苦，寒。归肺、肝、肾经。清热利湿，止血化瘀。用于感冒，咽喉痛，劳伤咳血，痢疾，血淋，月经不调，疝气，疔疮，跌打损伤。
水苦荬果：化瘀消肿，止痛止血。用于腰痛，肾虚，小便涩痛，跌打损伤，劳伤吐血。

| 用法用量 | **水苦荬：**内服煎汤，9 ~ 30 g；或入丸、散剂。外用适量，鲜品捣敷；或研末调敷。
水苦荬果：内服入散剂；或浸酒。

玄参科 Scrophulariaceae 婆婆纳属 *Veronica*

直立婆婆纳 *Veronica arvensis* L.

|药 材 名| 直立婆婆纳（药用部位：全草。别名：脾寒草、玄桃）。

|形态特征| 小草本。茎直立或上升，不分枝或铺散分枝，高 5 ~ 30 cm，有 2 列多细胞白色长柔毛。叶 3 ~ 5 对，下部的有短柄，中、上部的无柄，卵形至卵圆形，长 5 ~ 15 mm，宽 4 ~ 10 mm，具 3 ~ 5 脉，边缘具圆齿或钝齿，两面被硬毛。总状花序长而多花，长可达 20 cm，各部分被多细胞白色腺毛；苞片下部者长卵形而疏具圆齿，上部者长椭圆形而全缘；花梗极短；花萼长 3 ~ 4 mm，裂片条状椭圆形，前方 2 花萼长于后方 2 花萼；花冠蓝紫色或蓝色，长约 2 mm，裂片圆形至长矩圆形；雄蕊短于花冠。蒴果倒心形，强烈侧扁，长 2.5 ~ 3.5 mm，宽略过之，边缘有腺毛，凹口很深，长近为果实的 1/2，裂片圆钝，宿存的花柱不伸出凹口；种子矩圆形，长近

1 mm。花期 4 ~ 5 月。

| 生境分布 | 生于海拔 1 500 m 以下的路边及荒野草地。湖南各地均有分布。

| 资源情况 | 野生资源一般。药材主要来源于野生。

| 采收加工 | 春、夏季间采收，洗净，鲜用或晒干。

| 药材性状 | 本品干品长 15 ~ 30 cm，全株被细毛，基部多分枝。叶对生，卵形或三角形，边缘有钝齿，无柄或柄短，黄白色，多卷曲，长 0.6 ~ 1.2 cm，宽 0.4 ~ 0.6 cm。总状花序松散。蒴果为倒心形，宽大于长。

| 功能主治 | 苦，寒。归肺、肝、脾经。清热，除疟。用于疟疾。

| 用法用量 | 内服煎汤，10 ~ 15 g，鲜品 30 ~ 60 g。

玄参科 Scrophulariaceae 婆婆纳属 *Veronica*

婆婆纳 *Veronica didyma* Tenore

| 药 材 名 | 婆婆纳（药用部位：全草。别名：狗卵草、将军草、脾寒草）。

| 形态特征 | 铺散多分枝草本，多少被长柔毛，高 10 ~ 25 cm。叶仅 2 ~ 4 对（腋间有花的为苞片），具长 3 ~ 6 mm 的短柄；叶片心形至卵形，长 5 ~ 10 mm，宽 6 ~ 7 mm，每边有 2 ~ 4 深刻的钝齿，两面被白色长柔毛。总状花序很长；苞片叶状，下部的对生或全部互生；花梗比苞片略短；花萼裂片卵形，先端急尖，果期稍增大，三出脉，疏被短硬毛；花冠淡紫色、蓝色、粉色或白色，直径 4 ~ 5 mm，裂片圆形至卵形；雄蕊比花冠短。蒴果近肾形，密被腺毛，略短于花萼，宽 4 ~ 5 mm，凹口约为 90° 角，裂片先端圆，脉不明显，宿存的花柱与凹口齐或略过之；种子背面具横纹，长约 1.5 mm。花期 3 ~ 10 月。

| 生境分布 | 生于海拔 1 200 m 以下的荒地。湖南各地均有分布。

| 资源情况 | 野生资源较丰富。药材主要来源于野生。

| 药材性状 | 本品主根较长，棕褐色，须根多而细长，棕黄色。茎表面黄绿色，弯曲而细长，长 10 ~ 25 cm，直径约 1 mm，具纵棱，被白色长柔毛；质脆，易折断。叶对生；具短柄；叶片心形至卵形，长 5 ~ 10 mm，宽 6 ~ 7 mm，先端钝，基部圆形，边缘具深钝齿，两面被白色柔毛。总状花序顶生；苞片叶状，互生；花萼 4 裂，裂片卵形，先端急尖，疏被短硬毛；花冠淡紫色、蓝色、粉色或白色。质脆，易折断，断面淡黄白色。气微，味甘、淡。

| 功能主治 | 甘、淡，凉。归肝、肾经。补肾强腰，解毒消肿。用于肾虚腰痛，疝气，睾丸肿痛，带下，痈肿。

| 用法用量 | 内服煎汤，15 ~ 30 g，鲜品 60 ~ 90 g；或捣汁饮。

| 附　　注 | FOC 将本种学名修订为 *Veronica polita* Fries。

玄参科 Scrophulariaceae 婆婆纳属 *Veronica*

华中婆婆纳 *Veronica henryi* Yamazaki

| 药 材 名 | 华中婆婆纳（药用部位：全草）。

| 形态特征 | 草本。植株高 8 ~ 25 cm。茎直立。叶片薄纸质，卵形至长卵形，长 2 ~ 5 cm，宽 1.2 ~ 3 cm。总状花序 1 ~ 4 对，侧生于茎上部叶腋，长 3 ~ 6 cm，有疏生的花数朵；苞片条状披针形，比花梗短，无毛；花萼裂片条状披针形，无毛，花期长 3 ~ 4 mm，果期稍伸长；花冠白色或淡红色，具紫色条纹，直径约 10 mm；雄蕊略短于花冠。蒴果折扇状菱形，长 4 ~ 5 mm，宽 9 ~ 11 mm，上缘疏生多细胞腺质硬睫毛。花期 4 ~ 5 月。

| 生境分布 | 生于阴湿处。分布于湖南邵阳（新宁）、张家界（桑植）、湘西州（龙山）等。

| 资源情况 | 野生资源较少。药材来源于野生。

| 采收加工 | 夏季采收，晒干。

| 功能主治 | 活血祛瘀，活络。用于小儿鹅口疮，跌打损伤。

玄参科 Scrophulariaceae 婆婆纳属 *Veronica*

多枝婆婆纳 *Veronica javanica* Bl.

| 药 材 名 | 多枝婆婆纳（药用部位：全草）。

| 形态特征 | 一年生或二年生草本，全体多少被多细胞柔毛，无根茎，植株高 10 ~ 30 cm。茎基部多分枝，主茎直立或上升，侧枝常倾卧上升。叶具 1 ~ 7 mm 的短柄，叶片卵形至卵状三角形，长 1 ~ 4 cm，宽 0.7 ~ 3 cm，先端钝，基部浅心形或截平形，边缘具深刻的钝齿。总状花序有的很短，几集成伞房状，有的长，果期可达 10 cm；苞片条形或倒披针形，长 4 ~ 6 mm；花梗比苞片短得多；花萼裂片条状长椭圆形，长 2 ~ 5 mm；花冠白色、粉色或紫红色，长约 2 mm；雄蕊长约为花冠的 1/2。蒴果倒心形，长 2 ~ 3 mm，宽 3 ~ 4 mm，先端凹口很深，深达果长的 1/3，基部宽楔形或多少浑

圆形，有睫毛，花柱长仅 0.3 ~ 0.5 mm。种子长约 0.5 mm。花期 2 ~ 4 月。

| 生境分布 | 生于山坡、路边、溪边的湿草丛中。分布于湖南郴州（宜章）、湘西州（永顺）等。

| 资源情况 | 野生资源一般。药材来源于野生。

| 功能主治 | 祛风散热，解毒消肿。用于乳腺炎，乳痈，跌打损伤，一切疔疮肿毒。

玄参科 Scrophulariaceae 婆婆纳属 *Veronica*

蚊母草 *Veronica peregrina* L.

| 药材名 | 仙桃草（药用部位：带虫瘿果实的全草。别名：接骨草、金灯草）。

| 形态特征 | 一年生草本，高 10 ~ 25 cm。根须状，细而卷曲，主根不明显。茎通常自基部多分枝，主茎直立，侧枝披散，全株无毛或疏生柔毛。叶片长 1 ~ 2 cm，宽 2 ~ 6 mm，先端钝或稍锐尖，基部圆钝，全缘或中上端有三角状锯齿。总状花序顶生或单花生于苞腋；苞片条状，倒披针形，比叶略小；花萼 4 深裂，裂片狭披针形；花冠白色或浅蓝色，4 裂；雄蕊 2，短于花冠；雌蕊 1，子房上位，花柱粗短，柱头头状。蒴果倒心形，侧扁，宽大于长，边缘有短腺毛，花柱宿存，果实内常被虫瘿寄生，果实成熟时肉质，微红色，膨大成桃形；种子长圆形，扁平。花期 4 ~ 5 月，果期 5 ~ 6 月。

| 生境分布 | 生于海拔 1 200 m 以下的潮湿荒地、田野、路边、水沟边、河畔。分布于湖南湘西州（保靖、龙山）、长沙、衡阳、永州（祁阳、江永）、常德、益阳、怀化、岳阳等。

| 资源情况 | 野生资源丰富。药材主要来源于野生。

| 采收加工 | 春、夏季间采集果实未开裂的全草，剪去根，拣净杂质，晒干或文火烘干。

| 药材性状 | 本品须根丛生，细而卷曲，表面棕灰色至棕色，折断面白色。茎圆柱形，表面枯黄色或棕色，老茎微带紫色，有纵纹；质柔软，折断面中空。叶大多脱落，残留的叶片淡棕色或棕黑色，皱缩卷曲。蒴果棕色，有多数细小而扁的种子。种子淡棕色，有虫瘿的果实膨大成肉质桃形。气微，味淡。

| 功能主治 | 甘、微辛，平。归肝、胃、肺经。化瘀止血，清热消肿。用于跌打损伤，咯血，吐血，衄血，便血，痛经，咽喉肿痛，痈疽疮疡。

| 用法用量 | 内服煎汤，10 ~ 30 g；或研末；或捣汁。外用适量，鲜品捣敷；或煎汤洗。

| 附　　注 | 本种的同属植物水苦荬 *Veronica undulata* Wall. 和北水苦荬 *Veronica anagllis-aquatica* L. 的带虫瘿果实的全草称水仙桃草，功效与本种的相似。

玄参科 Scrophulariaceae 婆婆纳属 *Veronica*

阿拉伯婆婆纳 *Veronica persica* Poir.

| 药 材 名 | 阿拉伯婆婆纳（药用部位：全草。别名：灯笼草、波斯婆婆纳、灯笼婆婆纳）。

| 形态特征 | 铺散多分枝草本，高 10 ~ 50 cm。茎密生 2 列多细胞柔毛。叶 2 ~ 4 对（腋内生花的称苞片），具短柄，卵形或圆形，长 0.6 ~ 2 cm，宽 0.5 ~ 1.8 cm，基部浅心形、平截或浑圆，边缘具钝齿，两面疏生柔毛。总状花序很长；苞片互生，与叶同形且几等大；花梗比苞片长，有的长超过苞片的 1 倍；花萼花期长仅 3 ~ 5 mm，果期增大达 8 mm，裂片卵状披针形，有睫毛，三出脉；花冠蓝色、紫色或蓝紫色，长 4 ~ 6 mm，裂片卵形至圆形，喉部疏被毛；雄蕊短于花冠。蒴果肾形，长约 5 mm，宽约 7 mm，被腺毛，成熟后几无毛，网脉明显，凹口角度超过 90°，裂片钝，宿存花柱长约 2.5 mm，超出凹口；

种子背面具深的横纹，长约 1.6 mm。花期 3 ~ 5 月。

| 生境分布 | 生于海拔 400 ~ 1 700 m 的山坡或湿草地。湖南各地均有分布。

| 资源情况 | 野生资源丰富。药材主要来源于野生。

| 采收加工 | 夏季采收，鲜用或晒干。

| 药材性状 | 本品缠结成团，茎表面绿色或淡黄绿色，自茎基部有分枝，直径约 1 mm，下部茎节上有时有须根，断面常中空。叶在茎基部对生，花茎上部互生，多皱缩，展平后呈卵圆形或卵状长圆形，长、宽均为 1 ~ 2 cm，边缘有钝锯齿，基部浅心形，无柄或上部叶有柄，叶片上表面呈绿色或黄绿色，下表面色较浅。蒴果有 4 宿萼，倒扁心形，宽大于长，有网纹，凹口角度大于 90°，宿存花柱超过凹口很多。种子较小，呈舟形或长圈形，腹面凹入，质柔韧。气微，味淡。

| 功能主治 | 辛、苦，温。归肺、心、肾经。治肾虚，疗风湿。用于肾虚腰痛，风湿疼痛，久疟，小儿阴囊肿大。

| 用法用量 | 内服煎汤，15 ~ 30 g。外用适量，煎汤熏洗。

| 附　　注 | 本种与婆婆纳 *Veronica didyma* Tenore 在形态上很像，区别在于本种的花梗明显长于苞片（或称苞叶），蒴果表面明显具网脉，凹口大于 90° 角，裂片先端钝而不浑圆。

玄参科 Scrophulariaceae 婆婆纳属 *Veronica*

水苦荬 *Veronica undulata* Wall.

| 药 材 名 | 水苦荬（药用部位：带虫瘿果实的全草。别名：水莴苣、芒种草）。

| 形态特征 | 一年生草本，高 20 ~ 50 cm。根茎斜走。茎圆柱形，肉质，中空。叶对生，狭卵状矩圆形至条状披针形，先端渐尖或钝尖，基部无柄而稍抱茎，边缘有浅锯齿。总状花序腋生，比叶长；花梗平展，与总花序轴几成直角；花萼 4 深裂；花冠浅蓝色、淡紫色或白色，略长于花萼，筒部极短，裂片 4，宽卵形；雄蕊 2，生于花冠筒上；子房上位，心皮 2，花柱长不超过 1.5 mm。蒴果近圆形，先端微凹，直径 2.5 ~ 3 mm，有腺毛；种子多数。花期 4 ~ 5 月，果期 5 ~ 7 月。

| 生境分布 | 生于海拔 1 000 m 以下的水边及沼泽地。湖南各地均有分布。

| 资源情况 | 野生资源丰富。药材主要来源于野生。

| 采收加工 | 夏季果实中红虫未逸出前采收，洗净，切碎，鲜用或晒干。

| 药材性状 | 本品根茎节明显，节上密生须根。茎明显皱缩，表面枯黄色或灰绿色，中空；质柔韧，不易折断，直径 2 ~ 4 mm。叶片多脱落而少见，残留的叶片灰褐色或灰绿色，质脆，多皱缩或破碎不全。总状花序或果序对生于叶腋，长 10 ~ 20 cm，花冠多已萎脱。蒴果类球形或桃形，灰绿色或灰棕色，多数残存，内藏有黄色扁平的种子多数。气微，味淡。

| 功能主治 | 苦，凉。归肺、肝、肾经。清热解毒，活血止血。用于感冒，咽痛，劳伤咯血，痢疾，血淋，月经不调，疮肿，跌打损伤。

| 用法用量 | 内服煎汤，10 ~ 30 g；或研末。外用适量，鲜品捣敷。

| 附　　注 | 本种与北水苦荬 *Veronica anagllis-aquatica* L. 在形态上极相似，唯本种植株稍矮；叶片有时为条状披针形，通常叶缘有尖锯齿；茎、花序轴、花梗、花萼和蒴果上多少有大头针状腺毛；花梗在果期挺直，横叉开与花序轴几乎成直角，因而花序宽超过 1 cm，可达 1.5 cm；花柱也较短，长 1 ~ 1.5 mm。

玄参科 Scrophulariaceae 腹水草属 *Veronicastrum*

爬岩红 *Veronicastrum axillare* (Sieb. et Zucc.) T. Yamazaki

| 药 材 名 |

腹水草（药用部位：全草。别名：梅叶伸筋、吊杆风）。

| 形态特征 |

多年生草本，高 1 ~ 2 m。茎细长，无毛或被疏短毛，上部呈蔓状，先端着地处可生根，故名“两头爬”。叶互生，具短柄，长椭圆形或长卵形，长 4 ~ 12 cm，宽 2 ~ 5 cm，先端渐尖，基部圆形或广楔形，边缘有锯齿，上面绿色，下面紫红色，入秋后或皆呈紫红色，无毛，少在叶脉上有短毛。秋季腋生穗状花序，卵形，长 1.5 ~ 3.5 cm，近无梗，花密集；花萼 5 深裂；花冠紫红色，管状，近相等的 4 裂，花冠管部超过萼片，萼片边缘有小睫毛；雄蕊 2，超出花冠很多。蒴果卵圆形，扁平；种子长圆形，具不明显网纹。花期 7 ~ 9 月。

| 生境分布 |

生于海拔 1 200 m 以下的林下草地、水沟旁及山坡较阴湿处。分布于湖南邵阳（武冈）、株洲（攸县、醴陵）、湘潭（湘潭）、常德（澧县、石门）、永州（双牌）、郴州（桂东）等。

| 资源情况 | 野生资源较少。药材主要来源于野生。

| 采收加工 | 10 月采收，晒干或鲜用。

| 功能主治 | 苦、辛，凉；有小毒。清热解毒，利水消肿，散疲止痛。用于肺热咳嗽，肝炎，水肿，月经不调，闭经，腹水，小便不利；外用于疔疮，腮腺炎，跌打损伤，毒蛇咬伤，烫火伤。

| 用法用量 | 内服煎汤，10 ~ 15 g，鲜品 30 ~ 60 g；或捣汁服。外用适量，鲜品捣敷；或研末调敷；或煎汤洗。

| 附　　注 | 本种与毛叶腹水草 *Veronicastrum villosulum* (Miq.) T. Yamaz. [*Botryopleuron villosulum* (Miq.) Makino] 的区别在于后者的茎和叶均密具长腺毛，叶有时呈卵形，边缘锯齿较深；穗状花序较短，近球形，长约 1.2 cm。因其分布与本种相似，故有时也混作本种入药。

玄参科 Scrophulariaceae 腹水草属 *Veronicastrum*

美穗草 *Veronicastrum brunonianum* (Benth.) D. Y. Hong

| 药 材 名 | 美穗草（药用部位：根茎。别名：高山四方麻、黑升麻、咳药）。

| 形态特征 | 多年生草本，高 30 ~ 150 cm。根茎长达 10 cm。茎直立，圆柱形，有狭棱，少分枝，中、下部无毛，或仅棱上有毛，上部和花序轴密生多节的腺毛。叶互生，无柄；叶片长椭圆形，长 10 ~ 20 cm，宽 3 ~ 5 cm，先端渐尖至尾状渐尖，基部楔形，有时稍抱茎，边缘具钝或尖的细齿，两面无毛或上面疏生短毛。花序顶生，长尾状；花冠白色、黄白色、绿黄色至橙黄色，长 6 ~ 8 mm，向前作 30° 角的弓曲，花筒内面上端被毛，檐部长 2 ~ 3 mm，上唇 3 裂，下唇条状披针形，反折；雄蕊 2，伸出，花丝被毛，花药长约 2.5 mm。蒴果卵圆状，长约 4 mm；种子具棱角，有透明而网状的厚种皮。花期 7 ~ 8 月。

| 生境分布 | 生于海拔 500 ~ 1 500 m 的山谷、阴坡草地及林下。分布于湖南株洲（醴陵）、邵阳（武冈）、衡阳（衡南）、湘西州（龙山）等。

| 资源情况 | 野生资源稀少。药材主要来源于野生。

| 采收加工 | 秋季采挖，洗净，鲜用或晒干。

| 功能主治 | 苦，寒。消炎，解毒，止咳化痰，降气平喘，消肿止痛。用于乳蛾，胃痛，小便涩痛，乳痈，疮痈肿毒，痢疾，咳嗽，胃热痛，膀胱炎，慢性支气管炎；外用于烫火伤，跌打损伤。

| 用法用量 | 内服煎汤，10 ~ 15 g。外用适量，鲜品捣敷；或研末调敷；或捣汁涂。

玄参科 Scrophulariaceae 腹水草属 *Veronicastrum*

四方麻 *Veronicastrum caulopterum* (Hance) T. Yamazaki

| 药 材 名 | 四方麻（药用部位：全草。别名：青鱼胆）。

| 形态特征 | 多年生草本，高达 1 m，全株无毛。茎直立，上部分枝，有 4 宽达 1 mm 的翅，由叶柄下延而成。叶互生，几无柄至有长约 4 mm 的柄，叶片长圆形、卵形至披针形，长 3 ~ 10 cm，宽 1.2 ~ 4 cm，边缘具锐尖的锯齿。穗状花序顶生，长可达 20 cm；花密集，有短梗，苞片披针形；花萼 5 深裂，裂片钻状披针形，稍不等长；花冠钟状，血红色、紫红色或暗红色，长约 4 mm，4 裂，裂片近三角形，宽度不等，后面 1 裂片较其他裂片宽 1 倍，筒部内面的上端有 1 圈毛；雄蕊 2，伸出；花柱伸出。蒴果卵状或卵圆状，长 2 ~ 3.5 mm。花期 8 ~ 11 月。

| 生境分布 | 生于海拔 2 000 m 以下的山谷草丛、疏林下。湖南各地均有分布。

| 资源情况 | 野生资源丰富。药材主要来源于野生。

| 采收加工 | 秋季采收，鲜用或晒干。

| 功能主治 | 苦，寒。清热解毒，消肿止痛。用于流行性腮腺炎，咽喉肿痛，肠炎，痢疾，淋巴结结核，痈疽肿毒，湿疹，烧烫伤，跌打损伤。

| 用法用量 | 内服煎汤，10 ~ 15 g。外用适量，研末调敷；或鲜品捣敷；或捣汁涂。

玄参科 Scrophulariaceae 腹水草属 *Veronicastrum*

宽叶腹水草 *Veronicastrum latifolium* (Hemsl.) T. Yamazaki

| 药材名 | 钓鱼竿（药用部位：全草。别名：见毒消）。

| 形态特征 | 多年生草本，长达 1 m。根茎极短而横走。茎细长，弓曲，先端着地生根或节上生根，仅上部有狭棱，被倒生短卷黄毛。叶互生，具短柄；叶片圆形至卵圆形，长 3 ~ 7 cm，宽 2 ~ 5 cm，先端短渐尖，基部圆形或截形，边缘具三角形锯齿，两面疏被短硬毛。花序腋生，少顶生于侧枝上，长 1.5 ~ 4 cm；苞片条状披针形，有睫毛；花萼 5 深裂，裂片钻形，不等长，前面 1 裂片最长，长略短于花冠，有睫毛；花冠筒状，长 5 mm，淡紫色或白色，4 裂，裂片短，正三角形，长不及 1 mm，喉部有 1 圈毛；雄蕊 2。蒴果卵状，绿色，长 2 ~ 3 mm；种子卵球形，具浅网纹。花期 8 ~ 9 月，果期 12 月。

| 生境分布 | 生于海拔 1 500 m 以下的林下及路旁。湖南各地均有分布。

| 资源情况 | 野生资源较少。栽培资源稀少。药材来源于野生和栽培。

| 采收加工 | 夏季采收，鲜用或晒干。

| 功能主治 | 微苦，凉。清热解毒，利水，散瘀。用于肺热咳嗽，痢疾，肝炎，水肿，跌打损伤，毒蛇咬伤，烫火伤。

| 用法用量 | 内服煎汤，10 ～ 15 g。外用适量，鲜品捣敷。

| 附　　注 | 本种与腹水草 *Veronicastrum stenostachyum* (Hemsl.) Yamazaki 在形态上极相近，但区别在于本种的叶片短而宽，先端短渐尖而非长渐尖，多少被毛，叶缘具三角状锯齿；茎大多数被短曲毛。本种与腹水草 *Veronicastrum stenostachyum* (Hemsl.) Yamazaki 异域分布而形态上可分，与细穗腹水草 *Veronicastrum stenostachyum* (Hemsl.) T. Yamazaki 几同域分布，形态上差别不大但却可以稳定且清楚地区分。

玄参科 Scrophulariaceae 腹水草属 *Veronicastrum*

长穗腹水草 *Veronicastrum longispicatum* (Merr.) T. Yamazaki

| 药 材 名 | 长穗腹水草（药用部位：叶）。

| 形态特征 | 茎直立，少蔓状，下部多少木质化而呈灌木状，高达 1 m，无毛至密被黄色倒生短曲毛，圆柱状，上部有狭棱。叶具短柄；叶片卵形至卵状披针形，长 8 ~ 18 cm，宽 3 ~ 9 cm，基部常圆钝，少浅心形，先端渐尖至尾状渐尖，纸质或革质，干时变黑色，少绿色，两面无毛或背面疏被短毛，边缘为三角状锯齿。花序腋生，有时顶生于侧枝上，长 3 ~ 10 cm，连同花冠外面在内的各部分均被腺毛或各部分被短硬毛而花冠外面无毛；花萼裂片钻形，比花冠短得多；花冠白色或紫色，稍稍向前弯曲，长 5 ~ 6 mm，裂片长占 1/4，狭三角形；雄蕊长长地伸出花冠，花丝下部被毛；子房全部或上半部被腺毛。蒴果卵形，长约 3 mm，幼时被毛；种子卵球形，长 0.5 mm，具不

明显网纹。花期 7 ~ 9 月。

| 生境分布 | 生于海拔 300 ~ 800 m 的林中及灌丛中。分布于湖南邵阳（武冈、祁阳）、永州（宁远）、怀化（芷江）等。

| 资源情况 | 野生资源稀少。栽培资源稀少。药材来源于野生和栽培。

| 采收加工 | 夏季采收。

| 药材性状 | 本品叶黑色，少绿色，两面无毛或背面疏被短毛，边缘为三角状锯齿。花序腋生，有时顶生于侧枝上，长 3 ~ 10 cm，连同花冠外面在内的各部分均被腺毛或各部分被短硬毛而花冠外面无毛；花萼裂片钻形，比花冠短得多。以色紫褐、干燥、无泥沙者为佳。

| 功能主治 | 用于跌打损伤。

| 用法用量 | 内服煎汤，9 ~ 15 g。外用适量。

| 附　　注 | 本种（尤其是茎上有毛类型）和腹水草 *Veronicastrum stenostachyum* (Hemsl.) Yamazaki 在形态上很接近，但区别在于本种的子房及幼果未见例外地被毛，花序较长，花萼远短于花冠，花冠多少向前弓曲，裂片狭三角形；叶干时大多变黑，茎多直立，少蔓生。二者较易区别，且在地理分布上有部分重叠。

玄参科 Scrophulariaceae 腹水草属 *Veronicastrum*

大叶腹水草 *Veronicastrum robustum* (Diels) Hong subsp. *grandifotium* T. L. Chin et Hong

| 药 材 名 | 九拱桥（药用部位：叶）。

| 形态特征 | 叶各处无毛，叶片上面浅绿色或褐色，无光泽，常为卵圆形而基部心形，少为披针形而基部平截至圆钝，长 15 ～ 27 cm，宽 7 ～ 11 cm，叶缘多为三角状粗锯齿。

| 生境分布 | 生于海拔 200 ～ 900 m 的疏林及灌丛中。分布于湖南邵阳（绥宁）、怀化（会同）、湘西州（古丈、永顺、保靖）、娄底（涟源）等。

| 资源情况 | 野生资源稀少。药材主要来源于野生。

| 功能主治 | 辛，平。祛风湿，散瘀止血。用于痢疾，风湿骨痛，跌打损伤。

用法用量 内服煎汤，3 ~ 9 g。外用适量，捣敷。

玄参科 Scrophulariaceae 腹水草属 *Veronicastrum*

细穗腹水草 *Veronicastrum stenostachyum* (Hemsl.) T. Yamaz.

| 药 材 名 | 钓鱼竿（药用部位：全草。别名：小钓鱼杆、柔穗腹水草）。

| 形态特征 | 根茎短而横走。茎圆柱状，有条棱，多弓曲，先端着地生根，少近直立而先端生花序，长可超过 1 m，无毛。叶互生，具短柄；叶片纸质至厚纸质，长卵形至披针形，长 7 ~ 20 cm，宽 2 ~ 7 cm，先端长渐尖，边缘具突尖的细锯齿，下面无毛，上面仅主脉上有短毛，少全面具短毛。花序腋生，有时顶生于侧枝上，也有兼生于茎先端者，长 2 ~ 8 cm，花序轴多少被短毛；苞片和花萼裂片通常短于花冠，少有近等长的，多少有短睫毛；花冠白色、紫色或紫红色，长 5 ~ 6 mm，裂片近正三角形，长不及 1 mm。蒴果卵状；种子小，具网纹。

| 生境分布 | 生于海拔300 ~ 900 m的灌丛中、林下及阴湿处。分布于湖南张家界(慈利、桑植)、常德(石门)等。

| 资源情况 | 野生资源较少。药材主要来源于野生。

| 采收加工 | 夏季采收，晒干或鲜用。

| 药材性状 | 本品叶黑色、少绿色，两面无毛或背面疏被短毛，边缘具三角状锯齿。花序腋生，有时顶生于侧枝上，长 2 ~ 8 cm，连同花冠外面在内各部分均被腺毛或各部分被短硬毛而花冠外面无毛；花萼裂片钻形，比花冠短得多。以色紫褐、干燥、无泥沙者为佳。

| 功能主治 | 微苦，凉。归肝、心经。清热解毒，利水，散瘀。用于肺热咳嗽，痢疾，肝炎，水肿，跌打损伤，毒蛇咬伤，烫火伤。

| 用法用量 | 内服煎汤，10 ~ 15 g。外用适量，鲜品捣敷。孕妇忌用。

| 附　　注 | 本种同时具有茎直立和花序顶生这 2 个特征，但并不稳定，叶片稍短些，叶缘锯齿稍粗大，多为偏斜的三角形，苞片较长，与花冠近等长或较之长。Hemsley 的 *Calorhabdos venosa* Hemsl. 实际包括 2 种类群，一个是本种，另一个应为产于浙江等地的爬岩红 *Veronicastrum axillare* (Sieb. et Zucc.) T. Yamazaki。

玄参科 Scrophulariaceae 腹水草属 *Veronicastrum*

腹水草 *Veronicastrum stenostachyum* (Hemsl.) Yamazaki

| 药 材 名 | 腹水草（药用部位：全草。别名：疔疮草、仙桥草、翠梅草）。

| 形态特征 | 多年生草本，高可达 1 m。根茎短而横走。茎弓曲，先端着地生根，圆柱形，上部有条棱，无毛或稀被黄色卷毛。叶互生，具短柄；叶片卵形至卵状披针形，纸质，长 5 ~ 13 cm，宽 2.5 ~ 5 cm，先端渐尖，基部楔形至圆形，边缘具偏斜的三角形锯齿。穗状花序腋生，长 1 ~ 3 cm，近无梗，花密集；苞片和花萼均为 5 裂，裂片均为条状披针形至钻形，不等长，无毛或具疏睫毛；花冠紫色或紫红色，长 5 ~ 6 mm，檐部占 1/3，4 裂，裂片狭三角形；雄蕊 2，略伸出至伸出达 2 mm，花药长 0.6 ~ 1.5 mm。蒴果卵球状，长约 3 mm；种子长圆形，具不明显网纹。花期 7 ~ 9 月。

| 生境分布 | 生于海拔 150 ~ 1 500 m 的林下、林缘草地及山谷阴湿处。湖南各地均有分布。

| 资源情况 | 野生资源较丰富。药材主要来源于野生。

| 采收加工 | 夏季采收，洗净，晒干或鲜用。

| 药材性状 | 本品呈茎、叶、花混合的段状。全株灰黑色。茎扁圆柱形，表面有致密的细纵纹及互生的叶柄痕。叶皱缩、破碎，边缘疏生细锯齿。穗状花序集成球形，生于叶腋及枝梢，花冠深紫色。气微，味苦。

| 功能主治 | 利水，消肿，散瘀，解毒。用于肝硬化腹水，肾炎性水肿，跌打损伤，疮肿疔毒，烫伤，毒蛇咬伤。

| 用法用量 | 内服煎汤，10 ~ 15 g，鲜品 30 ~ 60 g；或捣汁服。外用适量，鲜品捣敷；或研末调敷；或煎汤洗。

| 附　　注 | 与本种功能主治相同的有宽叶腹水草 *Veronicastrum latifolium* (Hemsl.) T. Yamazaki。FOC 将本种拉丁学名修订为 *Veronicastrum stenostachyum* subsp. *plukenetii* (T. Yamazaki) D. Y. Hong。

紫葳科 Bignoniaceae 凌霄属 *Campsis*

凌霄 *Campsis grandiflora* (Thunb.) Schumann

| 药 材 名 | 凌霄花（药用部位：花。别名：紫葳、苕华、堕胎花）。

| 形态特征 | 攀缘藤本。茎木质，表皮脱落，枯褐色，以气生根攀附于他物之上。叶对生，为奇数羽状复叶，小叶 7 ~ 9，卵形至卵状披针形，先端尾状渐尖，基部阔楔形，两侧不等大，长 3 ~ 6（~ 9）cm，宽 1.5 ~ 3（~ 5）cm，侧脉 6 ~ 7 对，两面无毛，边缘有粗锯齿，叶轴长 4 ~ 13 cm，小叶柄长 5 ~ 10 mm。顶生疏散的短圆锥花序，花序轴长 15 ~ 20 cm；花萼钟状，长 3 cm，分裂至中部，裂片披针形，长约 1.5 cm；花冠内面鲜红色，外面橙黄色，长约 5 cm，裂片半圆形；雄蕊着生于花冠筒近基部，花丝线形，细长，长 2 ~ 2.5 cm，花药黄色，"个"字形着生；花柱线形，长约 3 cm，柱头扁平，2 裂。蒴果先端钝。花期 5 ~ 8 月，果期 5 ~ 10 月。

生境分布 生于海拔150 ~ 800 m的山谷、溪边或攀缘于树上、石岩上。分布于湖南衡阳（南岳）、邵阳（城步、武冈）、郴州（宜章、临武）、永州（双牌、道县、江永、宁远）、湘西州（吉首、永顺、龙山）、张家界（桑植）、怀化（会同）等。

资源情况 野生资源较少。栽培资源丰富。药材主要来源于野生和栽培。

采收加工 7 ~ 9 月，选晴天摘下刚开放的花朵，晒干。

药材性状 本品多卷曲或折叠，完全的干燥的花，长3 ~ 5.5 cm。花萼钟状，长约3 cm，呈棕褐色或棕色，质薄，先端不等5深裂，裂片三角状披针形，萼筒表面有10纵脉，其中5纵脉明显；花冠黄棕色或棕色，完整者展平后可见先端5裂，裂片半圆形，下部连合成漏斗状，表面明显可见细脉纹；冠生雄蕊，二强，花药呈“个”字形，黑棕色；花柱1，柱头呈圆三角形。气微香，味微苦、酸。

功能主治 酸，微寒。归肝经。清热凉血，化瘀散结，祛风止痒。用于血滞经闭，痛经，癥瘕，崩中漏下，血热风痒，疥疮瘾疹，酒渣鼻。

用法用量 内服煎汤，3 ~ 6 g；或入散剂。外用适量，研末调涂；或煎汤熏洗。气血虚弱、内无瘀热者及孕妇、婴幼儿慎用。

紫葳科 Bignoniaceae 凌霄属 *Campsis*

美洲凌霄 *Campsis radicans* (L.) Seem.

| 药 材 名 | 美洲凌霄花（药用部位：花。别名：洋凌霄、美凌霄、厚萼凌霄）。

| 形态特征 | 小叶 9 ~ 11，椭圆形至卵状长圆形，先端尾尖。花萼 5 等裂，分裂较浅，约裂至 1/3，裂片三角形，向外微卷，无凸起的纵棱；花冠为细长的漏斗形，直径较凌霄小，橙红色至深红色，内有明显的棕红色纵纹，筒部长为花萼长的 3 倍。花期 7 ~ 10 月，果期 11 月。

| 生境分布 | 栽培种生于温暖湿润处。分布于湘南等。

| 资源情况 | 栽培资源较丰富。药材来源于野生和栽培。

| 采收加工 | 7 ~ 9 月选晴天摘下刚开放的花朵，晒干。

| 药材性状 | 本品完整者长 6 ~ 7 cm，花萼较短，长约为花冠筒的 1/3，黄棕色或淡紫红色，硬革质，先端 5 等裂，萼筒无明显纵脉棱；花冠黄棕色，长 5.8 ~ 6.5 cm，内表面具棕色脉纹；柱头扁短三角形。余同凌霄花。以完整、朵大、色黄棕、无花梗者为佳。

| 功能主治 | 酸，微寒。归肝经。清热凉血，化瘀散结，祛风止痒。用于血滞经闭，痛经，癥瘕，崩中漏下，血热风痒，疥疮瘾疹，酒渣鼻。

| 用法用量 | 内服煎汤，3 ~ 6 g；或入散剂。外用适量，研末调涂；或煎汤熏洗。

紫葳科 Bignoniaceae 梓属 *Catalpa*

灰楸 *Catalpa fargesii* Bur.

| 药材名 | 泡桐木皮（药用部位：树皮。别名：川楸、楸树、豇豆树）。

| 形态特征 | 乔木，高达 25 m，幼枝、花序、叶柄均有分枝毛。树皮粗糙，灰褐色至灰白色，有纵纹及裂隙，并有少数圆形凸起的皮孔。叶对生，叶柄长 3 ~ 10 cm；叶片厚纸质，卵形或三角状心形，长 13 ~ 20 cm，宽 10 ~ 13 cm，先端渐尖，基部截形或微心形，侧脉 4 ~ 5 对，基部有三出脉，叶幼时表面微有分枝毛，背面毛较密，以后变无毛。顶生伞房状总状花序，有花 7 ~ 15；花萼 2 裂至近基部，裂片卵圆形；花冠淡红色至淡紫色，内面具紫色斑点，钟状，长约 3.2 cm；雄蕊 2，内藏，退化雄蕊 3，花丝着生于花冠基部；花柱丝形，长约 2.5 cm，柱头 2 裂，子房 2 室，胚珠多数。蒴果细圆柱形，下垂，长 55 ~ 80 cm，果片革质，2 裂；种子椭圆状线形，薄膜质，

两端具丝状种毛，连毛长 5 ~ 6 cm。花期 3 ~ 5 月，果期 6 ~ 11 月。

| 生境分布 | 生于海拔 500 ~ 1 200 m 的河谷、山麓。分布于湖南湘西州（花垣、永顺）等。

| 资源情况 | 野生资源稀少。药材主要来源于野生。

| 采收加工 | 全年均可采剥，鲜用或晒干。

| 功能主治 | 苦，平。清热除痹，利湿解毒。用于风湿痹痛，潮热，肢体痛，浮肿，热毒疥疮。

| 用法用量 | 内服煎汤，9 ~ 15 g。外用适量，捣敷。

紫葳科 Bignoniaceae 梓属 *Catalpa*

梓 *Catalpa ovata* G. Don

| 药 材 名 | 梓白皮（药用部位：根皮或树皮的韧皮部）、梓木（药用部位：木材）、梓实（药用部分：果实）、梓叶（药用部位：叶）。

| 形态特征 | 乔木，高达 15 m。树冠伞形，主干通直，树皮灰褐色，纵裂，幼枝常带紫色，具稀疏柔毛。叶对生或近对生，有时轮生；叶柄长 6 ~ 18 cm；叶片阔卵形，长、宽近相等，长约 25 cm，先端渐尖，基部心形，全缘或浅波状，常 3 浅裂，两面均粗糙，微被柔毛或近无毛，侧脉 4 ~ 6 对，基部掌状脉 5 ~ 7。顶生圆锥花序，花序梗微被疏毛，长 12 ~ 28 cm；花萼二唇形开裂，长 6 ~ 8 mm，绿色或紫色；花冠钟状，淡黄色，内面具 2 黄色条纹及紫色斑点，长约 2.5 cm，直径约 2 cm；能育雄蕊 2，花丝插生于花冠筒上，退化雄蕊 3；子房上位，棒状，柱头 2 裂。蒴果线形，下垂，长 20 ~ 30 cm，直

径 5 ~ 7 mm；种子长椭圆形，长 6 ~ 8 mm，两端具平展的毛。花期 5 ~ 6 月，果期 7 ~ 8 月。

| 生境分布 | 生于海拔 530 ~ 1 600 m 的平原浅山、低山河谷、湿润土壤中。分布于湘中、湘东、湘西北等。

| 资源情况 | 野生资源较少。药材来源于野生。

| 采收加工 | **梓白皮**：全年均可采剥，晒干。

梓木：全年均可采收，切薄片，晒干。

梓实：秋、冬季间摘取，晒干。

梓叶：春、夏季采摘，鲜用或晒干。

| 功能主治 | **梓白皮**：苦，寒。归胆、胃经。清热利湿，降逆止吐，杀虫止痒。用于湿热黄疸，胃逆呕吐，疥疮，湿疹，皮肤瘙痒。

梓木：苦，寒。催吐止痛。用于霍乱不吐不泻，手足痛风。

梓实：甘，平。利水消肿。用于小便不利，浮肿，腹水。外用杀虫。

梓叶：苦，寒。清热解毒，杀虫止痒。用于小儿发热，疮疥，疥癣。

| 用法用量 | **梓白皮**：内服煎汤，5 ~ 9 g。外用适量，研末调敷；或煎汤洗浴。

梓木：内服煎汤，5 ~ 9 g。外用适量，煎汤熏蒸。

梓叶：外用适量，煎汤洗；或煎汁涂；或鲜品捣敷。

紫葳科 Bignoniaceae 菜豆树属 *Radermachera*

菜豆树 *Radermachera sinica* (Hance) Hemsl.

| 药 材 名 | 菜豆树（药用部位：根、叶、果实。别名：牛尾树、豇豆树、辣椒树）。

| 形态特征 | 小乔木，高达 10 m，叶柄、叶轴、花序均无毛。顶生圆锥花序，直立，长 25 ~ 35 cm，宽 30 cm；苞片线状披针形，长达 10 cm，早落；花萼蕾时封闭，锥形，内包有白色乳汁，萼齿 5，卵状披针形，中肋明显，长约 12 mm；花冠钟状漏斗形，白色至淡黄色，长 6 ~ 8 cm，裂片 5，圆形，具皱纹，长约 2.5 cm；雄蕊 4，二强，光滑，退化雄蕊存在，丝状；子房光滑，2 室，胚珠每室 2 列，花柱外露，柱头 2 裂。蒴果细长，下垂，圆柱形，稍弯曲，多沟纹，渐尖，长达 85 cm，直径约 1 cm，果皮薄革质，小皮孔极不明显，隔膜细圆柱形，微扁；种子椭圆形，连翅长约 2 cm，宽约 5 mm。花期 5 ~ 9 月，果期 10 ~ 12 月。

| 生境分布 | 生于海拔 340 ~ 750 m 的石灰岩山坡疏林中。栽培于疏松肥沃、排水良好、富含有机质的壤土和砂壤土。分布于湘南等。

| 资源情况 | 野生资源稀少。栽培资源较丰富。药材来源于野生和栽培。

| 采收加工 | 全年均可采挖根，夏、秋季采收叶，冬季采收果实。

| 功能主治 | 苦，寒。清热解毒，散瘀消肿，止痛。用于伤暑发热，高热头痛，胃痛；外用于跌打损伤，痈疖，毒蛇咬伤。

| 用法用量 | 内服煎汤，9 ~ 15 g。外用适量，捣敷；或煎汤洗。

| 附　　注 | 本种与美叶菜豆树 *Radermachera frondosa* Chunet F. C. How 的区别在于本种的叶柄、叶轴、花序均无毛，花较大，长 6 ~ 8 cm。

紫葳科 Bignoniaceae 硬骨凌霄属 *Tecomaria*

硬骨凌霄 *Tecomaria capensis* (Thunb.) Spach

| 药 材 名 | 硬骨凌霄（药用部位：茎、叶、花）。

| 形态特征 | 半藤状或近直立灌木。枝带绿褐色，常有小痂状突起。叶对生，单数羽叶复叶，总叶柄长 3 ~ 6 cm，小叶柄短；小叶多为 7，卵形至阔椭圆形，长 1 ~ 2.5 cm，先端短尖或钝，基部阔楔形，边缘有不甚规则的锯齿，背面脉腋内有绵毛或秃净。总状花序顶生；花萼钟状，5 齿裂；花冠漏斗状，橙红色至鲜红色，有深红色的纵纹，长约 4 cm，上唇凹入；雄蕊突出。蒴果线形，长 2.5 ~ 5 cm，略扁。花期春季。

| 生境分布 | 生于海拔 600 m 以下的阳光充足的温暖湿润处。栽培于温室要求疏松肥沃而湿润的土壤，不耐干旱，较耐水湿。分布于湘南等。

| 资源情况 | 野生资源稀少。栽培资源稀少。药材来源于野生和栽培。

| 采收加工 | 春、夏季采收茎、叶，春季花开时采收花，晒干。

| 功能主治 | 苦、辛，凉。清热消炎，散瘀消肿。用于肺结核，肺炎，支气管炎，哮喘，咽喉肿痛，跌打损伤，骨折，瘀血肿痛，毒蛇咬伤。

| 用法用量 | 内服煎汤，根茎 15 ~ 20 g，花 10 ~ 15 g。

爵床科 Acanthaceae 白接骨属 *Asystasiella*

白接骨 *Asystasiella neesiana* (Wall.) Lindau

| 药材名 | 白接骨（药用部位：全草。别名：玉龙盘、接骨草、血见愁）。

| 形态特征 | 多年生草本，高 25 ~ 45 cm。地下茎白色，质脆，带方形，有白色黏液。茎直立，略呈四棱形，分枝，节部膨大，棱上疏被白色短毛或光滑。叶对生；叶片长卵形至椭圆状长圆形，长 6 ~ 12 cm，宽 2 ~ 4.5 cm，先端渐尖或尾尖，基部渐窄，呈楔形下延至叶柄，边缘微波状或具稀疏而不明显的锯齿，上面深绿色，下面淡绿色。穗状花序或基部有分枝，顶生，长 6 ~ 12 cm，花单生或双生，常偏于一侧，苞片微小，长约 2 mm，有腺毛；花萼 5 裂达基部，长约 6 mm，有腺毛；花冠淡紫红色，漏斗状，外面疏生腺毛，花冠筒细长，长约 4 cm，檐部 5 裂，略不等，长约 1.5 cm；雄蕊 4，二强，着生

于花冠喉部；子房上位，每室有 2 胚珠。蒴果长椭圆形，长约 2 cm，上部具种子 4，下部实心细长似柄。花期 7 ～ 8 月，果期 10 ～ 11 月。

| 生境分布 | 生于海拔 400 ～ 1 800 m 的林下或溪边。湖南各地均有分布。

| 资源情况 | 野生资源丰富。药材主要来源于野生。

| 采收加工 | 夏、秋季采收，晒干或鲜用。

| 药材性状 | 本品长短不一，茎略呈四方形，有分枝，全株光滑无毛。叶对生，皱缩，完整叶片卵形至椭圆状矩圆形或披针形，长 6 ～ 12 cm，宽 2.5 ～ 4 cm，先端渐尖至尾状渐尖，基部楔形或近圆形，常下延至叶柄，叶缘微波状至具微齿。

| 功能主治 | 苦、淡，凉。归肺经。化瘀止血，续筋接骨，利尿消肿，清热解毒。用于吐血，便血，外伤出血，跌打瘀肿，扭伤骨折，风湿肢肿，腹水，疮疡溃烂，疖肿，咽喉肿痛。

| 用法用量 | 内服煎汤，9 ～ 15 g，鲜品 30 ～ 60 g；或捣烂绞汁；或研末。外用适量，鲜品捣敷；或研末撒。

| 附　　注 | 我国产的白接骨属植物曾有白接骨（《中国高等植物图鉴》）和尼氏拟马偕花（《台湾植物志》）之分，通常生于华东、华南、中南地区的被定为前者，生于西南、中南、华南地区的多被定为后者。虽然两者在叶的大小、叶缘具全缘或为明显波状齿上稍有区别，但从分布和形态特征来看，二者难以截然分开。

爵床科 Acanthaceae 马蓝属 *Strobilanthes*

板蓝 *Strobilanthes cusia* (Nees) Kuntze

| 药 材 名 | 马蓝叶（药用部位：叶。别名：南板蓝叶）、马蓝根（药用部位：根。别名：南板蓝根）。

| 形态特征 | 草本，多年生一次性结实。茎直立或基部外倾，稍木质化，高约 1 m，通常成对分枝，幼嫩部分和花序均被锈色、鳞片状毛。叶柔软，纸质，椭圆形或卵形，长 10 ~ 20（~ 25）cm，宽 4 ~ 9 cm，先端短渐尖，基部楔形，边缘有稍粗的锯齿，两面无毛，干时黑色，侧脉每边约 8，两面均凸起，叶柄长 1.5 ~ 2 cm。穗状花序直立，长 10 ~ 30 cm；苞片对生，长 1.5 ~ 2.5 cm。蒴果长 2 ~ 2.2 cm，无毛；种子卵形，长 3.5 mm。花期 11 月。

| 生境分布 | 生于海拔 1 200 m 以下的山地、林缘潮湿处。分布于湖南邵阳（隆回、

新宁）、衡阳（南岳）、常德（石门）、益阳（桃江）、郴州（临武）等。

| 资源情况 | 野生资源一般。栽培资源较丰富。药材主要来源于栽培。

| 采收加工 | 秋季采收，晒干。

| 药材性状 | 本品根茎呈类圆形，多弯曲，有分枝，长 10 ~ 30cm，直径 0.1 ~ 1cm。表面灰棕色，具细纵纹；节膨大，节上长有细根或茎残基；外皮易剥落，呈蓝灰色。质硬而脆，易折断，断面不平坦，皮部蓝灰色，木部灰蓝色至淡黄褐色，中央有髓。根粗细不一，弯曲有分枝，细根细长而柔韧。气微，味淡。

| 功能主治 | **南板蓝叶：** 苦、咸，寒。归肺、胃、心、肝经。清热解毒，凉血消肿。用于湿泻病，黄疸，丹毒，猩红热，麻疹，咽喉肿痛，口疮，痄腮，淋巴结炎，肝痈，肠痈，吐血，衄血，牙龈出血，崩漏，疮疖，蛇虫咬伤。

南板蓝根： 苦，寒。归心、肝、胃经。清热解毒，凉血消肿。用于温毒发斑，高热头痛，发热咽痛，大头瘟疫，丹毒，痄腮，病毒性肝炎，流行性感冒，肺炎，疮肿，疱疹。

| 用法用量 | **南板蓝叶：** 内服煎汤，6 ~ 15 g，鲜品 30 ~ 60 g；或入丸、散剂；或绞汁饮。外用适量，捣敷；或煎汤洗。

南板蓝根： 内服煎汤，15 ~ 30 g，鲜品 60 ~ 120 g；或入丸、散剂；或绞汁饮。外用适量，捣敷；或煎汤洗。

| 附　　注 | 本种为《中华人民共和国药典》（2020 版）南板蓝根的基原植物。

爵床科 Acanthaceae 麒麟吐珠属 *Cacciaspidia*

虾衣花 *Calliaspidia guttata* (Brandegee) Bremek.

药材名

麒麟吐珠（药用部位：茎、叶。别名：青丝线、麒麟塔）。

形态特征

多年生草本，高 20 ~ 50 cm。茎圆柱形，基部分枝多，被短粗毛。叶对生，具柄；叶片卵形，长 2.5 ~ 4 cm 或更长，宽约 2 cm，先端短渐尖，基部渐狭成细柄，全缘，两面被短毛。穗状花序紧密，长 6 ~ 9 cm，下垂；苞片鲜艳，砖红色，宽卵形，有毛，长约 2 cm，小苞片卵状披针形，稍长于花萼；花萼 5 深裂，长约 5 mm，有毛；花冠白色，长约 3 cm，伸出苞片之外，花冠管狭钟形，喉部短，冠檐二唇形，上唇直立，全缘或微裂，下唇 3 浅裂，有 3 行紫斑；雄蕊 2，药室 2，不等高，基部有极短的距；子房每室有 2 胚珠，花柱无毛。蒴果棒状；种子两侧呈压扁状，无毛。

生境分布

生于海拔 150 ~ 800 m 的温暖、气候湿润及通风良好的环境。分布于湘西、湘东、湘中等。

| 资源情况 | 野生资源稀少。栽培资源较丰富。药材主要来源于栽培。

| 采收加工 | 夏、秋季采收，洗净，晒干或鲜用。

| 功能主治 | 辛、微苦，凉。清热解毒，散瘀消肿。用于疔疮疖肿，跌打肿痛。

| 用法用量 | 内服煎汤，9 ~ 15 g。外用适量，鲜品捣敷。

爵床科 Acanthaceae 杜根藤属 *Calophanoides*

圆苞杜根藤 *Calophanoides chinensis* (Champ.) C. Y. Wu et H. S. Lo ex Y. C. Tang

| 药 材 名 | 中华赛爵床（药用部位：全草。别名：杜根藤）。

| 形态特征 | 草本，高达 50 cm。茎披散状，被短柔毛。叶对生，叶柄长 5 ~ 10 mm；叶片椭圆形至长圆状披针形，长 3 ~ 10 cm，先端渐尖，基部楔形，全缘或浅波状，上面有线条状钟乳体和平贴刚毛。花小，1 至多数簇生于上部叶腋；苞片呈叶状，小苞极小；花萼 5 裂，裂片条形，被长纤毛至近无毛；花冠白色，有红斑，外被微毛，二唇形，上唇 2 浅裂，下唇 3 裂，中裂片圆形；雄蕊 2，药室不等高，下面 1 室末端有白色小距。蒴果呈狭纺锤形，长约 8 mm；种子 4，有小瘤状突起。

| 生境分布 | 生于海拔 100 ~ 1 200 m 的路旁、山坡、草丛或林下。分布于湖南株洲（石峰）、邵阳（洞口）、娄底（冷水江）、湘西州（花垣）等。

| 资源情况 | 野生资源稀少。药材主要来源于野生。

| 采收加工 | 夏、秋季采收，洗净，鲜用或晒干。

| 药材性状 | 本品全长约 50 cm，茎略呈四棱形。叶对生，皱缩，完整叶片椭圆形至矩圆状披针形，长 3 ~ 10 cm，先端略钝至渐尖，基部楔形，略下延，全缘或略呈波状。

| 功能主治 | 微甘、苦，微温。健脾开胃，散瘀止血，消肿解毒。用于体虚乏力，食欲不振，吐血，衄血，跌打瘀痛，疮疡肿毒，蛇咬伤。

| 用法用量 | 内服煎汤，9 ~ 15 g；或鲜品捣汁。外用适量，捣敷。

| 附　　注 | FOC 将本种拉丁学名修订为 *Justicia championii* T. Anderson。

爵床科 Acanthaceae 杜根藤属 *Calophanoides*

杜根藤 *Calophanoides quadrifaria* (Nees) Ridl.

| 药 材 名 |

大青草（药用部位：全草）。

| 形态特征 |

直立或披散状草本，高达 50 cm。叶对生；叶片椭圆形至矩圆状披针形，长 2 ~ 12 cm，先端渐尖，基部渐窄成短柄，全缘，侧脉 4 对。花 1 至多数，密集生于叶腋内；苞片倒卵状匙形，长约 7 mm，小苞片缺；花萼裂片 5，条状披针形，长约 7 mm，被毛；花冠白色，筒状，外被微毛，长 8 ~ 12 mm，冠檐二唇形，上唇近舟状，下唇 3 浅裂；雄蕊 2，药室 2，不等高，其中 1 室在下，有尾。蒴果棒状，长约 8 mm，上部具种子 4，下部实心；种子有小瘤状突起。

| 生境分布 |

生于海拔 1 300 m 以下的林缘、山地路旁及溪沟边。湖南各地均有分布。

| 资源情况 |

野生资源丰富。药材主要来源于野生。

| 采收加工 |

夏、秋季采收，洗净，鲜用或晒干。

| 功能主治 | 苦，寒。清热解毒。用于时行热毒，丹毒，口舌生疮，黄疸。

| 用法用量 | 内服煎汤，9 ~ 15 g；或鲜品捣烂绞汁服。

| 附　注 | 在 FOC 中，本种被修订为爵床属 *Justicia* 杜根藤 *Justicia quadrifaria* (Nees) T. Anderson。

爵床科 Acanthaceae 狗肝菜属 *Dicliptera*

狗肝菜 *Dicliptera chinensis* (L.) Juss.

| 药 材 名 | 狗肝草（药用部位：全草。别名：金龙棒、天青菜、大青）。

| 形态特征 | 一年生或二年生草本，高 30 ~ 80 cm。茎直立或近基部外倾，节常膨大成膝状，被疏毛。叶对生，柄长 5 ~ 25 mm；叶片纸质，卵状椭圆形，长 2.5 ~ 6 cm，宽 1.5 ~ 3.5 cm，先端短渐尖，基部阔楔形或稍下延。花序腋生或顶生，聚伞式，多个簇生，稀单生；总苞片阔倒卵形或近圆形，稀披针形，长约 4 mm；花萼 5 裂，钻形，长约 4 mm；花冠淡紫红色，长约 10 mm，被柔毛，二唇形，上唇阔卵状，近圆形，全缘，有紫红色斑点，下唇长圆形，3 浅裂；雄蕊 2，着生于花冠喉部，花药 2 室，2 药室 1 上 1 下，花丝被柔毛；子房 2 室。蒴果长约 6 mm，被柔毛；种子坚硬，扁圆形，褐色。花期 10 ~ 11 月，果期翌年 2 ~ 3 月。

| 生境分布 | 生于海拔 1 200 m 以下的旷野或疏林中。分布于湖南（涟源）、邵阳（隆回）、益阳（桃江、安化）、永州（江永、新田）、怀化（通道、沅陵）、衡阳（衡东）等。

| 资源情况 | 野生资源较少。药材主要来源于野生。

| 采收加工 | 夏、秋季采收，洗净，鲜用或晒干。

| 药材性状 | 本品长可达 80 cm。根须状，淡黄色。茎分枝，折曲状，具棱，节膨大成膝状，下面节处常匍匐具根。叶对生，暗绿色或灰绿色，多皱缩，完整叶片卵形或卵状披针形，纸质，长 2.5 ~ 6 cm，宽 1.5 ~ 3.5 cm，先端急尖或渐尖，基部楔形，下延，全缘，两面无毛或稍被毛，以上表面叶脉处毛较多，叶柄长，上面有短柔毛。有的带花，由数个头状花序组成的聚伞花序生于叶腋，叶状苞片 1 大 1 小，倒卵状椭圆形，花二唇形。蒴果卵形，开裂者胎座升起。种子有小疣点。气微，味淡、微甘。

| 功能主治 | 甘、苦，寒。归心、肝、肺经。清热凉血，利湿解毒。用于感冒发热，热病发斑，吐衄，便血，尿血，崩漏，肺热咳嗽，咽喉肿痛，肝热目赤，小儿惊风，小便淋沥，带下，带状疱疹，痈肿疔疖，蛇犬咬伤。

| 用法用量 | 内服煎汤，30 ~ 60 g；或鲜品捣汁。外用适量，鲜品捣敷；或煎汤洗。

爵床科 Acanthaceae 金足草属 *Goldfussia*

圆苞金足草 *Goldfussia pentastemonoides* Nees

| 药 材 名 | 圆苞金足草（药用部位：地上部分、根部。别名：温大青、球花马蓝、野蓝靛）。

| 形态特征 | 草本。茎高超过 1 m，近梢部多作“之”字形曲折。叶不等大，椭圆形或椭圆状披针形，先端长渐尖，基部楔形渐狭，边缘有锯齿或柔软胼胝狭锯齿，上部各对叶 1 大 1 小，两面有不明显的钟乳体，无毛，上面深暗绿色，被白色伏贴的微柔毛，下面灰白色，除中脉被硬伏毛外，余光滑无毛，明显地散生先端极狭而具 2 ~ 3 节的毛，侧脉 5 ~ 6 对，有近平行小脉相连，大叶长 4 ~ 15 cm，宽 1.5 ~ 4.5 cm，叶柄长约 1.2 cm，小叶长 1.3 ~ 2.5 cm。花序头状，近球形，为苞片所包覆，1 ~ 3 生于同一总花梗，每头具花 2 ~ 3；苞片近圆形或卵状椭圆形，外部的苞片长 1.2 ~ 1.5 cm，先端短渐尖，无毛，小

苞片微小，二者均早落；花萼裂片 5，条状披针形，长 7 ~ 9 mm，果时增长至 15 ~ 17 mm，有腺毛；花冠紫红色，长约 4 cm，稍弯曲，冠檐裂片 5，几相等，先端微凹；雄蕊无毛，前雄蕊达花冠喉部，后雄蕊达花冠中部；花柱几不伸出。蒴果长圆状棒形，长 14 ~ 18 mm，有腺毛；种子 4，有毛。

| 生境分布 | 生于海拔 1 000 m 以下的山坡林缘或山谷溪旁阴湿处。分布于湖南永州（东安、江华）、湘西州（永顺）、常德（桃源、石门）、张家界（慈利、桑植）、邵阳（新宁）等。

| 资源情况 | 野生资源较丰富。栽培资源稀少。药材主要来源于野生。

| 采收加工 | 夏、秋季采收，洗净，晒干或鲜用。

| 药材性状 | 本品皱缩成团状，每对叶 1 大 1 小，叶片椭圆形或卵状椭圆形，大叶长 4 ~ 15 cm，宽 1.5 ~ 4.5 cm，小叶长 1.3 ~ 2.5 cm，边缘有锯齿，上面仅脉上被短柔毛，下面无毛，两面均有条形钟乳体，叶柄长 1 ~ 1.2 cm，无毛。

| 功能主治 | 苦、辛，微寒。归心、肺、胃、大肠、肝经。清热解毒，凉血消斑。用于烦渴，发斑，吐衄，肺热咳嗽，咽喉肿痛，口疮，丹毒，痄腮，痈肿，疮毒，湿热泻痢，热痹，肝炎，钩端螺旋体病，蛇咬伤。

| 用法用量 | 内服煎汤，10 ~ 30 g；或代茶饮。外用适量，捣敷；或煎汤洗。

| 附　　注 | 本种与马蓝 *Baphicacanthus cusia* (Nees) Bremek.、疏花马蓝 *Strobilanthes divaricatus* (Nees) T. Anders、广西马蓝 *Strobilanthes guangxiensis* S. Z. Huang 为易混品，主要差异在于颜色，4 种的颜色依次为黑绿色或暗棕色、棕绿色、苍绿色、灰绿色。其中马蓝 *Baphicacanthus cusia* (Nees) Bremek. 和广西马蓝 *Strobilanthes guangxiensis* S. Z. Huang 的叶柄有柔毛。FOC 将本种修订为马蓝属 *Strobilanthes* 圆苞马蓝 *Strobilanthes penstemonoides* (Nees) T. Anderson。

爵床科 Acanthaceae 水蓑衣属 *Hygrophila*

水蓑衣 *Hygrophila salicifolia* (Vahl) Nees

| 药 材 名 | 水蓑衣（药用部位：全草。别名：大青草、青泽兰、化痰清）。

| 形态特征 | 草本，高 80 cm。茎四棱形，幼枝被白色长柔毛，不久脱落近无毛或无毛。叶近无柄，纸质，长椭圆形、披针形、线形，长 4 ～ 11.5 cm，宽 0.8 ～ 1.5 cm，两端渐尖，先端钝，两面被白色长硬毛，背面脉上毛较密，侧脉不明显。花簇生于叶腋，无梗；苞片披针形，长约 10 mm，宽约 6.5 mm，基部圆形，外面被柔毛，小苞片细小，线形，外面被柔毛，内面无毛；花萼圆筒状，长 6 ～ 8 mm，被短糙毛，5 深裂至中部，裂片稍不等大，渐尖，被通常皱曲的长柔毛；花冠淡紫色或粉红色，长 1 ～ 1.2 cm，被柔毛，上唇卵状三角形，下唇长圆形，喉凸上有疏而长的柔毛，花冠管稍长于裂片；后雄蕊的花药比前雄

蕊的小一半。蒴果比宿存萼长 1/4 ~ 1/3，干时淡褐色，无毛。花期秋季。

| 生境分布 | 生于海拔 600 m 以下的溪沟边或阴湿地的草丛中。分布于湖南邵阳（邵东、新宁）、怀化（溆浦、洪江）、益阳（桃江、安化）、常德（桃源）、张家界（慈利）、衡阳（衡东）、郴州（宜章）、永州（东安）等。

| 资源情况 | 野生资源丰富。药材主要来源于野生。

| 采收加工 | 夏、秋季采收，洗净，鲜用或晒干。

| 药材性状 | 本品长约 60 cm，茎略呈方柱形，具棱，节处被疏柔毛。叶对生，多皱缩，完整叶片披针形、矩圆状披针形或线状披针形，下部叶为椭圆形，长 4 ~ 11.5 cm，宽 0.8 ~ 1.5 cm，先端渐尖，基部下延，全缘。气微，味淡。

| 功能主治 | 甘、微辛，凉。归肝、胃、肺经。清热解毒，散瘀消肿。用于时行热毒，丹毒，黄疸，口疮，咽喉肿痛，乳痈，吐衄，跌打伤痛，骨折，毒蛇咬伤。

| 用法用量 | 内服煎汤，6 ~ 30 g；或浸酒；或绞汁饮。外用适量，捣敷。

| 附　　注 | FOC 将本种学名修订为 *Hygrophila ringens* (L.) R. Brown ex Spreng。

爵床科 Acanthaceae 野靛棵属 *Mananthes*

南岭野靛棵 *Mananthes leptostachya* (Hemsl.) H. S. Lo

| 药 材 名 | 南岭野靛棵（药用部位：全草。别名：细穗爵床、南岭爵床）。

| 形态特征 | 草本，直立，几无毛。幼茎具 4 棱，节间两侧交互地被 2 列柔毛。叶片大，长 10.5 ~ 12.5（~ 18）cm，宽 5 ~ 6.5（~ 8）cm，明显具纤细的叶柄，纸质，卵状披针形，先端长渐尖，基部宽楔形，全缘或极不明显的波状，上面被稀疏小糙毛，下面稍显苍白色，沿主脉及侧脉被糙伏毛，初级侧脉少数，明显弯曲。花小，长 4 ~ 5 mm，无梗，由小而密、对生的花簇组成离散而纤细的穗状圆锥花序，花序分枝少而纤细，被糙伏毛；苞片和小苞片小，短于花萼；花萼裂片近相等，狭披针形或近线形，极狭尖，几为花冠的 1/2，花冠被微柔毛，直立的花冠管稍宽，冠檐裂片近相等，上唇长圆形，全缘，

先端圆，直立或稍弯，包被雄蕊，下唇 3 裂近等宽，冠檐裂片圆，开展或稍弯，下唇瓣有具条纹的脉；雄蕊 2，花丝无毛，下药室明显具距；子房无毛，花柱丝状，内藏，无毛。蒴果棍棒状，被微柔毛，长近 1.2 cm；种子 4，呈深暗棕色，稍粗糙。

| 生境分布 | 生于海拔 500 ~ 1 500 m 的山地林下或溪边。分布于湖南郴州（桂阳）。

| 资源情况 | 野生资源稀少。药材主要来源于野生。

| 功能主治 | 散瘀，止痛，止血。用于跌打损伤，骨折。

| 附　　注 | FOC 将本种学名修订为爵床属 *Justcia* 南岭爵床 *Justicia leptostachya* Hemsl.。

爵床科 Acanthaceae 观音草属 *Peristrophe*

九头狮子草 *Peristrophe japonica* (Thunb.) Bremek.

| 药 材 名 | 九头狮子草（药用部位：全草）。

| 形态特征 | 草本。高 20 ～ 50 cm。叶卵状矩圆形，长 5 ～ 12 cm，宽 2.5 ～ 4 cm。花序顶生或腋生于上部叶腋，由 2 ～ 10 聚伞花序组成，每个聚伞花序下托以 2 总苞状苞片，1 大 1 小，卵形，全缘，近无毛，内有 1 至少数花；花萼裂片 5，钻形，长约 3 mm；花冠粉红色至微紫色，长 2.5 ～ 3 cm，外面疏生短柔毛，二唇形，下唇 3 裂；雄蕊 2，花丝细长，伸出。蒴果长 1 ～ 1.2 cm，疏生短柔毛，开裂时胎座不弹起，上部具 4 种子，下部实心；种子有小疣状突起。

| 生境分布 | 生于路边、草地。分布于湖南长沙、株洲（炎陵）、衡阳（南岳）、

邵阳（绥宁、新宁、武冈）、常德（桃源）、张家界、益阳（桃江、安化）、郴州（宜章、汝城）、永州（祁阳、东安、江永）、怀化（新晃、芷江）、湘西州（保靖、永顺）等。

|资源情况| 野生资源一般。药材来源于野生。

|采收加工| 夏、秋季采收，晒干。

|功能主治| 辛、微苦、甘，凉。祛风清热，凉肝定惊，散瘀解毒。用于感冒发热，肺热咳喘，肝热目赤，小儿惊风，咽喉肿痛，痈肿疔毒，乳痈，聤耳，瘰疬，痔疮，蛇虫咬伤，跌打损伤。

爵床科 Acanthaceae 马蓝属 *Strobilanthes*

翅柄马蓝 *Strobilanthes atropurpurea* Nees

| 药 材 名 | 翅柄马蓝（药用部位：叶、根。别名：对节叶、薄萼马蓝）。

| 形态特征 | 多年生草本。具横走茎，节上生根，多分枝，茎纤细，四棱形，无毛或在棱上被微柔毛。叶卵圆形，略具不等叶性，长 3.5 ~ 8（~ 10）cm，先端长渐尖，基部楔形，渐狭，边缘具 4 ~ 5（~ 7）圆锯齿，上面略被微柔毛或无毛，钟乳体细条状，侧脉 5 ~ 6 对，叶柄长约 1.5 cm，向叶片具翅。穗状花序偏向一侧，呈“之”字形曲折，花单生或成对；苞片叶状，卵圆形或近心形，向上变小，具 3 脉或羽脉，小苞片线状长圆形，微小或无；花萼长 1 ~ 1.5 cm，果时增大达 2 cm，5 裂，裂片线形，极无毛，细条状钟乳体纵列；花冠淡紫色或蓝紫色，近直伸，长约 3.5 cm，花冠管圆柱形，与膨胀部分等长，冠檐裂片 5，短小，圆形，花丝与花柱无毛。蒴果长

1.2 ~ 1.8 cm，无毛，具种子 4；种子卵圆形，被微柔毛，基区小。

| 生境分布 | 生于海拔 1 000 ~ 1 600 m 的山坡竹林或铁杉冷杉林。分布于湖南张家界（慈利、桑植）、邵阳（新宁）、常德（桃源）等。

| 资源情况 | 野生资源丰富。药材主要来源于野生。

| 采收加工 | 根，夏、秋季采挖，洗净，切段，晒干。叶，夏、秋季采收，鲜用。

| 功能主治 | 辛，凉。归心经。清热解毒，活血止痛。用于痈肿疮毒，劳伤疼痛。

| 用法用量 | 内服煎汤，6 ~ 15 g；或浸酒。外用适量，鲜品捣敷。

| 附　　注 | 本种花对生，萼二唇形，与广西马蓝 *Strobilanthes guangxiensis* S. Z. Huang 形态接近，但本种的小枝有薄翅，叶边缘有齿，二者极易区别。

爵床科 Acanthaceae 爵床属 *Rostellularia*

爵床 *Rostellularia procumbens* (L.) Nees

药材名

爵床（药用部位：全草。别名：小青草）。

形态特征

草本。高 20 ～ 50 cm。叶椭圆形至椭圆状长圆形，长 1.5 ～ 3.5 cm，宽 1.3 ～ 2 cm，先端锐尖或钝，基部宽楔形，两面被短硬毛。穗状花序顶生或生于上部叶腋，长 1 ～ 3 cm，宽 6 ～ 12 mm；小苞片 2，披针形，长 4 ～ 5 mm，有缘毛；花萼裂片 4，线形，约与苞片等长，有膜质边缘和缘毛；花冠粉红色，长 7 mm，二唇形，下唇 3 浅裂；雄蕊 2，药室不等高。蒴果长约 5 mm，上部具 4 种子，下部实心似柄状；种子表面有瘤状皱纹。

生境分布

生于山坡、路旁。湖南各地均有分布。

资源情况

野生资源丰富。药材来源于野生。

采收加工

夏、秋季采收，晒干。

| 药材性状 | 本品茎具纵棱，表面黄绿色，被毛，节膨大成膝状；质脆，易折断，断面可见白色的髓。叶对生，具柄，叶片多皱缩，展平后呈卵形或披针形，两面及叶缘有毛。穗状花序顶生或腋生，苞片及宿存花萼均被粗毛；花冠偶见，淡红色。蒴果棒状；种子黑褐色，扁三角形。气微，味淡。

| 功能主治 | 苦、咸、辛，寒。归肺、肝、膀胱经。清热解毒，利湿消积，活血止痛。用于感冒发热，咳嗽，咽喉肿痛，目赤肿痛，疳积，湿热泻痢，疟疾，黄疸，浮肿，小便淋浊，筋骨疼痛，跌打损伤，痈疽疔疮，湿疹。

| 用法用量 | 内服煎汤，10 ~ 15 g。

爵床科 Acanthaceae 孩儿草属 *Rungia*

密花孩儿草 *Rungia densiflora* H. S. Lo

| 药 材 名 |

密花孩儿草（药用部位：全草）。

| 形态特征 |

草本。小枝被白色柔毛。叶椭圆状卵形或披针状卵形，长 2 ~ 8.5 cm，先端渐尖，基部楔形或稍下延，侧脉 6 ~ 8 对，叶柄长 0.5 ~ 2 cm，被柔毛。穗状花序顶生和腋生，长达 3 cm，密花；苞片 4 列，全着花，同形，通常匙形或有时倒卵形，长 0.7 ~ 1.1 cm，具脉 3，无干膜质边缘，缘毛硬，小苞片倒卵形，长约 6 mm，有干膜质边缘和缘毛；花萼长约 4 mm，深裂几达基部，裂片线状披针形；花冠天蓝色，长 1.1 ~ 1.7 cm，花冠筒长 6 ~ 9 mm，上唇直立，长三角形，长 5 ~ 8 mm，先端 2 短裂，下唇长圆形，长 5 ~ 8 mm，先端 3 裂，中裂较小，外面被毛；花丝长 5 ~ 7 mm，下方药室有白色距。蒴果长约 6 mm。

| 生境分布 |

生于海拔 400 ~ 800 m 的潮湿的沟谷林下。分布于湖南郴州（北湖、临武）等。

| 资源情况 | 野生资源稀少。药材来源于野生。

| 功能主治 | 微苦，寒。清热解毒，利尿，消肿。

爵床科 Acanthaceae 马蓝属 *Strobilanthes*

少花马蓝 *Strobilanthes oligantha* Miq.

| 药 材 名 | 紫云菜（药用部位：全草。别名：紫云英马蓝、刀枪药）。

| 形态特征 | 多年生草本，高 30 ~ 60 cm。基部节膨大膝曲，茎疏分枝，有钝棱，并具白色多细胞长毛。叶对生，柄长 1 ~ 5 cm，上部有翅；叶片宽卵形至椭圆形，长 4 ~ 10 cm，宽 3 ~ 6 cm，先端短尖，具钝头，有时锐，基部楔形下延，边缘具疏锯齿，上面被疏长毛，具条状钟乳体，下面脉上毛尤多。花数朵集生成头形的穗状花序；苞片叶状，外面的长约 1.5 cm，里面的较小，小苞片条状匙形，长约 1 cm，二者均具稀疏长毛；花萼长 6 ~ 10 mm，5 裂，裂片条形，具疏长毛；花冠淡紫色，长 2.5 ~ 3.5 cm；花冠筒下部细，上部扩大而稍弯曲，裂片 5，几相等，外面疏被软毛，里面有 2 行短柔毛；雄蕊 4，二强，

花丝基部有膜相连。蒴果长约 1 cm，近先端具短柔毛；种子 4，宽椭圆形，长约 3 mm，有褐色微毛。花期 7 ～ 8 月，果期 9 ～ 10 月。

| 生境分布 | 生于海拔 1 200 m 以下的山坡林下、林缘阴湿处或路边草丛。湖南各地均有分布。

| 资源情况 | 野生资源稀少。药材主要来源于野生。

| 采收加工 | 夏、秋季采收，洗净，晒干或鲜用。

| 功能主治 | 咸、微苦，寒。清热定惊，止血。用于感冒发热，热病惊厥，外伤出血。

| 用法用量 | 内服煎汤，15 ～ 30 g。外用适量，捣敷。

胡麻科 Pedaliaceae 胡麻属 *Sesamum*

脂麻 *Sesamum indicum* L.

| 药 材 名 | 黑芝麻（药用部位：种子）、麻油（药材来源：种子油）、麻杆（药用部位：茎）、胡麻叶（药用部位：叶）、胡麻花（药用部位：花）、芝麻壳（药用部位：果壳）。

| 形态特征 | 一年生草本，高 80 ~ 180 cm。茎直立，四棱形，棱角突出，基部稍木质化，不分枝，具短柔毛。叶对生，或上部者互生，叶柄长 1 ~ 7 cm；叶片卵形、长圆形或披针形，长 5 ~ 15 cm，宽 1 ~ 8 cm，先端急尖或渐尖，基部楔形，全缘、有锯齿或下部叶 3 浅裂，表面绿色，背面淡绿色，两面无毛或稍被白色柔毛。花单生，或 2 ~ 3 生于叶腋，直径 1 ~ 1.5 cm；花萼稍合生，绿色，5 裂，裂片披针形，长 5 ~ 10 cm，具柔毛；花冠筒状，唇形，长 1.5 ~ 2.5 cm，白色，有紫色或黄色彩晕，裂片圆形，外侧被柔毛；雄蕊 4，着生于花冠

筒基部，花药黄色，呈矢形；雌蕊 1，子房圆锥形，初期呈假 4 室，成熟后为 2 室，花柱线形，柱头 2 裂。蒴果椭圆形，长 2 ~ 2.5 cm，多具 4 棱，或具 6 棱、8 棱，纵裂，初期绿色，成熟后黑褐色，具短柔毛；种子多数，卵形，两侧扁平，黑色、白色或淡黄色。花期 5 ~ 9 月，果期 7 ~ 9 月。

| 生境分布 | 生于路边、草丛。常栽培于夏季气温较高、气候干燥、排水良好的砂壤土或壤土地区。分布于湖南衡阳（南岳）、邵阳（新宁）、郴州（宜章）、怀化（洪江）、湘西州等。

| 资源情况 | 野生资源丰富。栽培资源丰富。药材主要来源于野生和栽培。

| 功能主治 | **黑芝麻：** 甘，平。归肝、脾、肾经。补益肝肾，养血益精，润肠通便。用于肝肾不足所致的头晕耳鸣、腰脚痿软、须发早白、肌肤干燥，肠燥便秘，妇人乳少，痈疮湿疹，疯癫疬疡，小儿瘰疬，烫火伤，痔疮。

麻油： 润肠，润肺。

麻杆： 用于哮喘，浮肿，聤耳出脓。

胡麻叶： 甘，寒。益气，补脑髓，坚筋骨。用于五脏邪气，风寒湿痹。

胡麻花： 用于秃发，冻疮。

芝麻壳： 用于半身不遂，烫伤。

| 附　　注 | FOC 将本种中文名修订为芝麻。

苦苣苔科 Gesneriaceae 直瓣苣苔属 *Ancylostemon*

直瓣苣苔 *Ancylostemon saxatilis* (Hemsl.) Craib

| 药 材 名 | 直瓣苣苔（药用部位：全草）。

| 形态特征 | 根茎直立。叶卵形或宽卵形，长 2.5 ~ 9 cm，边缘具圆齿，稀为牙齿，上面被较密的白色短柔毛和锈色疏长柔毛，下面被白色短柔毛，沿主脉和侧脉被锈色长柔毛，叶柄长达 7 cm，被较密的锈色长柔毛。聚伞花序 1 ~ 5，每花序具 1 ~ 4 花；花序梗长 7 ~ 11 cm，与花梗被褐色长柔毛和淡褐色短柔毛；苞片长 3 ~ 6 mm；花梗长 1.5 ~ 2 cm；花萼长 4 ~ 6 mm，5 裂至中部或中上部，稀裂至基上部，裂片近相等，长 2 ~ 3 mm，边缘常具 2 ~ 3 齿；花冠筒状，黄色，长 2.7 ~ 3.5 cm，向基部渐窄，外面被短柔毛，筒部长 2.3 ~ 2.9 cm，檐部二唇形，上唇长约 1 mm，微凹，下唇 3 深裂，中央裂片远长于两侧裂片，长 4 ~ 8 mm；花盘 5 浅裂；雌蕊被白色短柔毛，长 2.3 cm，

柱头膨大。蒴果长 2 ~ 7 cm。花期 6 ~ 7 月。

| 生境分布 | 生于海拔 1 000 ~ 1 500 m 的阴湿岩石上及林下石上。分布于湖南湘西州（凤凰）等。

| 资源情况 | 野生资源稀少。

| 功能主治 | 苦、涩，凉。清热解毒。

苦苣苔科 Gesneriaceae 旋蒴苣苔属 *Boea*

大花旋蒴苣苔 *Boea clarkeana* Hemsl.

| 药 材 名 | 大花旋蒴苣苔（药用部位：全草）。

| 形态特征 | 多年生草本。叶基生，叶片宽卵形，长 3.5 ~ 7 cm，宽 2.2 ~ 4.5 cm，先端圆形，基部宽楔形或偏斜，两面被灰白色短柔毛。聚伞花序 1 ~ 3，伞状，每花序具 1 ~ 5 花；花萼钟状，长 6 ~ 8 mm，5 裂至中部，裂片相等；花较大，长 2 ~ 2.2 cm，直径 1.2 ~ 1.8 cm，淡紫色，筒部长约 1.5 cm，直径约 7 mm；雄蕊 2，退化雄蕊 2；子房长圆形，长约 8 mm，直径约 1.2 mm，花柱细，与子房近等长。蒴果长圆形，外面被短柔毛，螺旋状卷曲；种子卵圆形。花期 8 月，果期 9 ~ 10 月。

| 生境分布 | 生于山坡石缝中。分布于湖南湘西州（古丈、永顺）等。

| 资源情况 | 野生资源稀少。药材来源于野生。

| 采收加工 | 夏、秋季采收，晒干。

| 功能主治 | 解毒，消肿，散瘀，止血。用于外伤出血，跌打损伤。

苦苣苔科 Gesneriaceae 旋蒴苣苔属 *Boea*

旋蒴苣苔 *Boea hygrometrica* (Bunge) R. Br.

| 药 材 名 | 旋蒴苣苔（药用部位：全草。别名：牛耳散血草、散血草、八宝茶）。

| 形态特征 | 多年生草本。叶全部基生，莲座状，无柄，近圆形，圆卵形或卵形。聚伞花序 2 ~ 5，伞状；花萼钟状，5 裂至近基部，裂片稍不等，上唇 2 裂片略小，线状披针形，长 2 ~ 3 mm，宽约 0.8 mm，外面被短柔毛，先端钝，全缘。花冠淡蓝紫色，长 8 ~ 13 mm，直径 6 ~ 10 mm，外面近无毛，花冠筒长约 5 mm，檐部稍二唇形，上唇 2 裂，裂片相等，长圆形，长约 4 mm，比下唇裂片短而窄，下唇 3 裂，裂片相等，宽卵形或卵形，长 5 ~ 6 mm，宽 6 ~ 7 mm；雄蕊 2，花丝扁平，长约 1 mm，无毛，着生于距花冠基部 3 mm 处，花药卵圆形，长约 2.5 mm，先端连着，药室 2，先端汇合，退化雄蕊 3，极小；无花盘；雌蕊长约 8 mm，不伸出花冠外，子房卵状长圆形。

蒴果长圆形，外面被短柔毛，螺旋状卷曲；种子卵圆形，长约 0.6 mm。花期 7 ~ 8 月，果期 9 月。

| 生境分布 | 生于海拔 200 ~ 1 320 m 的山坡路旁岩石上。分布于湖南衡阳（南岳、衡山）、岳阳（平江）、张家界、郴州（永兴）、长沙（浏阳）等。

| 资源情况 | 野生资源较丰富。药材主要来源于野生。

| 采收加工 | 全年均可采收，洗净，鲜用或晒干。

| 药材性状 | 本品叶基生，排成莲座状，无柄，叶片类圆形，边缘具齿，两面被毛。聚伞花序，花蓝紫色。蒴果成熟时螺旋状卷曲。

| 功能主治 | 苦，凉。止血，散血，消肿。用于外伤出血，跌打损伤，肠炎，中耳炎。

| 用法用量 | 外用适量，鲜品捣敷；或干品研末撒；或煎汤洗脚，5 ~ 15 株；或鲜品捣汁滴耳。

苦苣苔科 Gesneriaceae 粗筒苣苔属 *Briggsia*

革叶粗筒苣苔 *Briggsia mihieri* (Franch.) Craib

药材名 革叶粗筒苣苔（药用部位：全草。别名：锈草、岩枇杷、岩莴苣）。

形态特征 多年生草本。根茎长 0.8 ～ 3 cm。叶均基生，叶柄长 2 ～ 9 cm，无毛或有疏短毛；叶片革质，狭倒卵形、倒卵形或椭圆形，长 1 ～ 10 cm，宽 1 ～ 6 cm，先端圆钝，基部楔形，边缘具波状牙齿或小牙齿，两面无毛，叶脉不明显。聚伞花序 2 次分枝，每花序具 1 ～ 4 花，花序梗长 8 ～ 17 cm，无毛或被疏柔毛；苞片小，条形；花萼 5 深裂，裂片披针形；花冠蓝紫色，漏斗形，一侧膨胀，长约 5 cm，外面疏被短柔毛或无毛，内面具紫褐色、黄色斑纹，檐部二唇形，上唇 2 裂，下唇 3 裂；能育雄蕊 4，花药成对连着，花丝疏被腺状短柔毛，花盘环状，边缘波状；子房狭长圆形，长约 1.2 cm，花柱长 1.5 ～ 2 mm，柱头 2，长圆形。蒴果倒披针形，长 3.4 ～ 7 cm；

种子小，多数。花期 10 月，果期翌年 1 月。

| 生境分布 | 生于海拔 600 ～ 1 700 m 的阴湿岩石上。分布于湘中、湘西等。

| 资源情况 | 野生资源一般。栽培资源较丰富。药材主要来源于栽培。

| 采收加工 | 全年均可采收，晒干或鲜用。

| 功能主治 | 甘、苦，温。益气，强筋骨，生肌。用于劳伤咳嗽，筋骨损伤，刀伤。

| 用法用量 | 内服煎汤，10 ～ 15 g；或浸酒。外用适量，捣绒包敷；或浸酒擦。

苦苣苔科 Gesneriaceae 粗筒苣苔属 *Briggsia*

鄂西粗筒苣苔 *Briggsia speciosa* (Hemsl.) Craib

| 药 材 名 | 鄂西粗筒苣苔（药用部位：全草。别名：雅头还羊、丫头还阳）。

| 形态特征 | 多年生无茎草本。叶全部基生，具叶柄；叶片长圆形或椭圆状狭长圆形。聚伞花序 1 ~ 6，每花序具 1 ~ 2 花，花序梗长 9 ~ 16 cm，被褐色长柔毛；苞片 2，长圆形至卵状披针形，被白色短柔毛，先端钝，全缘；花萼 5 裂至近基部，裂片卵形至卵状长圆形；花冠粗筒状，紫红色，下方肿胀；上雄蕊长约 2.4 cm，着生于距花冠基部 0.5 mm 处，下雄蕊长约 3 cm，着生于距花冠基部 1 mm 处，花丝疏被腺状柔毛，花药肾形，长约 1.2 mm，药室先端不汇合，退化雄蕊长约 4 mm，着生于距花冠基部 1 mm 处；花盘环状，高 1.5 mm；雌蕊疏被腺状短柔毛，子房线状长圆形，长约 2 cm，直径约 1.8 mm，花柱短，长约 3 mm，柱头 2，近圆形，长 0.4 mm。蒴果线状披针形，

长 6 ~ 6.8 cm，直径 2 ~ 2.2 mm。花期 6 ~ 7 月。

| 生境分布 | 生于海拔 300 ~ 1 600 m 的山坡阴湿岩石上。分布于湖南怀化（洪江）等。

| 资源情况 | 野生资源一般。栽培资源较丰富。药材主要来源于栽培。

| 采收加工 | 春、夏季采收，鲜用或晒干。

| 功能主治 | 辛、苦，平。归肺、脾经。祛风解表，解毒消肿。用于感冒头痛，筋骨疼痛，痈疮肿毒。

| 用法用量 | 内服煎汤，9 ~ 15 g。外用适量，捣敷。

| 附　　注 | 民间用于感冒头痛、筋骨疼痛、疮疡肿毒、劳伤、跌打损伤、瘀血疼痛等。

苦苣苔科 Gesneriaceae 唇柱苣苔属 *Chirita*

牛耳朵 *Chirita eburnea* Hance C. fauriei Franch.

| 药 材 名 | 牛耳朵（药用部位：全草或根茎。别名：牛耳岩白菜、呆白菜、矮白菜）。

| 形态特征 | 多年生草本，具粗根茎。叶均基生，肉质；叶片卵形或狭卵形。花萼长 0.9 ~ 1 cm，5 裂达基部，裂片狭披针形，宽 2 ~ 2.5 mm，外面被短柔毛及腺毛，内面被疏柔毛；花冠紫色或淡紫色，有时白色，喉部黄色，长 3 ~ 4.5 cm，两面疏被短柔毛，与上唇 2 裂片相对有 2 纵条毛，花冠筒长 2 ~ 3 cm，口部直径 1 ~ 1.4 cm，上唇长 5 ~ 9 mm，2 浅裂，下唇长 1.2 ~ 1.8 cm，3 裂；雄蕊的花丝着生于距花冠基部 1.2 ~ 1.6 cm 处，长 9 ~ 10 mm，下部宽，被疏柔毛，向上变狭，并膝状弯曲，花药长约 5 mm，退化雄蕊 2，着生于距花冠基部 1.1 ~ 1.5 mm 处，长 4 ~ 6 mm，有疏柔毛；花盘斜，高约 2 mm，边缘有波状齿；雌蕊长 2.2 ~ 3 cm，子房及花柱下部密被短

柔毛，柱头 2 裂。蒴果长 4 ~ 6 cm，直径约 2 mm，被短柔毛。花期 4 ~ 7 月。

| 生境分布 | 生于海拔 400 ~ 1 200 m 的山地或林下石上。分布于湖南邵阳（新宁）、郴州（宜章）、永州（东安）等。

| 资源情况 | 野生资源丰富。药材主要来源于野生资源。

| 采收加工 | 全年均可采收，鲜用或晒干。

| 药材性状 | 本品全草皱缩。根茎圆柱形，弯曲，有残余茎基，靠近根茎头部处着生多数细长的须根。根茎长 1 ~ 7 cm，直径 0.8 ~ 2 cm。表面黄褐色，较光滑，有不规则的纵皱纹。质脆，易断，折断面较致密，黑褐色。维管束呈白色点状，断面续接成圆环。叶基生，展平后呈卵形，全缘，两面均有茸毛，有时可见花枝或果枝。

| 功能主治 | 甘、苦，凉。清肺止咳，凉血止血，解毒消痈。用于阴虚肺热，咳嗽咯血，崩漏带下，痈肿疮毒，外伤出血。

| 用法用量 | 内服煎汤，全草 15 ~ 30 g，根茎 3 ~ 9 g。外用适量，鲜品捣敷。

| 附　　注 | 民间药用全草有清肺止咳等功效。

苦苣苔科 Gesneriaceae 唇柱苣苔属 *Chirita*

蚂蟥七 *Chirita fimbrisepala* Hand.-Mazz.

| 药 材 名 | 蚂蟥七（药用部位：全草或根。别名：红蚂蝗七、石螃蟹、石棉）。

| 形态特征 | 根茎粗长，扁圆柱形，有横纹，似蚂蟥状，下侧生多数须根。叶均基生，叶柄长 2 ~ 8.5 cm，有疏柔毛；叶片革质，卵形、宽卵形或近圆形，长 4 ~ 10 cm，宽 3.5 ~ 11 cm，先端急尖或微钝，基部歪斜或宽楔形至截形，或一侧心形，两侧不对称，边缘有锯齿，两面疏被长伏毛。聚伞花序 1 ~ 4（~ 7），有 1 ~ 5 花，花序梗长 6 ~ 28 cm，被柔毛；苞片狭卵形至三角形，被柔毛，花梗长 5 ~ 30 cm；花萼长约 10 mm，5 裂至基部，裂片线状披针形，边缘上部有齿；花冠淡紫色或紫色，长 4 ~ 6.5 cm，外面疏被短柔毛，在内面上唇有 2 纵毛，花冠筒呈细漏斗状，长 2.5 ~ 3.8 cm，上唇 2 裂，下唇 3 裂，雄蕊 2，花丝基部被疏柔毛，花药相连，有髯毛，退化雄蕊 2，

无毛；花盘环状；子房及花柱密被短腺毛，柱头 2 裂。蒴果长 6 ～ 8 cm，被短柔毛；种子纺锤形，长 6 ～ 8 mm。花期 3 ～ 4 月。

| 生境分布 | 生于海拔 400 ～ 1 000 m 的山地林中石上或岩石上、山谷溪边。分布于湘西、湘北等。

| 资源情况 | 野生资源较丰富。药材主要来源于野生。

| 采收加工 | 全年均可采收，鲜用或晒干。

| 功能主治 | 苦、辛，凉。归肺、脾、胃经。清热利湿，行滞消积，止血活血，解毒消肿。用于痢疾，肝炎，疳积，胃痛，咯血，外伤出血，跌打损伤，痈肿疮毒。

| 用法用量 | 内服煎汤，9 ～ 15 g。外用适量，捣敷；或研末调敷。

| 附　　注 | 本种与牛耳朵 *Chirita eburnea* Hance C. fauriei Franch. 区别在于本种植株稍高，高可达 20 cm，叶片卵形或窄卵形，无锯齿，花序基部有 2 灰白色大型叶状苞片，块根近圆形，节较稀疏。

苦苣苔科 Gesneriaceae 珊瑚苣苔属 *Corallodiscus*

珊瑚苣苔 *Corallodiscus cordatulus* (Craib) B. L. Burtt

| 药 材 名 | 珊瑚苣苔（药用部位：全草。别名：还魂草、九倒生、滴滴花）。

| 形态特征 | 多年生草本。叶基生，莲座状，外层叶具长柄，内层叶无柄；叶片革质，长圆形或卵形，长 1 ~ 3 cm，宽 1 ~ 2.2 cm，先端圆形，边缘微钝，基部楔形，边缘具细圆齿，上面平展，有时具不明显的折皱，稀呈泡状，疏被淡褐色长柔毛，老叶上面无毛，下面沿叶脉密被锈色绒毛。聚伞花序 2 ~ 3 回分枝，每花序具 3 ~ 10 花，花序梗长 4 ~ 14 cm，疏被淡褐色长柔毛至无毛；苞片不存在；花萼 5 裂至近基部，裂片狭卵形，外面被疏毛至无毛；花冠筒状，淡紫色或紫蓝色，长 9 ~ 11 mm，檐部二唇形，上唇短，2 浅裂，下唇 3 裂，内面下唇一侧具带髯毛的斑纹；能育雄蕊 4，内藏，花药成对连着，基部极叉开；雌蕊无毛，子房长圆形，花柱与子房等长或稍短于子房，

柱头头状，微凹。蒴果线形，长约 2 cm，无毛。花期 5 ~ 8 月，果期 8 ~ 10 月。

| 生境分布 | 生于海拔 700 ~ 1 500 m 的山地阴处岩石上。分布于湖南湘西州（花垣、永顺、龙山）、常德（石门）等。

| 资源情况 | 野生资源较多。药材主要来源于野生。

| 采收加工 | 夏、秋季采收，鲜用或晒干。

| 功能主治 | 辛，平。归肝、脾经。健脾，化瘀，止血。用于疳积，跌打损伤，刀伤出血。

| 用法用量 | 内服煎汤，3 ~ 9 g；或浸酒。外用适量，捣敷。

| 附　　注 | FOC 将本种学名修订为 *Corallodiscus lanuginosus* (Walliches R. Broun) B. L. Burtt。

苦苣苔科 Gesneriaceae 长蒴苣苔属 *Didymocarpus*

东南长蒴苣苔 *Didymocarpus hancei* Hemsl.

| 药 材 名 | 东南长蒴苣苔（药用部位：全草。别名：石麻婆子草、石芥菜）。

| 形态特征 | 多年生草本。根茎圆柱形，长约 4 cm。叶 4 ~ 16，均基生，有柄；叶片纸质，长圆形或长圆状椭圆形，长 2.2 ~ 10 cm，宽 1 ~ 3.6 cm，先端急尖或微尖，基部楔形或宽楔形，边缘有密小牙齿，两面均被短伏毛，下面沿脉毛较密，侧脉每侧 5 ~ 7；叶柄长 1.8 ~ 8 cm，粗壮，有短糙毛。聚伞花序伞状；花冠长 1.5 ~ 2 cm，外面疏被短柔毛，内面近无毛，花冠筒狭钟状，长 1.1 ~ 1.3 cm，口部直径 4 ~ 6 mm，上唇长 3 ~ 5 mm，2 裂至中部，裂片斜扁三角形，下唇长 4 ~ 8.5 mm，3 裂至中部，裂片卵形；雄蕊无毛，花丝着生于距花冠基部 6 ~ 7 mm 处，狭线形，花药椭圆形，退化雄蕊 2，着生于距花冠基部 3 ~ 3.5 mm 处，长约 0.5 mm；花盘环状，高约 0.6 mm；雌蕊长约 1.6 cm，

疏被小腺体，子房长约 5.5 cm，无柄，柱头扁球形。蒴果线形，无毛；种子狭椭圆形或纺锤形，长 0.4 ~ 0.5 mm。花期 4 月左右。

| 生境分布 | 生于海拔 380 ~ 980 m 的山谷林下、山坡石上或石崖上。分布于湖南邵阳（隆回、洞口、绥宁、新宁）、郴州（宜章）、怀化（洪江）等。

| 资源情况 | 野生资源较少。栽培资源丰富。药材来源于野生和栽培。

| 采收加工 | 春季采收，晒干。

| 功能主治 | 苦、辛，凉。散风热，解毒。用于感受风热，鼻塞流涕，喷嚏，咳嗽。

| 用法用量 | 内服煎汤，6 ~ 9 g。

| 附　　注 | 《中国植物志》将东南长蒴苣苔 (*Didymocarpus hancei* Hemsl.) 划入广义石山苣苔属中，将其更名为东南石山苣苔 *Petrocodon hancei* (Hemsl.) A. Weber & Mich. Mller。

苦苣苔科 Gesneriaceae 长蒴苣苔属 *Didymocarpus*

闽赣长蒴苣苔 *Didymocarpus heucherifolius* Hand.-Mazz.

| 药 材 名 | 闽赣长蒴苣苔（药用部位：全草）。

| 形态特征 | 多年生草本，具粗根茎。叶 5 ~ 6，均基生；叶片纸质，呈心状圆卵形或心状三角形，长 3 ~ 9 cm，宽 3.5 ~ 11 cm，先端微尖，基部心形，边缘浅裂，裂片多达 21，正三角形，边缘有不整齐牙齿，叶两面被柔毛或下面仅沿脉被短柔毛，基出脉 4 ~ 5；叶柄长 2 ~ 9.5 cm，与花序梗密被开展的锈色长柔毛。花序 1 ~ 2 回分枝，有 3 ~ 8 花，花序梗长（6 ~ ）10 ~ 18 cm；苞片椭圆形或狭椭圆形，长 5 ~ 10 mm，边缘有 1 ~ 2 齿，被长睫毛，花梗长 4 ~ 14 mm，被短腺毛；花萼长 6 ~ 7 mm，5 裂达基部，裂片宽披针形或倒披针状狭线形，宽 1 ~ 2 mm，微尖，边缘每侧有 1 ~ 3 小齿，外面被短柔毛，内面无毛。花冠粉红色，长 2.5 ~ 3.2 cm，外面被短柔毛，

内面无毛，花冠筒长 1.8 ~ 2.2 cm，上唇长 6.5 mm，2 深裂，裂片卵形，下唇长约 10 mm，3 深裂，裂片长圆形，先端圆形；雄蕊的花丝着生于距花冠基部 10 ~ 12 mm 处，狭线形，长 8 ~ 10 mm，直或弧状弯曲，有小腺体，花药椭圆形，长 1.8 ~ 2.5 mm，被短柔毛，退化雄蕊 3，着生于距花冠基部 6 ~ 8 mm 处，长 0.3 ~ 6 mm；花盘环状，高 0.5 ~ 1.3 mm；雌蕊长 1.8 ~ 2.9 cm，子房被短柔毛，柄长约 8 mm，花柱长约 3 mm，柱头扁头形。蒴果线形或线状棒形，长 5.5 ~ 7 cm，被短柔毛；种子狭椭圆形，长约 0.5 mm。花期 5 月。

| 生境分布 | 生于海拔 460 ~ 1 000 m 的山谷路边、溪边石上或林下。分布于湖南郴州（宜章、资兴）、株洲（攸县）等。

| 资源情况 | 野生资源一般。栽培资源较少。药材主要来源于栽培。

| 功能主治 | 甘，凉。解毒，消肿。

苦苣苔科 Gesneriaceae 长蒴苣苔属 *Didymocarpus*

沅陵长蒴苣苔 *Didymocarpus yuenlingensis* W. T. Wang

| 药材名 | 沅陵长蒴苣苔（药用部位：全草）。

| 形态特征 | 多年生草本。叶约 6，均基生，具柄；叶片革质，心状卵形或心状圆形。花序约 4，似伞形花序或 2 回分枝；花萼斜钟状，长约 13 mm，外面被短柔毛，内面无毛，不等 5 裂近中部，前（下）裂片最大，长圆形，长约 7 mm，先端微凹，其他 4 裂片长 2.5 ~ 3.5 mm，先端圆截形，花萼筒长约 5 mm；花冠长约 2.1 cm，外面无毛，内面疏被短柔毛，花冠筒长约 1.1 cm，上唇长约 5 mm，2 浅裂，裂片扁圆卵形，下唇长约 10 mm，3 裂超过中部，裂片长圆形；雄蕊无毛，花丝着生于花冠筒口部，线形，长约 7.5 mm，花药长椭圆形，长约 3 mm，退化雄蕊 2，无毛，着生于距花冠基部 4 ~ 6.5 mm 处，长

0.2 ~ 0.6 mm，先端头状；花盘环状，高 1.5 mm；雌蕊长约 2.5 cm，子房长 2.1 cm，密被短柔毛，柄长约 6 mm，花柱长 3 mm，柱头稍增粗。花期 5 月。

| 生境分布 | 生于海拔 400 ~ 900 m 山谷林下、山坡石上或石崖上。分布于湖南怀化（沅陵）等。

| 资源情况 | 野生资源较少。药材主要来源于栽培。

| 功能主治 | 用于跌打损伤，外伤出血。

苦苣苔科 Gesneriaceae 双片苣苔属 *Didymostigima*

双片苣苔 *Didymostigma obtusum* C. B. (Clarke) W. T. Wang

|药 材 名| 双片苣苔（药用部位：根）。

|形态特征| 茎渐升或近直立，长 12 ~ 20 cm，有 3 ~ 5 节，不分枝或分枝，多少密被柔毛。叶对生，叶片草质，卵形。花序腋生，不分枝或 2 ~ 4 回分枝，有 2 ~ 10 花；花序梗长 1.5 ~ 4 cm，被柔毛；苞片披针状线形，长 3 ~ 6 mm，宽 0.5 ~ 1 mm，被柔毛；花萼长 7.5 ~ 10 mm，5 裂至基部，裂片披针状狭线形，宽约 1 mm，被柔毛；花冠淡紫色或白色，长 3.6 ~ 5.2 cm，外面有稀疏极短的柔毛，花冠筒细漏斗形，长 3 ~ 3.5 cm，口部直径 0.7 ~ 1.2 cm，中部以下直径 2 ~ 4 mm，上唇长 5 ~ 7 mm，下唇长 9 ~ 12 mm；雄蕊无毛，花丝着生于距花冠基部 2.5 ~ 3.6 mm 处，长约 10 mm，稍扭曲，花药长约 2 mm，

退化雄蕊 2，着生于距花冠基部 2.3 ～ 3.5 cm 处，长约 5 mm；花盘环状，高约 0.5 mm，全缘；雌蕊长 2.2 ～ 3.4 cm，子房和花柱被疏柔毛，柱头长约 1 mm。蒴果长 4 ～ 8 cm；种子椭圆形，长约 0.4 mm。花期 6 ～ 10 月。

| 生境分布 | 生于海拔约 650 m 的山谷林中或溪边阴处。分布于湘中等。

| 资源情况 | 野生资源较少。药材主要来源于栽培。

| 功能主治 | 清热解毒。用于咳嗽。

苦苣苔科 Gesneriaceae 半蒴苣苔属 *Hemiboea*

贵州半蒴苣苔 *Hemiboea cavaleriei* H. Lél.

| 药 材 名 | 贵州半蒴苣苔（药用部位：全草。别名：秤杆草、搬倒甑、野升麻）。

| 形态特征 | 多年生草本，高 20 ~ 150 cm，不分枝或少分枝，具 4 ~ 15 节，散生紫斑。叶对生；叶片干时膜质或薄纸质，长圆状披针形、卵状披针形或椭圆形。聚伞花序顶生，具 3 至多花，花序梗长 0.5 ~ 6.5 cm；苞片近圆形，直径 1 ~ 2.5 cm，开放后呈船形；花梗长 2 ~ 5 mm；花萼 5 裂至基部，裂片卵状披针形；花冠白色、淡黄色或粉红色，散生紫斑，长 3 ~ 4.5 cm，外面疏被腺状短柔毛，内面近基部约 5 mm 处有毛环，檐部有紫斑，上唇长约 6 mm，2 裂，下唇长约 8 mm，3 裂；雄蕊 2，先端连着，退化雄蕊 3，中间 1 雄蕊小；花盘环状，高 1 ~ 1.2 mm；子房线形，无毛，柱头钝形。蒴果线状披针形，长 1.5 ~ 2.5 cm，多少弯曲；种子细小，多数。花期 8 ~ 9 月，

果期 9 ~ 11 月。

| 生境分布 | 生于海拔 250 ~ 1 500 m 的山谷林下石上。分布于湖南怀化（芷江、洪江）等。

| 资源情况 | 野生资源较多。药材主要来源于野生。

| 采收加工 | 夏、秋季采收，晒干或鲜用。

| 功能主治 | 微酸、涩，凉。清热解毒。用于痈肿疔毒，烫火伤，跌打损伤。

| 用法用量 | 外用适量，捣敷；或研末，麻油调敷。

| 附　　注 | 民间常药用全草治疗痈和烫伤。

苦苣苔科 Gesneriaceae 半蒴苣苔属 *Hemiboea*

华南半蒴苣苔 *Hemiboea follicularis* Clarke

| 药 材 名 | 华南半蒴苣苔（药用部位：全草）。

| 形态特征 | 多年生草本。茎上升，高 7 ~ 60 cm，不分枝，稍肉质，无毛，具 4 ~ 8 节，散生紫色小斑点。叶对生；叶片稍肉质，干时草质，卵状披针形、卵形或椭圆形，先端渐尖或尾尖，基部楔形或圆形，多少不相等，两面无毛，边缘具多数细锯齿或波状浅钝齿，有时近全缘，上面绿色，背面淡绿色；无石细胞；叶柄无毛。聚伞花序假顶生，具 7 ~ 20 余花；总苞球形，直径约 2 cm，无毛，开放时呈坛状；萼片 5，白色，长 1 ~ 1.1 cm，合生至中部以上，无毛；花冠隐藏于总苞中，白色，长 1.5 ~ 1.8 cm；筒钟形，外面无毛，内面基部上方 3 ~ 6 mm 处有 1 毛环，口部直径 7 mm，基部上方直径

3 mm；上唇 2 浅裂，裂片半圆形，下唇 3 浅裂，裂片半圆形；花丝着生于花冠基部上方 5 ~ 6 mm 处，狭线形，花药圆形，长 1 ~ 2 mm，腹面完全连着，退化雄蕊 2，先端小头状，分离；花盘环状；雌蕊无毛，花柱短于子房，柱头头状。蒴果长椭圆状披针形，无毛。花期 6 ~ 8 月，果期 9 ~ 11 月。

| 生境分布 | 生于海拔 240 ~ 1 500 m 的林下阴湿石上或沟边石缝。分布于湖南张家界（慈利）、邵阳（新宁）、郴州（宜章）等。

| 资源情况 | 野生资源一般。药材来源于野生。

| 功能主治 | 用于咳嗽，肺炎，跌打损伤，骨折等。

苦苣苔科 Gesneriaceae 半蒴苣苔属 *Hemiboea*

纤细半蒴苣苔 *Hemiboea gracilis* Franch.

| 药材名 | 纤细半蒴苣苔（药用部位：全草）。

| 形态特征 | 多年生草本。茎上升，细弱，通常不分枝，具 3 ~ 5 节，肉质，无毛，散生紫褐色斑点。叶对生，叶片稍肉质，干时草质，倒卵状披针形、卵状披针形或椭圆状披针形，多少偏斜，长 3 ~ 15 cm，宽 1.2 ~ 5 cm，全缘或具疏的波状浅钝齿，基部楔形或狭楔形，通常不对称，上面深绿色，疏生短柔毛，背面绿白色或带紫色，无毛；蠕虫状石细胞少量嵌生于维管束附近的基本组织中。聚伞花序假顶生或腋生，具 1 ~ 3 花；花序梗总苞球形，先端具细长尖头，无毛，开放后呈船形；花梗长 2 ~ 5 mm，无毛；萼片 5，线状披针形至长椭圆状披针形，无毛；花冠粉红色，具紫色斑点；筒外面疏生腺状

短柔毛，上唇长 5 ～ 8 mm，2 浅裂，裂片半圆形，下唇长 8 ～ 10 mm，3 浅裂，裂片半圆形；花丝着生于花冠基部，狭线形，花药长圆形，退化雄蕊 2，先端小头状，分离；花盘环状；雌蕊长 2 ～ 2.5 cm，无毛，子房线形，柱头头状。蒴果线状披针形，长 1.7 ～ 2.5 cm，宽 2.2 ～ 3 mm，无毛。花期 8 ～ 10 月，果期 10 ～ 11 月。

| 生境分布 | 生于海拔 300 ～ 1 300 m 的山谷阴处石上。分布于湖南常德（石门）、张家界（慈利、桑植）、湘西州（永顺、保靖、凤凰）、怀化（洪江）、永州（东安）、邵阳（新宁）等。

| 资源情况 | 野生资源一般。药材来源于野生。

| 采收加工 | 夏、秋季采收，鲜用或晒干。

| 功能主治 | 清热，利湿，解毒。用于湿热黄疸，咽喉肿痛，毒蛇咬伤，烫火伤。

苦苣苔科 Gesneriaceae 半蒴苣苔属 *Hemiboea*

半蒴苣苔 *Hemiboea henryi* C. B. Clarke

| 药 材 名 | 半蒴苣苔（药用部位：全草。别名：山白菜、天目降龙草、石花菜）。

| 形态特征 | 多年生草本。茎上升，高 10 ~ 40 cm，具 4 ~ 8 节，不分枝，肉质，散生紫斑，无毛或上部疏生短柔毛。叶对生；叶片椭圆形或倒卵状椭圆形，先端急尖或渐尖，基部下延。聚伞花序假顶生或腋生；萼片 5，长圆状披针形，长（0.9 ~ ）1 ~ 1.2 cm，宽 3 ~ 4.5 mm，无毛，干时膜质；花冠白色，具紫斑，长 3.5 ~ 4 cm，外面疏被腺状短柔毛，花冠筒长 3 ~ 3.4 cm，内面基部上方 6 ~ 7 mm 处具 1 毛环，口部直径 10 ~ 15 mm，上唇长 5 ~ 7 mm，2 浅裂，裂片半圆形，下唇长 7 ~ 9 mm，3 深裂，裂片卵圆形；雄蕊的花丝狭线形，先端连着，退化雄蕊 3，中间 1 雄蕊长 2 ~ 6 mm，侧面 2 雄蕊长 4 ~ 7 mm，先端小头状，连着或分离；花盘环状，高 1 ~ 1.2 mm；雌蕊长 3 ~ 4 cm，

无毛，柱头钝，略宽于花柱。蒴果线状披针形，多少弯曲，长 1.5 ~ 2.5 cm，基部宽 3 ~ 4 mm，无毛。花期 8 ~ 10 月，果期 9 ~ 11 月。

| 生境分布 | 生于海拔 350 ~ 1 800 m 的山谷林下或沟边阴湿处。分布于湖南邵阳（新宁、城步、武冈）、常德（桃源、石门）、张家界（慈利、桑植）、湘西州（凤凰、保靖、永顺）、永州（东安、道县、江永）、郴州（宜章）、怀化（洪江）等。

| 资源情况 | 野生资源较丰富。药材主要来源于野生资源。

| 采收加工 | 夏、秋季采收，晒干或鲜用。

| 功能主治 | 微苦，平。清热，利湿，解毒。用于湿热黄疸，咽喉肿痛，毒蛇咬伤，烫火伤。

| 用法用量 | 内服煎汤，15 ~ 30 g。外用适量，捣敷；或鲜品绞汁涂。

| 附　　注 | 民间药用全草治疗喉痛、麻疹和烫火伤。FOC 将本种学名修订为 *Hemiboea subcapitata* C. B. Clarke。

苦苣苔科 Gesneriaceae 半蒴苣苔属 *Hemiboea*

短茎半蒴苣苔 *Hemiboea subacaulis* Hand.-Mazz.

| 药材名 | 短茎半蒴苣苔（药用部位：全草。别名：南山生母、无茎苣苔、蟒蛇草）。

| 形态特征 | 多年生草本。茎上升，高 5 ~ 22.5 cm，通常不分枝，肉质，上部被疏或密的柔毛，下部变无毛，具 2 ~ 5 节。匍匐枝细长。叶对生；叶片稍肉质，干后草质，卵形或椭圆形。聚伞花序假顶生；花萼长 8 ~ 9 mm，上方的萼片分生或基部 1/3 合生，下方的萼片分生，近线形至长椭圆形，宽 1.8 ~ 3 mm，无毛，干时膜质；花冠粉红色，具紫斑；雄蕊的花丝着生于花冠基部上方 8 ~ 15 mm 处，狭线形，长 10 ~ 14 mm，花药呈卵状椭圆形，长 3 ~ 3.5 mm，先端连着，退化雄蕊 2，狭线形，长 3.5 ~ 6 mm，先端小头状，分离；花盘环状，高 1 mm；雌蕊长 2.1 ~ 2.5 cm，子房线形，无毛，柱头钝形。

蒴果线状披针形，长 2.5 cm，基部宽 3 mm，先端渐尖。花期 9 ~ 10 月，果期 10 ~ 12 月。

| 生境分布 | 生于海拔 80 ~ 600 m 的山谷石上。分布于湘中、湘西等。

| 资源情况 | 野生资源一般。栽培资源较多。药材主要来源于栽培。

| 采收加工 | 夏、秋季采收，晒干。

| 功能主治 | 辛、微苦，凉。散风热，止痒。用于风疹瘙痒。

| 用法用量 | 内服煎汤，150 g。

| 附　　注 | 本种与半蒴苣苔 *Hemiboea henryi* C. B. Clarke 的区别在于本种的花序梗疏被或密被柔毛，花冠粉红色，具紫斑，退化雄蕊 2；花期 9 ~ 10 月，果期 10 ~ 12 月。

苦苣苔科 Gesneriaceae 半蒴苣苔属 *Hemiboea*

降龙草 *Hemiboea subcapitata* C. B. Clarke

| 药 材 名 | 降龙草（药用部位：全草。别名：冷水草、四台花、虎山叶）。

| 形态特征 | 多年生草本。茎高 10 ~ 40 cm，肉质，无毛或疏生白色短柔毛，散生紫褐色斑点，不分枝。聚伞花序腋生或假顶生，具（1 ~ ）3 ~ 10 花或更多，花序梗长 2 ~ 4（ ~ 13） cm，无毛；总苞球形，先端具突尖，无毛，开裂后呈船形；花梗粗壮，长 2 ~ 5 mm，无毛；萼片 5，长椭圆形，长 6 ~ 9 mm，宽 3 ~ 4 mm，无毛，干时膜质；花冠白色，具紫斑，口部直径 13 ~ 15 mm，基部上方直径 5 ~ 6 mm，上唇长 5 ~ 6 mm，2 浅裂，裂片半圆形，下唇长 6 ~ 8 mm，3 浅裂，裂片半圆形；雄蕊的花丝着生于距花冠基部 14 ~ 15 mm 处，长 8 ~ 13 mm，狭线形，无毛，花药呈椭圆形，长 3 ~ 4 mm，先端连着，

退化雄蕊 3，中央 1 雄蕊小，长 2 mm，侧面 2 雄蕊长 5 ~ 8 mm，先端小头状，分离；花盘环状，高 1 ~ 1.2 mm；雌蕊长 3.2 ~ 3.5 cm，子房线形，无毛，柱头钝，略宽于花柱。蒴果线状披针形，多少弯曲，长 1.5 ~ 2.2 cm，基部宽 3 ~ 4 mm，无毛。花期 9 ~ 10 月，果期 10 ~ 12 月。

| 生境分布 | 生于海拔 100 ~ 2 100 m 的山谷林下石上或沟边阴湿处。分布于湖南邵阳（新宁、城步、武冈）、永州（东安、道县、江永）、常德（桃源、石门）、张家界（慈利、桑植）、湘西州（凤凰、保靖、永顺）、郴州（宜章）、怀化（洪江）等。

| 资源情况 | 野生资源较丰富。药材主要来源于野生。

| 采收加工 | 秋季采收，晒干或鲜用。

| 功能主治 | 甘，寒。清暑，利湿，解毒。用于外感暑湿，痈肿疮疖，蛇咬伤。

| 用法用量 | 内服煎汤，9 ~ 15 g。外用适量，鲜品捣敷。

苦苣苔科 Gesneriaceae 吊石苣苔属 *Lysionotus*

吊石苣苔 *Lysionotus pauciflorus* Maxim.

药材名 石吊兰（药用部位：全株）。

形态特征 常绿小灌木。叶对生或3～5轮生，叶片革质，线状披针形或狭长圆形，长1.5～5.8 cm，宽0.4～2 cm，先端急尖或钝，两面无毛。花单生或2～4集生成聚伞花序状，顶生或腋生；花萼5深裂；花冠白色、淡红色或带淡紫色条纹，长3.5～4.8 cm，檐部二唇形，上唇2裂，下唇3裂；能育雄蕊2，退化雄蕊2；雌蕊长2～3.4 cm，子房线形。蒴果线形；种子纺锤形，先端具长毛。花期7～10月，果期9～11月。

生境分布 生于林中阴处石上。分布于湖南株洲（炎陵）、衡阳（南岳）、邵阳（隆回、洞口、绥宁、新宁、城步、武冈）、张家界（慈利）、益阳（南县）、郴州（宜章）、永州（宁远）、怀化（洪江）等。

| 资源情况 | 野生资源较丰富。药材来源于野生。

| 采收加工 | 夏、秋季采收，晒干。

| 药材性状 | 本品茎呈圆柱形，长短不一；表面灰褐色或灰黄色，有粗皱纹，节略膨大，节间长短不一，有叶痕及不定根；质脆易折断，断面不整齐，黄绿色。叶轮生或对生，多已脱落，完整叶片展平后呈长圆形至条形，先端钝尖，叶上半部有疏锯齿，边缘反卷；厚革质；叶面草绿色，叶背黄绿色，主脉在叶面下陷，在叶背凸起。气微，味苦。

| 功能主治 | 苦、辛，平。祛风除湿，化痰止咳，祛瘀通经。用于风湿痹痛，咳喘痰多，月经不调，痛经，跌打损伤。

| 用法用量 | 内服煎汤，10 ~ 15 g。

苦苣苔科 Gesneriaceae 马铃苣苔属 *Oreocharis*

长瓣马铃苣苔 *Oreocharis auricula* (S. Moore) C. B. Clarke

| 药 材 名 | 长瓣马铃苣苔（药用部位：全草。别名：岩白菜、岩桐草、铍皮草）。

| 形态特征 | 多年生草本。叶全部基生，具柄，柄长 2 ~ 4 cm，密被褐色绢状绵毛；叶片长圆状椭圆形，长 2 ~ 8.5 cm，宽 1 ~ 5 cm，先端微尖或钝，基部圆形或稍呈心形，具钝齿至近全缘，上面被贴伏短柔毛，下面被淡褐色绢状绵毛至近无毛，侧脉 7 ~ 9 对，在下面隆起，密被褐色绢状绵毛。聚伞花序 2 ~ 5，2 回分枝，每花序具 4 ~ 11 花，花序梗长 6 ~ 12 cm；苞片长圆状披针形，密被褐色绢状绵毛；花梗长约 1 cm；花萼 5 裂至近基部，裂片相等，长圆状披针形，外面被绢状绵毛，内面近无毛；花冠细筒状，蓝紫色，外被短柔毛，筒长 1.2 ~ 1.5 cm，与檐部等长或稍长，喉部缢缩，近基部稍膨大，檐部二唇形，上唇 2 裂，下唇 3 裂，5 裂片近相等，近狭长圆形，

长 7 ~ 10 mm，宽约 3 mm；能育雄蕊 4，分生；花盘环状；雌蕊无毛，子房线状长圆形，长 7 ~ 10 mm，花柱长 2 ~ 3 mm，柱头 1，盘状。蒴果倒披针形，长约 4.5 cm。花期 6 ~ 7 月，果期 8 月。

| 生境分布 | 生于海拔 400 ~ 1 500 m 的山谷、沟边及林下潮湿岩石上。分布于湖南邵阳（新宁、武冈）、永州（东安、宁远）、郴州（宜章）、湘西州（永顺）等。

| 资源情况 | 野生资源较丰富。药材主要来源于野生。

| 采收加工 | 全年均可采收，晒干或鲜用。

| 功能主治 | 苦，凉。归肝经。凉血止血，清热解毒。用于各种出血，湿热带下，痈疽疮疖。

| 用法用量 | 内服煎汤，9 ~ 15 g。外用适量，捣敷。

| 附　　注 | 本种与绢毛马铃苣苔 *Oreocharis sericea* (H. Lév.) H. Lév. 相近缘，二者的区别在于本种的叶上面密被贴伏短柔毛，花冠上、下唇裂片近等长或上唇裂片至少裂至中部之下。

苦苣苔科 Gesneriaceae 马铃苣苔属 *Oreocharis*

湘桂马铃苣苔 *Oreocharis xiangguiensis* W. T. Wang et K. Y. Pan

| 药 材 名 | 湘桂马铃苣苔（药用部位：全草）。

| 形态特征 | 多年生草本。根茎长 2 ~ 2.5 cm，直径 3 ~ 5 cm。叶基生，具柄，叶片长圆状椭圆形。聚伞花序 2 ~ 4，2 ~ 3 回分枝；花冠筒状，长 1.3 ~ 1.4 cm，紫红色，向上稍扩大，外面被短柔毛，花冠筒直径 4.2 mm，长约 9 mm，长为檐部的 3 倍，檐部短，稍二唇形，上唇长约 3 mm，2 裂，裂片长约 2.5 mm，下唇长 4 mm，3 裂，中央裂片长 2.3 mm，侧裂片长约 2.2 mm；雄蕊 4，分生，上雄蕊长约 5.5 mm，着生于距花冠基部 5 mm 处，下雄蕊长 7.5 mm，着生于距花冠基部 1.5 mm 处，花丝近无毛，花药长 1.6 mm，药室先端不汇合，退化雄蕊长 0.5 mm，着生于距花冠基部 1.5 mm 处；花盘环状，高 1.2 mm，全缘；雌蕊无毛，子房长圆形，长约 7 mm，花柱长约 3 mm，柱头

微凹。蒴果线状长圆形，长约 3.5 cm，直径 2.5 mm，无毛。花期 9 月，果期 10 月。

| **生境分布** | 生于海拔 800 ~ 1 400 m 的山坡、山谷、路旁岩石上。分布于邵阳（新宁）等。

| **资源情况** | 栽培资源较多。药材主要来源于栽培。

| **功能主治** | 用于跌打损伤。

| **附　　注** | 本种与紫花马铃苣苔 *Oreocharis argyreia* Chun ex K. Y. Pan 的区别在于本种的叶边缘具细圆齿，下面被短柔毛，仅脉上被锈色绢状绵毛，花序梗、苞片、花梗及花萼外面均密被褐色绢状绵毛，花冠紫红色。

苦苣苔科 Gesneriaceae 蛛毛苣苔属 *Paraboea*

厚叶蛛毛苣苔 *Paraboea crassifolia* (Hemsl.) Burtt

| 药 材 名 | 厚叶蛛毛苣苔（药用部位：全草。别名：厚叶旋蒴苣苔、厚叶牛耳草、石灰草）。

| 形态特征 | 多年生草本。根茎圆柱形，长 0.5 ~ 1.5 cm，直径 5 ~ 9 mm，具多数须根。叶全部基生，近无柄；叶片厚而肉质，狭倒卵形、倒卵状匙形。聚伞花序 2 ~ 4，伞状，每花序具 4 ~ 12 花；花萼长约 3 mm，5 裂至近基部，裂片相等，狭线形，外面被淡褐色短绒毛；花冠紫色，无毛，长 1 ~ 1.4 cm，直径约 9 mm，筒短而宽，长 6 ~ 7 mm，直径约 6 mm，檐部二唇形，上唇 2 裂，裂片相等，长 3 ~ 4 mm，下唇 3 裂，裂片近圆形，长 3 ~ 4 mm；雄蕊 2，着生于花冠近基部，内藏，花丝狭线形，长 5.5 ~ 7 mm，无毛，上部稍膨大，成直角弯曲，花药大，狭长圆形，两端尖，长 2.5 ~ 3 mm，宽

1 ~ 1.2 mm，先端连着，药室汇合，退化雄蕊 2，长 2 ~ 2.5 mm，着生于距花冠基部 1.5 mm 处；无花盘；雌蕊无毛，长 8 ~ 10 mm，子房长圆形，比花柱短，长 3 ~ 4 mm，直径 0.8 ~ 1 mm，花柱纤细，长 5.5 ~ 6 mm，柱头 1，头状。蒴果未见。花期 6 ~ 7 月。

| 生境分布 | 生于海拔约 700 m 的山地石崖上。分布于湘中、湘西等。

| 资源情况 | 野生资源较丰富。药材主要来源于野生。

| 采收加工 | 5 ~ 6 月采收，晒干。

| 功能主治 | 甘，平。滋补强壮，止血，止咳。用于肝脾虚弱，劳伤吐血，内伤咯血，肺病咳喘，带下，无名肿毒等。

| 用法用量 | 炖鸡或炖肉食，100 ~ 200 g。

| 附　　注 | 本种与近似种网脉旋蒴苣苔 *Paraboea dictyoneura* (Hance) Burtt 的区别在于本种为无茎草本，叶全部基生，质厚，近无柄，聚伞花序具少数花，花丝稍膨大，花柱纤细，比子房长。

苦苣苔科 Gesneriaceae 蛛毛苣苔属 *Paraboea*

蛛毛苣苔 *Paraboea sinensis* (Oliv.) Burtt

| 药 材 名 | 蛛毛苣苔（药用部位：全株。别名：石头菜、门听、石青菜）。

| 形态特征 | 小灌木。茎常弯曲，高达 30 cm，幼枝具褐色毡毛，节间短。叶对生，具叶柄；叶片长圆形、长圆状倒披针形或披针形。花萼绿白色，常带紫色，5 裂至近基部，裂片相等，倒披针状匙形，先端圆形，全缘，两面近无毛；花冠紫蓝色，长 1.5 ~ 2 cm，直径约 1.5 cm，外面无毛，筒长 1 ~ 1.3 cm，檐部广展，稍二唇形，上唇比下唇略短，2 裂，裂片相等，近圆形；雄蕊 2，着生于花冠下方一侧近基部，花丝上部膨大似囊状，下部弯曲变细而扁平，无毛，花药大，狭长圆形，两端尖，先端连着，退化雄蕊 1 或 3，着生于距花冠基部 2 mm 处；无花盘；雌蕊无毛，内藏，长 6.5 ~ 10 mm，子房长圆形，长

约 5 mm，直径约 1.2 mm，花柱圆柱形，长约 5 mm，柱头 1，头状。蒴果线形，无毛，螺旋状卷曲；种子狭长圆形。花期 6 ~ 7 月，果期 8 月。

| 生境分布 | 生于海拔 400 ~ 1 200 m 的山坡林下石缝中或陡崖上。分布于湖南常德（石门）、张家界（桑植）、湘西州（永顺）等。

| 资源情况 | 野生资源丰富。药材主要来源于野生。

| 采收加工 | 春、夏季采收，洗净，鲜用或晒干。

| 功能主治 | 苦，凉。清热利湿，止咳平喘，凉血止血。用于痢疾，肝炎，咳嗽，哮喘，荨麻疹，外伤出血。

| 用法用量 | 内服煎汤，6 ~ 10 g。外用适量，煎汤熏洗；或研末敷。

苦苣苔科 Gesneriaceae 石山苣苔属 *Petrocodon*

石山苣苔 *Petrocodon dealbatus* Hance

| 药 材 名 | 石山苣苔（药用部位：全草）。

| 形态特征 | 多年生草本。根茎直，具柄。叶片纸质或薄革质，椭圆状倒卵形、椭圆形或长圆形，长 1.5 ~ 16 cm，宽 0.8 ~ 6.8 cm，先端微尖或渐尖，基部宽楔形或楔形，边缘在中部之上有小浅齿，或呈波状而近全缘，或有时有小牙齿，上面疏被短伏毛，下面沿脉密被短伏毛，侧脉每侧 4 ~ 5；叶柄长 0.5 ~ 11 cm，被短伏毛。聚伞花序 1 ~ 3，近伞状，每花序有 4 ~ 11 花，花序梗长 7.5 ~ 11 cm，被近贴伏的短毛；苞片线形，长 3 ~ 7 mm，疏被短伏毛；花梗细，长 3 ~ 6 mm，密被短糙伏毛；花萼长 2 ~ 5 mm，5 裂至基部，裂片披针状狭线形，宽 0.2 ~ 0.3 mm，两面疏被短糙毛；花冠白色，坛状粗筒形，

长 5.5 ~ 8 mm，外面上部被短柔毛，内面无毛，筒长 4 ~ 5 mm，口部直径约 2.5 mm，上唇长 0.8 ~ 2 mm，2 裂近基部，裂片正三角形，下唇长 1.8 ~ 3 mm，3 裂至中部或稍超过，裂片正三角形或卵形；雄蕊无毛，花丝着生于距花冠基部 1.5 ~ 2 mm 处，狭线形，长 2 mm，花药椭圆形，长 1.8 ~ 2.2 mm，退化雄蕊 2，着生于距花冠基部 0.3 ~ 1 mm 处，线形，长 0.3 mm，无毛；花盘高 0.4 ~ 0.6 mm；雌蕊长 6.5 ~ 8.5 mm，无毛，子房长 2.8 ~ 3.5 mm，有短柄，花柱长 3.8 ~ 4.8 mm，柱头小。蒴果长 1.2 ~ 2.2 cm，宽约 1.5 mm，无毛。花期 6 ~ 9 月。

| 生境分布 | 生于海拔 500 ~ 1 050 m 的山谷阴处石上或石山林中。分布于湖南邵阳（新宁）、怀化（洪江）、湘西州（永顺）等。

| 资源情况 | 野生资源稀少。药材主要来源于野生。

| 功能主治 | 用于肺热咳嗽，吐血，肿痛，出血。

列当科 Orobanchaceae 野菰属 *Aeginetia*

野菰 *Aeginetia indica* L.

| 药 材 名 | 野菰（药用部位：全草。别名：烟管头草、僧帽花、蛇箭草）。

| 形态特征 | 一年生寄生草本，高 15 ~ 40（~ 50）cm。根稍肉质，具树状细小分枝。茎黄褐色或紫红色，不分枝或近基部处有分枝，偶尔自中部以上分枝。叶肉红色，卵状披针形或披针形，长 5 ~ 10 mm，宽 3 ~ 4 mm，两面光滑无毛。花常单生于茎端，稍俯垂；花梗粗壮，常直立，长 10 ~ 30（~ 40）cm，直径约 3 mm，无毛，常具紫红色的条纹；花萼一侧裂开至近基部，长 2.5 ~ 4.5（~ 6.5）cm，紫红色、黄色或黄白色，具紫红色条纹，先端急尖或渐尖，两面无毛；花冠带黏液，常与花萼同色，或有时下部白色，上部带紫色，凋谢后变绿黑色，干时变黑色，长 4 ~ 6 cm，不明显的二唇形，筒部宽，稍弯曲，在花丝着生处变窄，先端 5 浅裂，上唇裂片和下唇的侧裂片较短，近

圆形，全缘，下唇中间裂片稍大；雄蕊 4，内藏，花丝着生于距筒基部 1.4 ~ 1.5 cm 处，长 7 ~ 9 mm，紫色，无毛，花药黄色，有黏液，成对黏合，仅 1 室发育，下方 1 对雄蕊的药隔基部延长成距；子房 1 室，侧膜胎座 4，横切面有极多分枝，花柱无毛，长 1 ~ 1.5 cm，柱头膨大，肉质，淡黄色，盾状。蒴果圆锥状或长卵球形，长 2 ~ 3 cm，2 瓣开裂；种子多数，细小，椭圆形，黄色，种皮网状。花期 4 ~ 8 月，果期 8 ~ 10 月。

| 生境分布 | 生于海拔 200 ~ 1 800 m 的土层深厚、湿润及枯叶多的地方。分布于湖南湘西州（泸溪、凤凰、保靖、古丈）、张家界（永定、慈利、桑植）、衡阳（南岳、衡山）、常德（桃源、石门）、永州（双牌、江永）、怀化（沅陵、洪江）、长沙（浏阳）、邵阳（新宁）、岳阳（平江）、郴州（宜章）等。

| 资源情况 | 野生资源丰富。药材主要来源于野生资源。

| 采收加工 | 春、夏季采收，鲜用或晒干。

| 药材性状 | 本品为寄生草本，体内无叶绿素。总状花序，花轴甚短，由鳞状苞腋抽生花梗，先端开花，侧向单生。

| 功能主治 | 苦，凉；有小毒。归肺、太阳经。清热解毒。用于咽喉肿痛，咳嗽，小儿高热，尿路感染，骨髓炎，毒蛇咬伤，疔疮。

| **用法用量** | 内服煎汤，9 ~ 15 g，大剂量可用至 30 g；或研末。外用适量，捣敷；或捣汁漱口。

| **附　　注** | 本种与假野菰 *Christisonia hookeri* C. B. Clarke 的主要区别在于后者的柱头是盘状着生的。

列当科 Orobanchaceae 藨寄生属 *Gleadovia*

藨寄生 *Gleadovia ruborum* Gamble et Prain.

| 药 材 名 | 藨寄生（药用部位：全草。别名：石腊竹）。

| 形态特征 | 植株高 8 ~ 18 cm。茎粗壮，长 4 ~ 10 cm，直径 1 ~ 1.5 cm，全部地上生。生于茎基部的叶近圆形，上部的渐变狭，宽卵形或长圆形，先端稍尖，与苞片和小苞片一起，两面无毛。花常 3 至数朵簇生于茎的先端，几无梗或具近等长的短梗，花梗长 1 ~ 2（ ~ 2.5） cm；苞片 1，生于花梗的基部，长卵形或长圆形，长 1.4 ~ 2 cm，宽 6 ~ 8 mm，先端稍尖，小苞片 2，生于花梗的近基部或中部以下，长圆形或匙形，长 1.5 ~ 2 cm，宽 0.4 ~ 0.8（ ~ 1） cm，先端钝或具小齿；花萼筒状钟形，向上漏斗状扩大，长 2 ~ 3（ ~ 3.5） cm，口部直径 1.5 ~ 1.8 cm，先端整齐 5 浅裂，裂片长圆形或三角形，近等大，先端稍尖或又再 2 齿裂，或具小齿；花冠常红色、蔷薇红色，

稀白色，常有香气，长 5 ~ 7 cm，筒部稍收缩，向上明显扩大，呈张开的二唇形，上唇大，先端微凹或 2 浅裂，裂片半圆形，近全缘或有小齿，下唇远小于上唇，3 裂，裂片长圆状披针形，全部裂片外面无毛，里面被长柔毛；雄蕊 4，花丝着生于距筒基部 1 ~ 1.5 cm 处，长 2 ~ 3 cm，基部密被长柔毛，向上渐变无毛，花药卵形，长 3 ~ 4 mm，药隔较宽，先端伸长成长约 1 mm 的圆锥状小尖头；子房卵球形，花柱长 3 ~ 5 cm，柱头盘状或 2 浅裂，胎座 2。果实近卵球形；种子椭圆形。花期 4 ~ 8 月，果期 8 ~ 10 月。

| 生境分布 | 生于海拔 900 ~ 1 500 m 的林下湿处或灌丛中，喜寄生于悬钩子属植物的根上。分布于湖南邵阳（绥宁）、张家界（永定）、怀化（通道）等。

| 资源情况 | 野生资源稀少。药材主要来源于野生。

| 采收加工 | 夏、秋季采收，切段，晒干。

| 功能主治 | 解毒。用于梅毒。

| 用法用量 | 内服煎汤，9 ~ 15 g。外用适量，煎汤熏洗。

列当科 Orobanchaceae 列当属 *Orobanche*

列当 *Orobanche coerulescens* Steph.

|药材名| 列当（药用部位：全草。别名：裂马嘴）。

|形态特征| 二年生或多年生寄生草本，全株密被蛛丝状长绵毛。茎直立，不分枝，具明显的条纹，基部常稍膨大。下部的茎生叶较密集，上部的茎生叶渐变稀疏，卵状披针形，连同苞片和花萼外面及边缘密被蛛丝状长绵毛。花多数，排列成穗状花序，长 10 ~ 20 cm，先端钝圆或呈锥状；苞片与叶同形并近等大，先端尾状渐尖；花萼长 1.2 ~ 1.5 cm，2 深裂，达近基部，每裂片中部以上再 2 浅裂，小裂片狭披针形，先端长尾状渐尖；花冠深蓝色、蓝紫色或淡紫色，筒部在花丝着生处稍上方缢缩，口部稍扩大；上唇 2 浅裂，极少先端微凹，下唇 3 裂，裂片近圆形或长圆形，中间的较大，先端钝圆，边缘具不规则小圆齿；雄蕊 4，花丝着生于筒中部；雌蕊柱头常 2

浅裂，子房椭圆体状或圆柱状，花柱与花丝近等长，常无毛。蒴果卵状长圆形或圆柱形；种子多数，不规则椭圆形或长卵形，表面具网状纹饰，网眼底部具蜂巢状凹点。花期 4 ~ 7 月，果期 7 ~ 9 月。

| 生境分布 | 生于海拔 850 ~ 2 000 m 的沙丘、山坡及沟边草地上。分布于湖南岳阳（湘阴）、湘西州（永顺）等。

| 资源情况 | 野生资源稀少。药材来源于野生。

| 采收加工 | 春、夏季采收，洗去泥沙、杂质，晒成七八成干，扎成小把，再晒至全干。

| 药材性状 | 本品干燥全草被白色柔毛。茎肥壮，肉质，表面黄褐色或暗褐色，具纵皱纹。鳞片互生，卵状披针形，先端尖，黄褐色皱缩，稍卷曲。花序顶生，长 7 ~ 10 cm，黄褐色，花冠筒状，蓝紫色或淡紫色，略弯曲。蒴果卵状椭圆形，长 1 cm。气微，味微苦。

| 功能主治 | 补肾壮阳，强筋骨，润肠。用于肾虚阳痿，遗精，宫冷不孕，小儿佝偻病，腰膝冷痛，筋骨软弱，肠燥便秘；外用于小儿肠炎。

| 用法用量 | 内服煎汤，3 ~ 9 g；或浸酒。外用适量，煎汤洗。

列当科 Orobanchaceae 黄筒花属 *Phacellanthus*

黄筒花 *Phacellanthus tubiflorus* Sieb. et Zucc.

|药 材 名| 黄筒花（药用部位：全草）。

|形态特征| 高 5 ~ 11 cm，全株几无毛。茎直立，单生或簇生，不分枝。叶较稀疏地螺旋状排列于茎上，卵状三角形或狭卵状三角形，边缘稍膜质，先端尖。常 4 至 10 余花簇生于茎端成近头状花序；苞片 1，宽卵形至长椭圆形，先端渐尖或稍钝，具脉纹；花几无梗；无花萼；花冠筒状二唇形，白色，后渐变浅黄色，长 2.5 ~ 3.5 cm，筒部长 2.5 ~ 3 cm，上唇先端微凹或 2 浅裂，下唇 3 裂，明显短于上唇，裂片近等大，长圆形，裂片之间具褶；雄蕊 4，花丝纤细，花药 2 室，全部发育，卵形，长约 1.8 mm，基部稍钝，药隔稍伸长；子房椭圆球形，侧膜胎座 4 ~ 6，子房基部常为 6，中部以上 4 或 5，花柱伸长，无毛，柱头棍棒状，近 2 浅裂。蒴果长圆形；种子多数，卵形，种皮网状。

花期 5 ~ 7 月，果期 7 ~ 8 月。

| 生境分布 | 生于海拔 800 ~ 1 400 m 的山坡林下。分布于湖南张家界（桑植），邵阳（绥宁）等。

| 资源情况 | 野生资源稀少。药材来源于野生。

| 采收加工 | 6 ~ 8 月采收，晒干。

| 功能主治 | 甘、微苦，凉。补肝肾，强腰膝，清热解毒。用于头晕，神经衰弱，腰膝疼痛，肠炎，无名肿痛。

| 用法用量 | 内服煎汤，6 ~ 15 g。

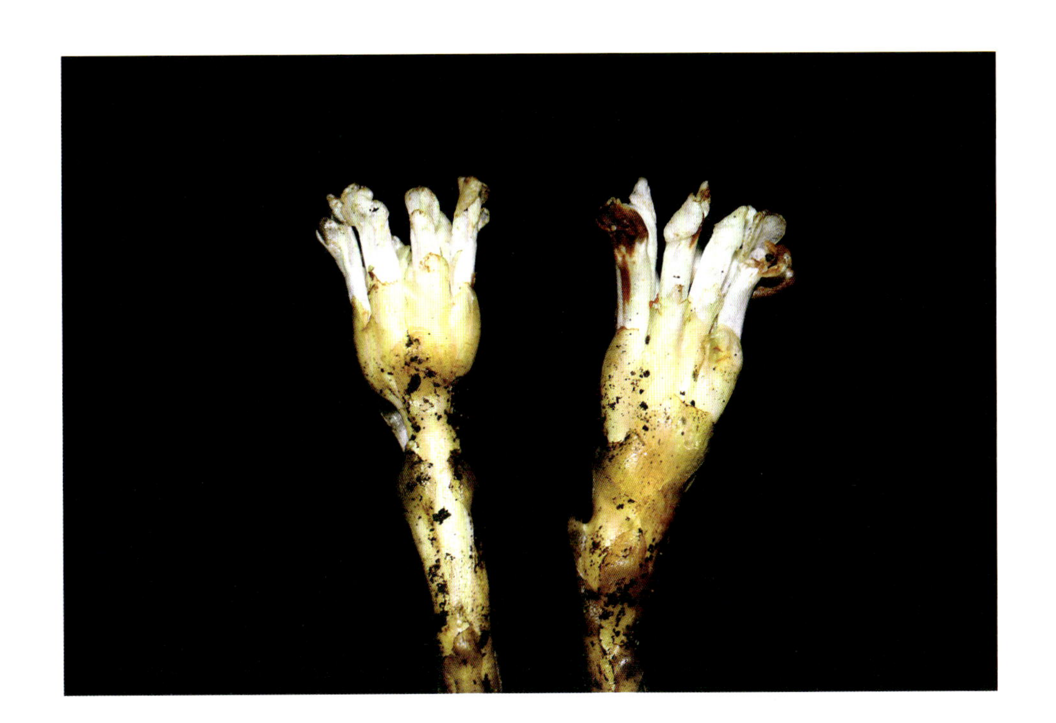

狸藻科 Lentibulariaceae 狸藻属 *Utricularia*

黄花狸藻 *Utricularia aurea* Lour.

| 药 材 名 | 黄花狸藻（药用部位：全草。别名：金鱼茜、水上一枝黄花）。

| 形态特征 | 水生草本。假根通常不存在，存在时轮生于花序梗的基部或近基部，扁平并多少膨大，长 2 ~ 6 cm，直径 1 ~ 3 mm，具丝状分枝。叶器多数，互生，长 2 ~ 6 cm，3 ~ 4 深裂达基部，裂片先羽状深裂，后 1 ~ 4 回二歧状深裂，末回裂片毛发状，具细刚毛。捕虫囊通常多数，侧生于叶器裂片上，斜卵球形，侧扁，具短梗，长 1 ~ 4 mm，口侧生，上唇具 2 常疏生分枝的刚毛状附属物，下唇无附属物。花序直立，长 5 ~ 25 cm，无毛，花序梗圆柱形，直径 0.3 ~ 1.3 mm，无鳞片；苞片基部着生，宽卵圆形，长 1.5 ~ 2 mm，先端圆形或急尖；花梗丝状，背腹扁，横断面呈椭圆形。蒴果球形，直径 4 ~

5 mm，先端具喙状宿存花柱，周裂；种子多数，压扁，具 5 ~ 6 角和细小的网状突起，直径 0.8 ~ 2 mm，角上具极狭的棱翅，淡褐色，无毛。花期 6 ~ 11 月，果期 7 ~ 12 月。

| 生境分布 | 生于海拔 1 200 m 以下的湖泊、池塘、水塘。分布于湖南常德（津市）、株洲、张家界（慈利）、郴州（安仁）等。

| 资源情况 | 野生资源稀少。药材主要来源于野生。

| 功能主治 | 外用于目赤肿痛，急性结膜炎。

狸藻科 Lentibulariaceae 狸藻属 *Utricularia*

挖耳草 *Utricularia bifida* L.

| 药材名 | 挖耳草（药用部位：根、叶。别名：割鸡芒）。

| 形态特征 | 陆生小草本。假根少数，丝状，基部增厚，具多数长 0.5 ~ 1 mm 的乳头状分枝。叶器生于匍匐枝上，狭线形或线状倒披针形，先端急尖或钝形，长 7 ~ 30 mm，宽 1 ~ 4 mm，膜质，无毛，具 1 脉。捕虫囊生于叶器及匍匐枝上，球形，侧扁，长 0.6 ~ 1 mm，具柄，口基生，上唇具 2 钻形附属物，下唇钝形，无附属物。花序直立，长 2 ~ 40 cm；花序梗圆柱状，直径 0.3 ~ 1 mm，上部光滑，下部具细小的腺体，具 1 ~ 5 鳞片；苞片与鳞片相似，基部着生，宽卵状长圆形，先端钝，长约 1 mm；花萼 2 裂达基部，上唇稍大，裂片宽卵形，先端钝，基部下延，无毛。蒴果宽椭圆球形，背腹扁，果皮膜质，长 2.5 ~ 3 mm，室背开裂；种子多数，卵球形或长球形，长 0.4 ~

0.6 mm，种皮无毛，具网状突起，网格纵向延长，多少扭曲。花期 6 ~ 12 月，果期 7 月至翌年 1 月。

| 生境分布 | 生于海拔 600 ~ 1 350 m 的水田、沟边、沼泽地、湿草地上。分布于湖南永州（双牌）等。

| 资源情况 | 野生资源稀少。药材主要来源于野生。

| 采收加工 | 夏季采收嫩茎叶，晒干；秋、冬季采挖根。

| 功能主治 | 用于痢疾，牙痛，乳蛾，子宫脱垂，脱肛，感冒发热，头风，风炎赤眼，咽喉肿痛，痄腮，牙痛，乳痈，疮疖肿毒，痔疮出血，腹痛泄泻，急惊风。

| 用法用量 | 内服煎汤，5 ~ 15 g；或捣汁。外用适量，鲜品捣敷；或煎汤洗。

透骨草科 Phrymaceae 透骨草属 *Phryma*

透骨草 *Phryma leptostachya* L. subsp. *asiatica* (Hara) Kitamura

|药 材 名|

毒蛆草（药用部位：全草。别名：透骨草、一马光、接生草）。

|形态特征|

多年生草本，高 10 ~ 100 cm。茎直立，四棱形，不分枝或于上部有带花序的分枝，分枝叉开，绿色或淡紫色，遍布倒生短柔毛或于茎上部有开展的短柔毛，稀近无毛。叶对生；叶片卵状长圆形、卵状披针形、卵状椭圆形至卵状三角形或宽卵形，先端渐尖、尾状急尖或急尖，稀近圆形，边缘有钝锯齿、圆齿或圆齿状牙齿，两面散生但沿脉被较密的短柔毛。穗状花序生于茎顶及侧枝先端，具短梗，于蕾期直立，开放时斜展至平展，花后反折；花萼筒状，有 5 纵棱；花冠漏斗状筒形，蓝紫色、淡红色至白色，外面无毛，内面于筒部远轴面被短柔毛。瘦果狭椭圆形，包藏于棒状宿存花萼内，反折并贴近花序轴；种子 1，基生，种皮薄膜质，与果皮合生。花期 6 ~ 10 月，果期 8 ~ 12 月。

|生境分布|

生于海拔 1 200 ~ 1 800 m 的杂木林下湿润处。分布于湖南衡阳（南岳）、邵阳（新宁）、常德（石门）、张家界（桑植）、湘西州（花垣、永顺）等。

｜资源情况｜ 野生资源较少。药材主要来源于野生。

｜采收加工｜ 秋季采收，晒干。

｜功能主治｜ 涩，凉。清热利湿，活血消肿。用于黄水疮，疥疮，湿疹，跌打损伤，骨折。

｜用法用量｜ 内服煎汤，9 ~ 15 g。外用适量，鲜叶捣敷。

车前科 Plantaginaceae 车前属 *Plantago*

车前 *Plantago asiatica* L.

| 药 材 名 | 车前子（药用部位：种子。别名：大粒车前子）。

| 形态特征 | 多年生草本，连花茎可高达 50 cm。具须根。具长柄，柄几与叶片等长或长于叶片，基部扩大；叶片卵形或椭圆形，长 4 ~ 12 cm，宽 2 ~ 7 cm，先端尖或钝，基部狭窄成长柄，全缘或呈不规则的波状浅齿，通常有 5 ~ 7 弧形脉。花淡绿色，每花有宿存苞片 1，三角形；花萼 4，基部稍全生，椭圆形或卵圆形，宿存；花冠小，膜质，花冠管卵形，先端 4 裂片三角形，向外反卷；雄蕊 4，着生于花冠管近基部，与花冠裂片互生，花药长圆形，先端有三角形突出物，花丝线形；雌蕊 1，子房上位，卵圆形，2 室（假 4 室），花柱 1，线形，有毛。蒴果卵状圆锥形，成熟后约在下方 2/5 处周裂，下方 2/5 宿存；种子 4 ~ 8（~ 9），近椭圆形，黑褐色。花期 6 ~ 9 月，

果期10月。

| 生境分布 | 生于海拔1 800 m以下的山野、草地、沟谷路旁、田埂河边等潮湿处。湖南各地均有分布。

| 资源情况 | 野生资源丰富。药材主要来源于野生。

| 采收加工 | 6 ~ 10月陆续剪下黄色成熟果穗，晒干，搓出种子，去除杂质。

| 药材性状 | 本品略呈椭圆形或不规则长圆形，稍扁，长约2 mm，宽约1 mm。表面淡棕色或棕色，略粗糙不平。于放大镜下可见微细纵纹，稍平1面的中部有淡黄色凹点状种脐。质硬，切断面灰白色，放入水中，外皮有黏液释出。气微，嚼之带黏液性。

| 功能主治 | 甘、淡，微寒。归肺、肝、肾、膀胱经。清热利尿，渗湿止泻，明目，祛痰。用于小便不利，淋浊带下，水肿胀满，暑湿泻痢，目赤障翳，痰热咳喘。

| 用法用量 | 内服煎汤，5 ~ 15 g，包煎；或入丸、散剂。外用适量，煎汤洗；或研末调敷。

| 附　　注 | 本种为《中华人民共和国药典》（2020版）车前草的基原植物。

Plantaginaceae *Plantago*

疏花车前 *Plantago asiatica* L. subsp. *erosa* (Wall.) Z. Y. Li

| 药 材 名 | 滇车前（药用部位：全草或种子。别名：小车前）。

| 形态特征 | 二年生或多年生草本。须根多数。根茎短，稍粗。叶基生呈莲座状，平卧、斜展或直立；叶片薄纸质或纸质，宽卵形至宽椭圆形，先端钝圆至急尖，边缘波状、全缘或中部以下有锯齿、牙齿或裂齿，基部宽楔形或近圆形，多少下延，两面疏生短柔毛；叶脉 3 ~ 5。穗状花序通常稀疏、间断；花萼长 2 ~ 2.5 mm，龙骨突通常延至萼片先端；花冠裂片较小，长约 1 mm。蒴果圆锥状卵形，长 3 ~ 4 mm；种子 6 ~ 15，长 1.2 ~ 1.7（~ 2）mm。花期 5 ~ 7 月，果期 8 ~ 9 月。

| 生境分布 | 生于海拔 350 ~ 2 000 m 的山坡草地、河岸、沟边、田边及火烧迹地。分布于湖南邵阳（新宁）、永州（江永）等。

| 资源情况 | 野生资源稀少。药材来源于野生。

| 采收加工 | 春季采收，洗净，晾干或鲜用。

| 功能主治 | 甘，寒。归肝、肾、肺经。清热解毒，利尿通淋，祛痰，凉血，止血。用于热淋涩痛，水肿尿少，痈肿疮毒，暑湿泄泻，血热吐衄等。

| 用法用量 | 内服煎汤，9 ~ 30 g，鲜品 30 ~ 60 g；或捣汁服。外用适量，鲜品捣敷。

车前科 Plantaginaceae 车前属 *Plantago*

平车前 *Plantago depressa* Willd.

| 药 材 名 | 车前子（药用部位：种子）。

| 形态特征 | 一年生或二年生草本。根长，具多数侧根，多少肉质；根茎短。叶基生，呈莲座状，纸质，椭圆形、椭圆状披针形或卵状披针形，长 3 ~ 12 cm，先端急尖或微钝，基部楔形，下延至叶柄，边缘具浅波状钝齿、不规则锯齿或牙齿，脉 5 ~ 17，两面疏生白色短柔毛；叶柄长 2 ~ 11 cm，基部扩大成鞘状。穗状花序 3 ~ 10 或更多，上部密集，基部常间断，长 6 ~ 12 cm；花序梗长 5 ~ 18 cm，疏生白色短柔毛；苞片三角状卵形，无毛，龙骨突宽厚；萼片龙骨突宽厚，不延至先端；花冠白色，无毛，花冠筒等长于或稍长于萼片，裂片长 0.5 ~ 11 mm，花后反折；雄蕊着生于花冠筒内面近先端处，同

花柱明显外伸，花药先端具宽三角状小突起，鲜时白色或绿白色，干后变淡褐色；胚珠 5。蒴果卵状椭圆形或圆锥状卵形，长 4 ~ 5 mm，于基部上方周裂；种子 4 ~ 15，椭圆形，腹面平坦，长 1.2 ~ 11.8 mm。花期 5 ~ 17 月，果期 7 ~ 19 月。

| 生境分布 | 生于草地、沟边、田间、路旁。分布于湖南张家界（桑植）、郴州（宜章）等。

| 资源情况 | 野生资源丰富。药材来源于野生。

| 采收加工 | 6 ~ 10 月采收黄色成熟果穗，晒干，搓出种子，除去杂质。

| 药材性状 | 本品呈长椭圆形，稍扁。表面黑棕色或棕色，背面略隆起，腹面较平坦，中央有明显的白色凹点状种脐。质硬，切面灰白色。气微，嚼之有黏性。

| 功能主治 | 甘、淡，微寒。归肝、肾、膀胱经。清热利尿，渗湿止泻，明目，祛痰。用于小便不利，淋浊带下，水肿胀满，暑湿泻痢，目赤翳障，痰热咳喘。

| 用法用量 | 内服煎汤，5 ~ 15 g，包煎；或入丸、散剂。外用适量，煎汤洗；或研末调敷。

车前科 Plantaginaceae 车前属 *Plantago*

大车前 *Plantago major* L.

| 药 材 名 | 大车前子（药用部位：种子。别名：小粒车前子）、大车前草（药用部位：全草。别名：蛤蟆草、马蹄草、夫子草）。

| 形态特征 | 二年生或多年生草本。须根多数。根茎粗短。叶基生，呈莲座状，平卧、斜展或直立；叶片草质、薄纸质或纸质，宽卵形至宽椭圆形，长 3 ~ 18（~ 30）cm，宽 2 ~ 11（~ 21）cm，先端钝尖或急尖，边缘波状，疏生不规则牙齿，或近全缘，两面疏生短柔毛或近无毛，少数被较密的柔毛。花序 1 至数个，花序梗直立或弓曲上升，有纵条纹，被短柔毛或柔毛，穗状花序细圆柱状，基部常间断；苞片宽卵状三角形，长 1.2 ~ 2 mm，宽与长约相等或略超过长，无毛或先端疏生短毛，龙骨突宽厚。蒴果近球形、卵球形或宽椭圆状球形，长 2 ~ 3 mm，于中部或稍低处周裂；种子（8 ~ ）12 ~ 24（ ~ 34），

卵形、椭圆形或菱形，长 0.8 ~ 1.2 mm，具角，腹面隆起或近平坦，黄褐色，子叶背腹向排列。花期 6 ~ 8 月，果期 7 ~ 9 月。

| 生境分布 | 生于海拔 1 500 m 以下的路边、沟旁、田边潮湿处。湖南各地均有分布。

| 资源情况 | 野生资源较少。

| 采收加工 | **大车前子：** 6 ~ 10 月陆续剪下黄色成熟果穗，晒干，搓出种子，除去杂质。

大车前草： 秋季采收，洗净泥沙，晒干或鲜用。

| 药材性状 | **大车前子：** 本品类三角形或斜方形，粒小，长 0.88 ~ 1.6 mm，宽 0.55 ~ 0.9 mm。表面棕色或棕褐色，腹面隆起较高，脐点白色，多位于腹面隆起的中央或一端。

大车前草： 本品具短而肥的根茎，并有须根。叶片卵形或宽卵形，长 6 ~ 10 cm，宽 3 ~ 6 cm，先端圆钝，基部圆或宽楔形，基出脉 5 ~ 7。穗状花序排列紧密。蒴果椭圆形，周裂，萼宿存。气微香，味微苦。

| 功能主治 | **大车前子：** 甘、淡，微寒。归肺、肝、肾、膀胱经。清热利尿，渗湿止泻，明目，祛痰。用于小便不利，淋浊带下，水肿胀满，暑湿泻痢，目赤障翳，痰热咳喘。

大车前草： 甘，寒。归肝、肾、膀胱经。清热利尿，凉血，解毒。用于热结膀胱，小便不利，淋浊带下，暑湿泻痢，衄血，尿血，肝热目赤，咽喉肿痛，痈肿疮毒。

| 用法用量 |

大车前子：内服煎汤，5 ~ 15 g，包煎；或入丸、散剂。外用适量，煎汤洗；或研末调敷。

大车前草：内服煎汤，15 ~ 30 g，鲜品 30 ~ 60 g；或捣汁服。外用适量，煎汤洗；或捣敷；或绞汁涂。

车前科 Plantaginaceae 车前属 *Plantago*

北美车前 *Plantago virginica* L.

|药材名| 北美车前（药用部位：全草）。

|形态特征| 一年生或二年生草本。直根纤细，有细侧根。根茎短。叶基生呈莲座状，平卧至直立；叶片倒披针形至倒卵状披针形，长（2 ~ ）3 ~ 18 cm，宽 0.5 ~ 4 cm，先端急尖或近圆形，边缘波状、疏生牙齿或近全缘，基部狭楔形，下延至叶柄，两面及叶柄散生白色柔毛，脉（3 ~ ）5；叶柄长 0.5 ~ 5 cm，具翅或无翅，基部鞘状。花序 1 至多数；花序梗直立或弓曲上升，长 4 ~ 20 cm，较纤细，有纵条纹，密被开展的白色柔毛，中空；穗状花序细圆柱状，长（1 ~ ）3 ~ 18 cm，下部常间断；苞片披针形或狭椭圆形，长 2 ~ 2.5 mm，龙骨突宽厚，宽于侧片，背面及边缘有白色疏柔毛；萼片与苞片等长或略短，前对萼片倒卵圆形，龙骨突较宽，不达先端，先端钝，两

侧片不等宽，先端及背面有白色短柔毛，后对萼片宽卵形，龙骨突较狭，伸出先端，两侧片较宽，龙骨突及边缘疏生白色短柔毛；花冠淡黄色，无毛，冠筒等长或略长于萼片；花两性，能育花的花冠裂片卵状披针形，长 1.5 ~ 2.5 mm，直立，雄蕊着生于冠筒内面先端，被直立的花冠裂片所覆盖，花药狭卵形，长仅 0.25 ~ 0.3 mm，淡黄色，干后黄色，具狭三角形小尖头，花柱内藏或略外伸，以闭花受粉为主；风媒花通常不育，花冠裂片与能育花同形，但开展并于花后反折，雄蕊与花柱明显外伸，花药宽椭圆形，长 1 ~ 1.1 mm，淡黄色，干后黄褐色，具三角形小尖头；胚珠 2。蒴果卵球形，长 2 ~ 3 mm，于基部上方周裂；种子 2，卵形或长卵形，长（1 ~ ）1.4 ~ 1.8 mm，腹面凹陷成船形，黄褐色至红褐色，有光泽；子叶背腹向排列。花期 4 ~ 5 月，果期 5 ~ 6 月。

| 生境分布 | 生于低海拔草地、路边、湖畔。湖南各地均有分布。

| 资源情况 | 野生资源丰富。药材来源于野生。

| 采收加工 | 春季采收，洗净，晾干或鲜用。

| 功能主治 | 甘，寒。归肝、肾、肺经。利尿，清热，明目，祛痰。用于小便不利，淋浊，带下，尿血，黄疸等。

| 用法用量 | 内服煎汤，9 ~ 30 g，鲜品 30 ~ 60 g；或捣汁服。

忍冬科 Caprifoliaceae 六道木属 *Abelia*

糯米条 *Abelia chinensis* R. Br.

|药材名| 糯米条（药用部位：茎叶、花、根。别名：茶条树、水蜡、白花树）。

|形态特征| 落叶多分枝灌木，高达 2 m。嫩枝被微毛，红褐色，老枝树皮纵裂。叶对生，有时 3 叶轮生，叶柄长 1 ~ 5 mm；叶片圆卵形至椭圆状卵形，长 2 ~ 5 cm，宽 1 ~ 3.5 cm，先端急尖或短渐尖，基部圆形或心形，边缘有稀疏圆锯齿，上面疏被短毛，下面沿中脉及侧脉的基部密生柔毛。聚伞花序生于小枝上部叶腋，由多数花序集合成 1 圆锥花簇，总花梗被短柔毛，果期光滑，花芳香，具 3 对小苞片；花萼筒圆柱形，被短柔毛，稍扁，具纵条纹，萼檐 5 裂，裂片椭圆形或倒卵状长圆形，长约 5 mm，果期变红色；花冠白色至粉红色，漏斗状，长 1 ~ 1.2 cm，外具微毛，裂片 5，卵圆形；雄蕊，伸出花冠；花柱细长，柱头圆盘形。果实长约 5 mm，具短柔毛，冠以

宿存而略增大的萼裂片。花期 9 月，果期 10 月。

| 生境分布 | 生于海拔 170 ~ 1 500 m 的山地。分布于湖南衡阳（南岳、衡南、衡山、祁东）、邵阳（邵东、洞口、新宁）、永州（东安、双牌）、岳阳（平江）、郴州（宜章）、长沙等。

| 资源情况 | 野生资源较丰富。药材主要来源于野生。

| 采收加工 | 春、夏、秋季均可采收，鲜用，或切段，晒干。

| 功能主治 | 茎叶，苦，凉。清热解毒，凉血止血。用于湿热痢疾，痈疽疮疖，咯血，吐血，便血，流行性感冒，跌打损伤。根，用于牙痛。花，用于头痛，牙痛。

| 用法用量 | 内服煎汤，6 ~ 15 g；或生品捣汁。外用适量，煎汤洗；或捣敷。

忍冬科 Caprifoliaceae 六道木属 *Abelia*

南方六道木 *Abelia dielsii* (Graebn.) Rehd.

| 药材名 | 南方六道木（药用部位：果实）。

| 形态特征 | 落叶灌木，高 2 ~ 3 m。当年小枝红褐色，老枝灰白色。叶长卵形、矩圆形、倒卵形或椭圆形至披针形，变化幅度很大，长 3 ~ 8 cm，宽 0.5 ~ 3 cm，嫩时上面散生柔毛，下面除叶脉基部被白色粗硬毛外，光滑无毛，先端尖或长渐尖，基部楔形、宽楔形或钝，全缘或有 1 ~ 6 对牙齿，具缘毛；叶柄长 4 ~ 7 mm，基部膨大，散生硬毛。花 2 生于侧枝顶部叶腋；总花梗长 1.2 cm；花梗极短或几无；苞片 3，形小而有纤毛，中央 1 苞片长 6 mm，侧生者长 1 mm；萼筒长约 8 mm，散生硬毛，萼檐 4 裂，裂片卵状披针形或倒卵形，先端钝圆，基部楔形；花冠白色，后变浅黄色，4 裂，裂片圆，长约为筒

的 1/5 ~ 1/3，筒内有短柔毛；雄蕊 4，二强，内藏，花丝短；花柱细长，与花冠等长，柱头头状，不伸出花冠筒外。果实长 1 ~ 1.5 cm；种子柱状。花期 4 月下旬至 6 月上旬，果期 8 ~ 9 月。

| 生境分布 | 生于海拔 800 ~ 2 000 m 的山顶灌丛、路边林下。分布于湖南张家界（永定）等。

| 资源情况 | 野生资源稀少。药材主要来源于野生。

| 采收加工 | 秋季采摘，晒干。

| 功能主治 | 苦、辛，平。归肝经。祛风湿。用于风湿痹痛。

| 用法用量 | 内服煎汤，15 ~ 24 g。

忍冬科 Caprifoliaceae 六道木属 *Abelia*

二翅六道木 *Abelia macrotera* (Graebn. et Buchw.) Rehd.

| 药材名 | 二翅六道木（药用部位：根、枝、叶。别名：空心树、假拉药藤、紫荆榧）。

| 形态特征 | 落叶灌木，高 1 ~ 2 m。幼枝红褐色，光滑。叶卵形至椭圆状卵形，长 3 ~ 8 cm，宽 1.5 ~ 3.5 cm，先端渐尖或长渐尖，基部钝圆或阔楔形至楔形，边缘具疏锯齿及睫毛，上面绿色，叶脉下陷，疏生短柔毛，下面灰绿色，中脉及侧脉基部密生白色柔毛。聚伞花序常由未伸展的带叶花枝构成，含数花，生于小枝先端或上部叶腋，花大，长 2.5 ~ 5 cm；苞片红色，披针形，小苞片 3，卵形，疏被长柔毛；花萼筒被短柔毛，花萼裂片 2，长 1 ~ 1.5 cm，矩圆形、椭圆形或狭椭圆形，长为花冠筒的 1/3；花冠浅紫红色，漏斗状，长 3 ~ 4 cm，外面被短柔毛，内面喉部有长柔毛，裂片 5，略呈二唇形，上唇 2 裂，

下唇 3 裂，花冠筒基部具浅囊；雄蕊 4，二强，花丝着生于花冠筒中部；花柱与花冠筒等长，柱头头状。果实长 0.6 ~ 1.5 cm，被短柔毛，冠以 2 宿存而略增大的萼裂片。花期 5 ~ 6 月，果熟期 8 ~ 10 月。

| 生境分布 | 生于海拔 950 ~ 1 000 m 的路边灌丛、溪边林下。分布于湖南怀化（麻阳、沅陵、溆浦）、娄底（新化）、湘西州（花垣、永顺、凤凰）、张家界（慈利）等。

| 资源情况 | 野生资源较少。药材主要来源于野生。

| 采收加工 | 取植物嫩叶洗净，晾干，放到盆中用开水烫软，接着双手重复揉搓，捣碎，直至叶子成为糊状，然后用布袋过滤到盆中，待冷却后即成“神仙豆腐”。

| 功能主治 | 祛风湿，消肿毒。用于风湿关节痛，跌打损伤。

| 附　　注 | FOC 将本种修订为二翅糯米条，属名修订为糯米条属（*Abelia*）。

忍冬科 Caprifoliaceae 六道木属 *Abelia*

小叶六道木 *Abelia parvifolia* Hemsl.

|药 材 名| 小叶六道木（药用部位：茎、叶。别名：短枝六道木、紫荆桠）。

|形态特征| 落叶灌木或小乔木，高 1 ~ 4 m。枝纤细，多分枝，幼枝红褐色，被短柔毛，夹杂散生的糙硬毛和腺毛。叶有时 3 轮生，革质，卵形、狭卵形或披针形，长 1 ~ 2.5 cm，先端钝或有小尖头，基部圆至阔楔形，近全缘或具 2 ~ 3 对不明显的浅圆齿，边缘内卷，上面暗绿色，下面绿白色，两面疏被硬毛，下面中脉基部密生白色长柔毛，叶柄短。具 1 ~ 2 花的聚伞花序生于侧枝上部叶腋；花萼筒被短柔毛，萼檐 2 裂，极少 3 裂，裂片椭圆形、倒卵形或矩圆形，长 5 ~ 7 mm；花冠粉红色至浅紫色，狭钟形，外被短柔毛及腺毛，基部具浅囊，花蕾时花冠弯曲，5 裂，裂片圆齿形，整齐至稍不整齐，最上面 1 裂

片面对浅囊；雄蕊 4，二强，1 对着生于花冠筒基部，另 1 对着生于花冠筒中部，花药长柱形，花丝疏被柔毛；花柱细长，柱头达花冠筒喉部。果实长约 6 mm，被短柔毛，冠以 2 略增大的宿存萼裂片。花期 4 ~ 5 月，果熟期 8 ~ 9 月。

| 生境分布 | 生于海拔 240 ~ 2 000 m 的林缘、路边、草坡、岩石缝隙、山谷等。

| 资源情况 | 野生资源较丰富。药材主要来源于野生。

| 采收加工 | 夏、秋季采收，鲜用或晒干。

| 功能主治 | 苦、涩，平。祛风，除湿，解毒。用于风湿痹痛，痈疽肿毒。

| 用法用量 | 内服煎汤，15 ~ 24 g；或浸酒。外用适量，研末调敷；或鲜品捣敷。

| 附　　注 | FOC 将本种中文名及学名修订为蓪梗花 *Abelia uniflora* R. Br.，属名修订为糯米条属（*Abelia*）。

忍冬科 Caprifoliaceae 双盾木属 *Dipelta*

双盾木 *Dipelta floribunda* Maxim.

| 药 材 名 | 双盾木（药用部位：根。别名：双盾、鸡骨头）。

| 形态特征 | 落叶灌木或小乔木，高达 6 m。枝纤细，初时被腺毛，后变光滑无毛，树皮剥落。叶卵状披针形或卵形，长 4 ~ 10 cm，宽 1.5 ~ 6 cm，先端尖或长渐尖，基部楔形或钝圆，全缘，有时先端疏生 2 ~ 3 对浅齿，上面初时被柔毛，后变光滑无毛，下面灰白色，侧脉 3 ~ 4 对，与主脉均被白色柔毛；叶柄长 6 ~ 14 mm。聚伞花序簇生于侧生短枝先端叶腋，花梗纤细，长约 1 cm；苞片条形，被微柔毛，早落，2 对小苞片形状、大小不等，紧贴花萼筒的 1 对盾状，呈稍偏斜的圆形至矩圆形，宿存而增大，成熟时最宽处宽达 2 cm，干膜质，脉明显，下方 1 对为 1 前 1 后，均小，其中 1 苞片卵形，具钝头，基

部宽，紧裹花梗，长 1 cm，另 1 苞片更小，狭椭圆形，长仅 6 mm；花萼筒疏被硬毛，萼齿条形，等长，长 6 ~ 7 mm，具腺毛，坚硬而宿存；花冠粉红色，长 3 ~ 4 cm，花冠筒中部以下狭细圆柱形，上部开展成钟形，稍呈二唇形，裂片圆形至矩圆形，长约 5 mm，下唇喉部呈橘黄色，花柱丝状，无毛。果实具棱角，连同萼齿为宿存而增大的小苞片所包被。花期 4 ~ 7 月，果熟期 8 ~ 9 月。

| 生境分布 | 生于海拔 650 ~ 1 200 m 的杂木林下或灌丛。分布于湖南张家界（桑植）、湘西州（凤凰）等。

| 资源情况 | 野生资源较丰富。药材主要来源于野生资源。

|采收加工| 秋、冬季采收，洗净泥土，晒干。

|功能主治| 苦，平。用于麻疹初起，湿热身痒。

|用法用量| 内服煎汤，15 ~ 25 g。

忍冬科 Caprifoliaceae 忍冬属 *Lonicera*

金花忍冬 *Lonicera chrysantha* Turcz.

| 药材名 | 金花忍冬（药用部位：花蕾、嫩枝、叶）。

| 形态特征 | 落叶灌木，高达 4 m，幼枝、叶柄和总花梗常被开展的直糙毛、微糙毛和腺。冬芽卵状披针形，鳞片 5 ~ 6 对，外面疏生柔毛，有白色长睫毛。叶纸质，菱状卵形、菱状披针形、倒卵形或卵状披针形，长 4 ~ 8（~ 12）cm，先端渐尖或急尾尖，基部楔形至圆形，两面脉上被直或稍弯的糙伏毛，中脉毛较密，有直缘毛；叶柄长 4 ~ 7 mm。总花梗细，长 1.5 ~ 3（~ 4）cm；苞片条形或狭条状披针形，长 2.5（~ 8）mm，常高出花萼筒，小苞片分离，卵状矩圆形、宽卵形、倒卵形至近圆形，长约 1 mm，长为萼筒的 1/3 ~ 2/3；相邻 2 萼筒分离，长 2 ~ 2.5 mm，常无毛而具腺，萼齿圆卵形、半圆形或卵形，先端圆或钝；花冠先为白色，后变黄色，长（0.8 ~）

1 ~ 1.5（~ 2） cm，外面疏生短糙毛，唇形，唇瓣较花冠筒长 2 ~ 3 倍，花冠筒内有短柔毛，基部有 1 深囊，有时囊不明显；雄蕊和花柱短于花冠，花丝中部以下有密毛，药隔上半部有短伏柔毛；花柱全被短柔毛。果实红色，圆形，直径约 5 mm。花期 5 ~ 6 月，果熟期 7 ~ 9 月。

| 生境分布 | 生于海拔 250 ~ 1 500 m 的沟谷、林下或林缘灌丛。分布于湖南常德（石门）等。

| 资源情况 | 野生资源丰富。药材主要来源于野生。

| 采收加工 | 花蕾，5 ~ 6 月选晴天清晨露水刚干时摘取，鲜用、晾干或阴干。

| 药材性状 | 本品花蕾呈小棒槌状，下端较细，长 0.7 ~ 1.2 cm，上部直径 2 ~ 2.5 mm，浅黄色，毛极少；花萼筒绿色。气微香，味微苦。

| 功能主治 | 苦，凉。归肝经。清热解毒，散痈消肿。用于疔疮痈肿。

| 用法用量 | 内服煎汤，6 ~ 12 g；或鲜品捣汁。外用适量，捣敷。

忍冬科 Caprifoliaceae 忍冬属 *Lonicera*

华南忍冬 *Lonicera confusa* (Sweet) DC.

| 药 材 名 | 山银花（药用部位：花蕾。别名：金银花、土银花）、土银花叶（药用部位：叶）、华南忍冬嫩芽（药用部位：嫩芽）。

| 形态特征 | 半常绿藤本，幼枝、叶柄、总花梗、苞片、小苞片和萼筒均密被灰黄色卷曲短柔毛，并疏生微腺毛。小枝淡红褐色或近褐色。叶纸质，卵形至卵状矩圆形，长 3 ~ 6（~ 7）cm，先端尖或稍钝而具小短尖头，基部圆形、截形或带心形，幼时两面有短糙毛，老时上面变无毛；叶柄长 5 ~ 10 mm。果实黑色，椭圆形或近圆形，长 6 ~ 10 mm。花期 4 ~ 5 月，有时 9 ~ 10 月开第 2 次花，果熟期 10 月。

| 生境分布 | 生于海拔 200 ~ 1 200 m 的丘陵地的山坡、杂木林、灌丛、平原、旷野、路旁及河边。湖南各地均有分布。湖南各地广泛栽培。

| 资源情况 | 野生资源一般。药材来源于野生和栽培。

| 采收加工 | **山银花：** 6 ~ 7 月选晴天早晨露水刚干时采摘，薄摊在席上晾晒或通风阴干，忌烈日暴晒，忌直接用手翻动，否则容易变黑；阴天晾干或微火烘干，但烘干者颜色较暗。

| 药材性状 | **山银花：** 本品长 1.6 ~ 3.5 cm，直径 0.5 ~ 2 mm。花萼筒和花冠密被灰白色毛。

| 功能主治 | **山银花：** 甘，寒。清热解毒，疏散风热。用于痈肿疔疮，喉痹，丹毒，热毒血痢，风热感冒，温病发热。

土银花叶： 甘，凉。清热解毒。用于痈疮疔毒，麻疹痘毒，痢疾。

华南忍冬嫩芽： 甘，寒。清热解毒。用于感冒发热，咽喉痛，泄泻，淋巴结炎。

| 用法用量 | **山银花：** 内服煎汤，6 ~ 15 g。

| 附　　注 | 本种为《中华人民共和国药典》（2020 年版　一部）收载的山银花的主要来源之一。

忍冬科 Caprifoliaceae 忍冬属 *Lonicera*

匍匐忍冬 *Lonicera crassifolia* Batal.

| 药 材 名 | 匍匐忍冬（药用部位：嫩枝、花蕾。别名：皱叶金银花）。

| 形态特征 | 常绿匍匐灌木，高达 1 m。幼枝密被淡黄褐色卷曲短糙毛，枝黑褐色，无毛；冬芽有数对鳞片。叶通常密集于当年小枝的先端，革质，宽椭圆形至矩圆形，两端稍尖至圆形，先端有时具小凸尖或微凹缺，除上面中脉有短糙毛外，两面均无毛，边缘背卷，密生糙缘毛；叶柄长 3 ~ 8 mm，上面具沟，有短糙毛和缘毛。双花生于小枝梢叶腋，总花梗短，具短糙毛或无毛；凡苞片、小苞片和萼齿先端均有睫毛；苞片三角状披针形，先端稍钝，长为萼筒的 1/2 ~ 2/3；小苞片圆卵形，长约为苞片的 1/2，先端圆；萼齿卵形，长为萼筒的 1/3 ~ 1/2，先端钝；花冠白色，花冠筒带红色，后变黄色，长

约 2 cm，外面无毛，内被糙毛，花冠筒基部一侧略肿大，唇瓣长约为花冠筒的 1/2，上唇直立，有波状齿或短的卵形裂片，下唇反卷；雄蕊长与花冠几相等，花丝下部疏生糙毛；花柱远高出花冠，中上部以下有糙毛。果实黑色，圆形，直径 5 ~ 6 mm。花期 6 ~ 7 月，果期 10 ~ 11 月。

| 生境分布 | 生于海拔 900 ~ 1 700 m 的溪沟旁、湿润的林缘岩壁或岩缝。分布于湖南常德（石门）、张家界（桑植）、湘西州（古丈）等。

| 资源情况 | 野生资源稀少。药材来源于野生。

| 采收加工 | 秋、冬季采收，扎成小捆，晒干。

| 功能主治 | 用于风湿关节痛，咽喉痛，痈疖脓肿，外伤感染。

| 用法用量 | 内服煎汤，10 ~ 20 g。

忍冬科 Caprifoliaceae 忍冬属 *Lonicera*

苦糖果 *Lonicera fragrantissima* Lindl. et Paxt. subsp. *standishii* (Carr.) Hsu et H. J. Wang

| 药 材 名 | 苦糖果茎（药用部位：茎）、苦糖果叶（药用部位：叶）、苦糖果根（药用部位：根）。

| 形态特征 | 落叶灌木，高达 2 m。小枝和叶柄有时具短糙毛。叶卵形、椭圆形或卵状披针形，呈披针形或近卵形者较少，通常两面被刚伏毛及短腺毛或至少下面中脉被刚伏毛，有时中脉下部或基部两侧夹杂短糙毛。花柱下部疏生糙毛。花期 1 月下旬至 4 月上旬，果熟期 5 ~ 6 月。

| 生境分布 | 生于海拔 100 ~ 1 700 m 的向阳山坡林、灌丛或溪涧旁。分布于湖南张家界（武陵源）、湘西州（保靖）等。

| 资源情况 | 野生资源稀少。药材来源于野生。

| 采收加工 | 苦糖果茎、苦糖果叶：夏、秋季采收，鲜用，或切段，晒干。
苦糖果根：秋后采挖，鲜用，或切段，晒干。

| 功能主治 | 祛风除湿，清热止痛。用于风湿关节痛；外用于疔疮。

| 用法用量 | 内服煎汤，9 ~ 15 g；或浸酒。外用适量，鲜嫩枝叶捣敷。

| 附　　注 | 本种的拉丁学名在FOC中被修订为*Lonicera fragrantissima* var. *lancifolia* (Rehder) Q. E. Yang。

忍冬科 Caprifoliaceae 忍冬属 *Lonicera*

黄褐毛忍冬 *Lonicera fulvotomentosa* Hsu et S. C. Cheng

| 药 材 名 | 山银花（药用部位：花蕾）。

| 形态特征 | 藤本。幼枝、叶柄、叶背、总花梗、苞片、小苞片和萼齿均密被开展或弯伏的黄褐色毡毛状糙毛，毛长不超过 2 mm，幼枝和叶两面还散生橘红色短腺毛。叶纸质，卵状矩圆形至矩圆状披针形。苞片钻形，长 5 ~ 7 mm；小苞片卵形至条状披针形；双花下面不具苞状叶；花冠先为白色后变黄色，长 3 ~ 3.5 cm，唇形，花冠筒略短于唇瓣，外面密被黄褐色倒伏毛和开展的短腺毛；雄蕊和花柱均高出花冠，无毛。花期 6 ~ 7 月。

| 生境分布 | 生于海拔 850 ~ 1 300 m 的山坡岩旁灌木林或林中。除湘西北外，湖南有广泛分布。

| 资源情况 | 野生资源丰富。药材来源于野生。

| 采收加工 | 6 ~ 7 月选晴天早晨露水刚干时采摘，薄摊在席上晾晒或通风阴干，忌烈日暴晒，忌直接用手翻动，否则容易变黑；阴天晾干或微火烘干，但烘者颜色较暗。

| 药材性状 | 本品长 1 ~ 3.4 cm，直径 1.5 ~ 2 mm。花冠表面淡黄棕色或黄棕色，密被黄色茸毛。

| 功能主治 | 甘，寒。清热解毒，疏散风热。用于痈肿疔疮，喉痹，丹毒，热毒血痢，风热感冒，温病发热。

| 用法用量 | 内服煎汤，10 ~ 20 g；或入丸、散剂。外用适量，捣敷。

| 附　注 | 本种的拉丁学名在 FOC 中被修订为大花忍冬 *Lonicera macrantha* (D. Don) Spreng.。

忍冬科 Caprifoliaceae 忍冬属 *Lonicera*

蕊被忍冬 *Lonicera gynochlamydea* Hemsl.

| 药 材 名 |

蕊被忍冬花（药用部位：花蕾）。

| 形态特征 |

落叶灌木，高 3 ~ 4 m。幼枝、叶柄及叶中脉常带紫色，后变灰黄色；幼枝无毛。叶纸质，卵状披针形、矩圆状披针形至条状披针形，长 5 ~ 10（~ 13.5）cm，先端长渐尖，基部圆形至楔形，两面中脉有毛，上面散生暗紫色腺，下面基部中脉两侧常具白色长柔毛，边缘有短糙毛。苞片钻形；杯状小苞包围 2 分离的花萼筒，先端由一萼檐下延而成的帽边状突起覆盖；花冠白色带淡红色或紫红色，内、外两面均有短糙毛。果实紫红色至白色，直径 4 ~ 5 mm，具 1 ~ 2（~ 4）种子。花期 5 月，果熟期 8 ~ 9 月。

| 生境分布 |

生于海拔 1 200 ~ 1 800 m 的山坡和沟谷的灌丛或林中。分布于湘西北、湘中等。

| 资源情况 |

野生资源稀少。药材来源于野生。

| 功能主治 | 清热解毒，止痢。用于痢疾，疟疾。

忍冬科 Caprifoliaceae 忍冬属 *Lonicera*

菰腺忍冬 *Lonicera hypoglauca* Miq.

| 药 材 名 | 山银花（药用部位：花蕾）。

| 形态特征 | 落叶藤本。叶纸质，卵形至卵状矩圆形，长 6 ~ 11.5 cm。双花单生至多朵集生于侧生短枝上；小苞片圆卵形或卵形；萼筒无毛，萼齿三角状披针形；花冠白色，有时有淡红晕，后变黄色，长 3.5 ~ 4 cm，唇形，花冠筒比唇瓣稍长，外面疏生倒微伏毛，并常具无柄或有短柄的腺；雄蕊与花柱均稍伸出。果实成熟时黑色，近圆形；种子淡黑褐色，椭圆形，中部有凹槽及脊状突起。花期 4 ~ 6 月，果熟期 10 ~ 11 月。

| 生境分布 | 生于灌丛或疏林中。分布于湖南益阳（桃江）、张家界（慈利）、

郴州（宜章）、永州（宁远、蓝山）、邵阳（洞口、新宁、城步、武冈、绥宁）等。

| 资源情况 | 野生资源较少。药材来源于野生。

| 采收加工 | 夏季花蕾上部膨大尚未开放且呈青白色时采收，晾干或烘干。

| 药材性状 | 本品表面黄白色至黄棕色，无毛或疏被毛；萼筒无毛，先端5裂，裂片长三角形，被毛；开放者花冠下唇反转；花柱无毛。

| 功能主治 | 甘，凉。清热解毒，疏散风热。用于风热感冒，咽喉痛，风热咳喘，泄泻，丹毒。

| 用法用量 | 内服煎汤，10 ~ 15 g。

忍冬科 Caprifoliaceae 忍冬属 *Lonicera*

忍冬 *Lonicera japonica* Thunb.

| 药材名 | 忍冬藤（药用部位：茎叶）、金银花（药用部位：花蕾。别名：二双、二宝）、银花子（药用部位：果实）。

| 形态特征 | 半常绿藤本。幼枝暗红褐色，密被黄褐色、开展的硬直糙毛、腺毛和短柔毛，下部常无毛。叶纸质，长 3 ~ 5（~ 9.5）cm，先端尖或渐尖，少有钝、圆或微凹缺，基部圆或近心形，有糙缘毛；叶柄长 4 ~ 8 mm，密被短柔毛。总花梗通常单生于小枝上部叶腋，与叶柄等长或稍短，下方者则长 2 ~ 4 cm，密被短柔毛，并夹杂腺毛；苞片大，叶状，卵形至椭圆形，长 2 ~ 3 cm；花冠白色，有时基部向阳面呈微红色，后变黄色，长（2 ~ ）3 ~ 4.5（~ 6）cm，唇形，花冠筒稍长于唇瓣，很少近等长，上唇裂片先端钝形，下唇带状而反曲。果实圆形，直径 6 ~ 7 mm，成熟时蓝黑色，有光泽；种子卵

圆形或椭圆形，褐色，长约 3 mm，中部有一凸起的脊，两侧有浅的横沟纹。花期 4 ~ 6 月（秋季亦常开花），果熟期 10 ~ 11 月。

| 生境分布 | 生于海拔 1 500 m 以下的山坡灌丛或疏林、乱石堆、山路旁及村庄篱笆边。湖南各地均有分布。

| 资源情况 | 野生资源丰富。药材来源于野生和栽培。

| 采收加工 |

忍冬藤： 秋、冬季采收，除去杂质，捆成束或卷成团，晒干。

金银花： 5 月中下旬或 6 月中下旬当花蕾上部膨大、尚未开放、呈青白色时采收，采后应立即晾干或烘干。

银花子： 秋末冬初采收，晒干。

| 药材性状 |

忍冬藤： 本品常捆成束或卷成团。茎枝呈长圆柱形，多分枝，直径 1.5 ~ 6 mm，节间长 3 ~ 6 cm，有残叶及叶痕。表面棕红色至暗棕色，有细纵纹，老枝光滑，细枝有淡黄色茸毛；外皮易剥落而露出灰白色内皮。质硬脆，易折断，断面黄白色，中心空洞。气微，老枝味微苦，嫩枝味淡。

金银花： 本品呈细棒槌状，上粗下细，略弯曲，长 1.3 ~ 5.5 cm，上部直径 2 ~ 3 mm。表面淡黄色或淡黄棕色，久贮颜色变深，密被粗毛或长腺毛；花萼细小，绿色，花萼筒类球形，长约 1 mm，无毛，先端 5 裂，萼齿卵状三角形，有毛；花冠筒状，上部稍开裂成二唇形，有时可见开放的花；雄蕊 5，附于筒壁；雌蕊 1，有 1 细长花柱。气清香，味甘、微苦。

银花子： 本品干燥果实呈圆球形，紫黑色或黄棕色，直径约 6 cm。外皮皱缩，质重而结实，内含多数扁小棕褐色的种子。味微甘。

| 功能主治 |

忍冬藤： 甘，寒。归肺、胃经。清热解毒，疏风通络。用于温病发热，热毒血痢，痈肿疮疡，风湿热痹，关节红肿热痛。

金银花： 甘，寒。归肺、心、胃经。清热解毒，疏散风热。用于痈肿疔疮，喉痹，丹毒，热毒血痢，风热感冒，温病发热。

银花子：苦、涩、甘，凉。清肠化湿。用于肠风泄泻，血痢。

| 用法用量 | **忍冬藤**：内服煎汤，10 ~ 30 g；或入丸、散剂；或浸酒。外用适量，煎汤熏洗；或熬膏贴；或研末调敷；或捣敷。

金银花：内服煎汤，10 ~ 20 g；或入丸、散剂。外用适量，捣敷。

银花子：内服煎汤，3 ~ 9 g。

| 附　注 | 本种为《中华人民共和国药典》（2020 版）金银花的基原植物。

忍冬科 Caprifoliaceae 忍冬属 *Lonicera*

女贞叶忍冬 *Lonicera ligustrina* Wall.

|药 材 名| 女贞叶忍冬（药用部位：花蕾）、女贞叶忍冬藤（药用部位：藤茎）。

|形态特征| 常绿或半常绿灌木，高达 2（～5）m。幼枝被灰黄色短糙毛，后变灰褐色。叶薄革质，披针形或卵状披针形，有时圆卵形或条状披针形，长（0.5～）1～4（～8）cm，先端渐尖而具钝头或尖头，很少圆头，基部圆形或宽楔形，上面有光泽，中脉稍下陷或低平而不凸出，密生短糙毛及短腺毛。总花梗极短，具短毛；苞片钻形，长 2.5～5 mm；杯状小苞外面有疏腺，先端被萼檐下延而成的帽边状突起覆盖；相邻两萼筒分离，萼齿大小不等；花冠黄白色或紫红色，漏斗状，长 7.5～12 mm，花冠筒基部有囊肿，内面有长柔毛；花丝伸出。果实紫红色，后转黑色，圆形，直径 3～4 mm；种子卵

圆形或近圆形，长 2.5 ~ 3 mm，淡褐色，光滑。花期 5 ~ 6 月，果实成熟期（8 ~ ）10 ~ 12 月。

| 生境分布 | 生于海拔（650 ~ 1 200 m 的灌丛或常绿阔叶林。分布于湖南株洲（茶陵）、湘潭（湘潭）、怀化（靖州）、湘西州（吉首、花垣、古丈、凤凰、保靖、永顺、龙山）、张家界（慈利）等。

| 资源情况 | 野生资源较少。药材来源于野生。

| 功能主治 | 清热解毒，消炎利湿，舒筋通络。

忍冬科 Caprifoliaceae 忍冬属 *Lonicera*

金银忍冬 *Lonicera maackii* (Rupr.) Maxim.

| 药 材 名 | 金银木根（药用部位：根）、金银木（药用部位：茎叶）、金银忍冬花（药用部位：花）。

| 形态特征 | 落叶灌木，高达 6 m。茎干直径达 10 cm；树皮灰白色至灰褐色，不规则纵裂；小枝中空，稍具短柔毛。单叶对生；叶柄长 3 ~ 5 mm，有腺毛及柔毛；叶纸质，叶片卵状椭圆形至卵状披针形，长 5 ~ 8 cm，宽 2.5 ~ 4 cm，先端长渐尖，基部阔楔形，全缘，两面脉上有毛。花芳香，腋生；总花梗长 1 ~ 2 mm，具腺毛；苞片条形，长 3 ~ 6 mm；小苞片合生成对；花萼钟形，萼檐长 2 ~ 3 mm，具裂达中部的齿；花冠先白色后黄色，长达 2 cm，花冠筒长约为唇瓣的 1/2；雄蕊与花柱均短于花冠。浆果暗红色，球形，直径 5 ~ 6 mm；种子椭圆形，长约 3 mm，具细凹点。花期 5 ~ 6 月，果期 7 ~ 9 月。

| 生境分布 | 生于海拔 1 800 m 的林中或林缘溪流附近的灌丛中。湖南各地均有分布。

| 资源情况 | 野生资源一般。药材来源于野生。

| 采收加工 | 5 ~ 6 月采花，夏、秋季采收茎叶，鲜用，或切段，晒干秋冬季采挖根。

| 功能主治 | 金银木根：解毒截疟。

金银木：祛风解毒，活血祛瘀。

金银忍冬花：淡，平。祛风解表，消肿解毒。用于感冒，咳嗽，咽喉肿痛，目赤肿痛，肺痈，乳痈，湿疮。

| 用法用量 | 内服煎汤，9 ~ 15 g。外用适量，捣敷；或煎汤洗。

| 附　　注 | 本种茎皮可制人造棉；花可提取芳香油；种子榨成的油可制肥皂。变种：红花金银忍冬 *Lonicera maackii* (Rupr.) Maxim. var. *erubescens* Rehd.，花冠、小苞片和幼叶均带淡紫红色。

忍冬科 Caprifoliaceae 忍冬属 *Lonicera*

大花忍冬 *Lonicera macrantha* (D. Don) Spreng.

| 药 材 名 | 大花金银花（药用部位：全株或花蕾、叶）。

| 形态特征 | 半常绿藤本。小枝红褐色或紫红褐色，老枝赭红色。叶近革质或厚纸质，上面中脉和下面脉上有长、短两种糙毛，并夹杂极少数橘红色或淡黄色短腺毛，下面网脉隆起。苞片披针形至条形，长 2 ~ 4（~ 5）mm，与花萼筒等长或略较长；小苞片卵形或圆卵形，长约 1 mm，为花萼筒长的 2/5 ~ 1/2；花萼筒长约 2 mm，无毛或有时被短糙毛，萼齿长三角状披针形至三角形，长 1 ~ 2 mm，长超过宽；花冠白色，后变黄色，长（3.5 ~）4.5 ~ 7（~ 9）cm，外被多少开展的糙毛、微毛和小腺毛，唇形，花冠筒长为唇瓣的 2 ~ 2.5 倍，内面有密柔毛，唇瓣内面有疏柔毛；雄蕊和花柱均略超出花冠，无

毛。果实黑色，圆形或椭圆形，长 8 ~ 12 mm。花期 4 ~ 5 月，果熟期 7 ~ 8 月。

| 生境分布 | 生于海拔 400 ~ 500 m 的山谷和山坡林中或灌丛。分布于湖南邵阳（邵阳、隆回）、常德（澧县）、怀化（麻阳）、湘西州（吉首、花垣）、益阳（安化）等。

| 资源情况 | 野生资源较少。药材主要来源于野生。

| 功能主治 | 全株，镇惊，祛风，败毒，清热。用于小儿急惊风，疮毒。
花蕾，苦，平。清热，解毒。用于咽喉痛，时行感冒，乳蛾，乳痈，风热咳嗽，泄泻，目赤红肿，肠痈，疮疖脓肿，丹毒，外伤感染，带下。叶，清热，解毒，消炎。

| 附　　注 | 本种功效同异毛忍冬 *Lonicera macrantha* (D.Don) Spreng. var. *heterotricha* Hsu et H. J. Wang，分布于湖南、浙江、江西、福建、广西、四川、贵州、云南。

忍冬科 Caprifoliaceae 忍冬属 *Lonicera*

灰毡毛忍冬 *Lonicera macranthoides* Hand.-Mazz.

| 药材名 | 山银花（药用部位：花蕾或带初开的花。别名：双花、银花、土忍冬）。

| 形态特征 | 藤本。幼枝或其顶梢及总花梗有薄绒状短糙伏毛，有时兼具微腺毛，后变栗褐色，有光泽而近无毛，很少在幼枝下部有开展的长刚毛。叶革质，卵形、卵状披针形、矩圆形至宽披针形，长 6 ~ 14 cm，先端尖或渐尖，基部圆形、微心形或渐狭，上面无毛，下面被由短糙毛组成的灰白色或有时带灰黄色的毡毛，并散生暗橘黄色微腺毛，网脉凸起而呈明显的蜂窝状；叶柄长 6 ~ 10 mm，有薄绒状短糙毛，有时具开展的长糙毛。花有香味，双花常密集于小枝梢成圆锥状花序；总花梗长 0.5 ~ 3 mm；苞片披针形或条状披针形，长 2 ~ 4 mm，连同萼齿外面均有细毡毛和短缘毛；小苞片圆卵形或倒卵形，长约为萼筒之半，有短糙缘毛；萼筒常有蓝白色粉，无毛，有时上

半部或全部有毛，长近 2 mm，萼齿三角形，长 1 mm，比萼筒稍短；花冠白色，后变黄色，长 3.5 ~ 4.5（~ 6）cm，外被倒短糙伏毛及橘黄色腺毛，唇形，筒纤细，内面密生短柔毛，与唇瓣等长或略长，上唇裂片卵形，基部具耳，两侧裂片裂隙深达 1/2，中裂片长为侧裂片之半，下唇条状倒披针形，反卷；雄蕊生于花冠筒先端，连同花柱均伸出而无毛。果实黑色，常有蓝白色粉，圆形，直径 6 ~ 10 mm。花期 6 月中旬至 7 月上旬，果熟期 10 ~ 11 月。

| 生境分布 | 生于山坡灌丛或疏林中、路旁、乱石堆。湖南各地均有分布。

| 资源情况 | 野生资源丰富。栽培资源丰富。药材来源于野生和栽培。

| 采收加工 | 夏初花开放前采收，干燥。

| 药材性状 | 本品呈棒状而稍弯曲，长 3 ~ 4.5 cm，上部直径约 2 mm，下部直径约 1 mm。表面黄色或黄绿色。总花梗集结成簇，开放者花冠裂片不及全长 1/2。质稍硬，手捏之稍有弹性。气清香，味微苦、甘。

| 功能主治 | 甘，寒。清热解毒，疏散风热。用于痈肿疔疮，喉痹，丹毒，热毒血痢，风热感冒，温病发热。

| 用法用量 | 内服煎汤，6 ~ 15 g；或入丸、散剂。外用适量，捣敷。

| 附　　注 | 本种为《中华人民共和国药典》（2020 版）山银花的基原植物之一。与近似种大花忍冬 *L. macrantha* (D. Don) Spreng.、细毡毛忍冬 *L. similis* Hemsl. 和菰腺忍冬 *L. hypoglauca* Miq. 的区别在于本种叶下面具有由稠密的短糙毛所组成的、通常呈灰白色的毡毛，网脉隆起呈蜂窝状，以及幼枝通常不具开展长糙毛而。大花忍冬的幼枝有开展的长糙毛，叶下面有糙毛而不具毡毛。细毡毛忍冬的叶下面被由细短柔毛组成的毡毛而无腺毛。菰腺忍冬的叶下面具短柔毛，并有无柄或具极短柄的蘑菇状腺。

忍冬科 Caprifoliaceae 忍冬属 *Lonicera*

下江忍冬 *Lonicera modesta* Rehder.

| 药 材 名 | 下江忍冬（药用部位：茎、叶、花蕾）。

| 形态特征 | 落叶灌木。幼枝、叶柄和总花梗均密被柔毛。叶厚纸质，菱状椭圆形、圆状椭圆形、菱状卵形或宽卵形，长 2 ~ 4（~ 8）cm，先端钝圆，具短凸尖或凹缺，有短缘毛，上面中脉和侧脉有柔毛，下面被柔毛；叶柄长 2 ~ 4 mm。总花梗长 1 ~ 2.5 mm；苞片钻形，长 2 ~ 4（~ 4.5）mm，有缘毛及疏腺；花冠筒与唇瓣等长或稍短，基部有浅囊，内面有密毛，上唇裂片为唇瓣的 2/5 ~ 1/2；花丝基部有毛；子房 3 室，花柱等长于唇瓣，有毛。相邻两果几全部合生，果实成熟时呈橘红色或红色，直径 7 ~ 8 mm；种子 1 ~ 2，淡黄褐色，稍扁，卵圆形或长圆形，长约 4 mm，具沟纹，颗粒状。花期 5 月，果期 9 ~ 10 月。

| 生境分布 | 生于海拔 500 ~ 1 300 m 的山地杂木林下或灌丛。分布于湖南衡阳（耒阳）、邵阳（双清）等。

| 资源情况 | 野生资源稀少。药材来源于野生。

| 药材性状 | 本品花蕾筒状，常为双朵花连体，长 0.6 ~ 1.3 cm，直径约 2 mm；花冠黄白色，基部带淡紫色，外被短柔毛；相邻两花的花萼筒合生达中部以上；萼齿狭披针形，有毛，开放者二唇形；雄蕊 5，与花柱均未超过花冠。气微香，味淡。

| 功能主治 | 清热解毒，活血止痛。

| 附　　注 | 短梗忍冬 *L. graebneri* Rehd. 近本种，但花萼筒和花冠均无毛，花冠筒较唇瓣近短 2 倍，幼枝和总花梗无毛或疏生柔毛。产于陕西。

忍冬科 Caprifoliaceae 忍冬属 *Lonicera*

短柄忍冬 *Lonicera pampaninii* H. Lévl.

| 药 材 名 | 短柄忍冬（药用部位：花、花蕾、茎枝）。

| 形态特征 | 藤本植物，灌木，多年生草本植物。幼枝和叶柄密被土黄色卷曲的短糙毛，后变紫褐色而无毛。叶柄长 5 mm 以下；叶两面通常仅中脉有短糙毛。双花数朵集生于幼枝先端或单生于幼枝上部叶腋；总花梗极短或几不存；苞片长远超过萼齿，有时呈叶状；总花梗极短或无，长 5 ~ 15 mm；小苞片圆卵形或卵形，小苞片长为花萼筒的 1/2 ~ 2/3；花萼筒长不到 2 mm，萼齿卵状三角形至长三角形，比花萼筒短，外面有短糙伏毛，有缘毛；花冠白色而常带微紫红色，后变黄色，唇形，长 1.5 ~ 2 cm。果实圆形，呈蓝黑色或黑色，直径 5 ~ 6 mm。花期 5 ~ 6 月，果熟期 10 ~ 11 月。

| 生境分布 | 生于海拔 300 ~ 1 100 m 的林下或灌丛。湖南各地均有分布。

| 资源情况 | 野生资源丰富。药材来源于野生。

| 药材性状 | 本品呈短棒状，略弯，常成对与总花梗相连，长 8 ~ 18 mm，直径 1.5 ~ 2.5 mm。表面黄白色或黄绿色，有的带紫红色，久贮渐变黄棕色，全株被短柔毛。花萼绿色，下部筒状连合，上端 5 裂，裂片披针形，边缘有长毛；两花的花萼筒之下具 1 短梗；小苞片宽卵形边缘有长毛；苞片狭披针形多已脱落仅留有 1 对残迹；总花梗长至 2 mm，拨开花冠，在后置扩大镜下观察，可见花丝基部及花柱上均具柔毛。气清香，味微苦。

| 功能主治 | 花，用于鼻出血，吐血，肠热。花蕾，清热解毒，舒筋通络，截疟。用于鼻衄，吐血，疟疾。茎枝，清热，解毒，通络。

| 附　　注 | 本种的拉丁学名在 FOC 中被修订为淡红忍冬 *Lonicera acuminate* Wall.。植物别名小金银花，除民间供药用外，茎皮可制人造棉，种子油制肥皂，并为庭园绿化树种，有进一步开发利用的价值。

忍冬科 Caprifoliaceae 忍冬属 *Lonicera*

蕊帽忍冬 *Lonicera pileata* Oliv.

| 药材名 | 蕊帽忍冬（药用部位：花蕾、藤茎、叶）。

| 形态特征 | 灌木或藤本植物。幼枝密生短糙毛，老枝浅灰色而无毛。叶革质，形状和大小变异很大，通常卵形至矩圆状披针形或菱状矩圆形，长 1 ~ 5（~ 6.5）cm，先端钝，基部通常楔形，上面深绿色有光泽，中脉明显隆起，疏生短腺毛及少数微糙毛或近无毛。总花梗极短；苞片叶质，钻形或条状披针形，杯状小苞包围 2 分离的萼筒，无毛，先端由萼檐下延而成的帽边状突起覆盖；萼齿小而钝，卵形，边缘有短糙毛；花冠白色，漏斗状，长 6 ~ 8 mm，外被短糙毛和红褐色短腺毛。果实透明，蓝紫色，圆形，直径 6 ~ 8 mm；种子卵圆形或近圆形，长约 2 mm，淡黄褐色，平滑。花期 4 ~ 6 月，果熟期 9 ~ 12 月。

| 生境分布 | 生于海拔 600 ~ 1 600 m 山谷、水边、沙滩、疏林中潮湿处或山坡灌丛。湖南各地均有分布。

| 资源情况 | 野生资源一般。药材来源于野生。

| 功能主治 | 清热解毒，祛风除湿，截疟，补肾，通络。

| 附　　注 | 本种的拉丁学名在 FOC 中被修订为 *Lonicera ligustrina* var. *pileata* (Oliv.) Franch。

忍冬科 Caprifoliaceae 忍冬属 *Lonicera*

皱叶忍冬 *Lonicera rhytidophylla* Hand.-Mazz.

| 药 材 名 |

皱叶金银花根（药用部位：根）、皱叶金银花（药用部位：花蕾）。

| 形态特征 |

灌木或藤本植物。幼枝、叶柄和花序均被由短糙毛组成的黄褐色毡毛。叶革质，宽椭圆形、卵形、卵状矩圆形至矩圆形，长 3 ~ 10 cm，先端近圆形或钝而具短凸尖，上面叶脉显著凹陷而呈皱纹状，除中脉外几无毛，下面有由短柔毛组成的白色毡毛，干后变黄白色。花冠白色，后变黄色，长 2.5 ~ 3.5（~ 4.5）cm，外面密生紧贴的倒生短糙伏毛；雄蕊稍超出花冠，花丝无毛或内侧有 1 行稀疏白毛，花药长 2.5 ~ 3 mm；花柱伸出，无毛，柱头粗大。果实蓝黑色，椭圆形，长 7 ~ 8 mm。花期 6 ~ 7 月，果实成熟期 10 ~ 11 月。

| 生境分布 |

生于海拔 400 ~ 1 100 m 的山地灌丛或林中。分布于湖南邵阳（隆回）、永州（江华）、衡阳（常宁）、郴州（桂东）等。

| 资源情况 | 野生资源稀少。药材来源于野生。

| 功能主治 | **皱叶金银花根：**微苦，凉。舒筋通络。用于丹毒，疔疮。

皱叶金银花：清热解毒，凉血，止痢。用于风热感冒，咽喉肿痛，肺炎，痢疾，腹泻，便脓血，丹毒。

| 附　　注 | 本种的拉丁学名在 FOC 中被修订为 *Lonicera reticulata* Champ. ex Benth。

忍冬科 Caprifoliaceae 忍冬属 *Lonicera*

细毡毛忍冬 *Lonicera similis* Hemsl.

| 药 材 名 | 金银花（药用部位：全草或花蕾、叶、果实。别名：吊子银花）。

| 形态特征 | 落叶藤本或灌木。幼枝、叶柄和总花梗均被淡黄褐色、开展的长糙毛和短柔毛，并疏生腺毛，或全然无毛。叶纸质，卵形、卵状矩圆形至卵状披针形或披针形，长 3 ~ 10（~ 13.5）cm，先端急尖至渐尖，下面被由细短柔毛组成的灰白色或灰黄色细毡毛，脉上有长糙毛或无毛，老叶毛变稀而网脉明显凸起。总花梗下方者可长达 4 cm，向上则渐变短；花萼筒椭圆形至长圆形，长 2 ~ 3 mm，无毛，萼齿近三角形，长宽均约 1 mm；花冠先白色后变淡黄色，长 4 ~ 6 cm；雄蕊与花冠几等高，花丝长约 2 cm，无毛；花柱稍超出花冠，无毛。果实蓝黑色，卵圆形，长 7 ~ 9 mm；种子褐色，稍扁，

卵圆形或矩圆形，长约 5 mm，有浅的横沟纹，两面中部各有 1 棱。花期 5 ~ 6（~ 7）月，果熟期 9 ~ 10 月。

| 生境分布 | 生于海拔 550 ~ 1 600 m 的山谷溪旁或向阳山坡灌丛或林中。分布于湘中、湘东、湘西南、湘北、湘南等。

| 资源情况 | 野生资源一般。药材来源于野生。

| 药材性状 | 花蕾长至 6 cm，表面棕绿色，略呈角质样，被稀疏毛或几无毛，花萼筒有疏毛，萼齿边缘有毛。花冠外表面显微观察，茸毛稀少，腺毛头部类方形、长圆形或类圆锥形，先端平坦，侧面观 2 ~ 7 细胞，排成 1 ~ 3 层、直径至 18 ~ 100 μm，柄长，完整者长约至 600 μm，2 ~ 4 细胞，基部细胞特长；厚壁非腺毛长 45 ~ 1 320 μm，体部直径 8 ~ 33 μm，壁厚 3 ~ 11 μm，表面有微细疣状突起。

| 功能主治 | 全草，镇惊，祛风，败毒。用于小儿急惊风、疮毒。
花蕾，清热解毒、截疟。用于咽喉痛，时行感冒，乳蛾，乳痈，肠痈，痈疖脓肿，丹毒，外伤感染，带下。叶，用于蛔虫病，寒热腹胀。

| 附　　注 | 本种花供药用，是西南地区“金银花”中药材的主要来源，收购以野生品为主，近年来有些地区已引种栽培。在湖南地区作“金银花”用。本种与灰毡毛忍

冬 *Lonicera macranthoides* Hand.-Mazz. 和异毛忍冬 *Lonicera macrantha* (D. Don) Spreng. var. *heterotricha* Hsu et H. J. Wang 的区别在于叶下面有一层薄薄的、由细短柔毛组成的毡毛。

忍冬科 Caprifoliaceae 忍冬属 *Lonicera*

唐古特忍冬 *Lonicera tangutica* Maxim.

| 药材名 | 陇塞忍冬（药用部位：花蕾、根、根皮、去皮枝条、枝叶、果实）。

| 形态特征 | 落叶灌木。幼枝无毛或有 2 列弯的短糙毛，有时夹生短腺毛，二年生小枝，呈淡褐色，纤细，开展。冬芽顶渐尖或尖，外鳞片约 2 ~ 4 对，卵形或卵状披针形，顶渐尖或尖，背面有脊，被短糙毛和缘毛或无毛。叶纸质，倒披针形至矩圆形或倒卵形至椭圆形，先端钝或稍尖，基部渐窄，长 1 ~ 4（~ 6）cm。花冠白色、黄白色或有淡红晕，筒状漏斗形，长（8 ~ ）10 ~ 13 mm，筒基部稍一侧肿大或具浅囊，外面无毛或有时疏生糙毛，裂片近直立，卵圆形，长 2 ~ 3 mm；雄蕊着生于花冠筒中部，花药内藏，达到花冠筒上部至裂片基部；花柱高出花冠裂片，无毛或中下部疏生开展糙毛。果实红色，直径

5 ~ 6 mm；种子淡褐色，卵圆形或矩圆形，长 2 ~ 2.5 mm。花期 5 ~ 6 月，果熟期 7 ~ 8 月。

| 生境分布 | 生于海拔 1 400 ~ 2 000 m 的云杉、落叶松、栎和竹等林下或混交林中及山坡草地或溪边灌丛。分布于湖南张家界（永定）等。

| 资源情况 | 野生资源稀少。药材来源于野生。

| 功能主治 | 花蕾，清热解毒，排脓消肿。根、根皮，用于子痈。枝条（去皮），用于气喘，疮疔，痈肿。枝叶，清热解表，祛风。用于气喘，疔疮，痈肿。果，清热解毒。

| 附　　注 | 本种与袋花忍冬 *Lonicera saccata* Rehd. 无论在幼枝的毛被、芽鳞的形状、叶的形状等方面都很相似，在缺少花、果的情况下，两者很难区分，但袋花忍冬的花药与花冠裂片等长或稍露出，与本种的内藏花药很不相同，而且苞片通常较大而多少呈叶状，花冠筒基部常具明显的囊，较少仅一侧肿大。然而苞片的大小和花冠基部是否具囊在这两个中都不是很稳定的，而且与花药在花冠筒内位置的高低并不存在明显的相关性。有时花冠筒基部的囊和花药的位置近似袋花忍冬，但苞片较狭细；具袋囊的花冠有时花药却是内藏的。因此这两个种的主要鉴别根据还是花药在花冠中的位置。

忍冬科 Caprifoliaceae 忍冬属 *Lonicera*

盘叶忍冬 *Lonicera tragophylla* Hemsl.

|药 材 名| 盘叶忍冬（药用部位：花蕾、带叶嫩枝）。

|形态特征| 落叶藤本。幼枝无毛。叶纸质，矩圆形或卵状矩圆形，稀椭圆形，长（4 ~ ）5 ~ 12 cm，先端钝或稍尖，基部楔形，下面粉绿色，被短糙毛或至少中脉下部两侧密生横出的淡黄色髯毛状短糙毛，稀无毛，中脉基部有时带紫红色，花序下方 1 ~ 2 对叶连合成近圆形或圆卵形的盘，盘两端通常钝形或具短尖头；叶柄很短或不存在。由 3 花组成的聚伞花序密集成头状花序生于小枝先端，共有 6 ~ 9（ ~ 18）花；花萼筒壶形，长约 3 mm，萼齿小，三角形或卵形，先端钝；花冠黄色至橙黄色，上部外面略带红色，长 5 ~ 9 cm，外面无毛，唇形，筒稍弓弯，内面疏生柔毛；雄蕊着生于唇瓣基部，

长约与唇瓣相等，无毛；花柱伸出，无毛。果实成熟时由黄色转红黄色，最后变深红色，近圆形，直径约 1 cm。花期 6 ~ 7 月，果熟期 9 ~ 10 月。

| 生境分布 | 生于海拔 1 000 ~ 1 800 m 的林下、灌丛中或河滩旁岩缝中。分布于湖南湘潭（湘潭）、湘西州（龙山）等。

| 资源情况 | 野生资源稀少。药材来源于野生。

| 功能主治 | 甘，凉。清热解毒，活血止痛，通络。用于感冒，上呼吸道感染，流行性感冒，扁桃体炎，急性乳腺炎，大叶性肺炎，肺脓肿，细菌性痢疾，钩端螺旋体病，出血性麻疹，急性阑尾炎，痈疖脓肿，丹毒，外伤感染，宫颈柱状上皮异位。

忍冬科 Caprifoliaceae 接骨木属 *Sambucus*

接骨草 *Sambucus chinensis* Lindl.

| 药 材 名 |

陆英（药用部位：茎叶。别名：八棱麻、七里麻、马鞭三七）、陆英果实（药用部位：果实）、陆英根（药用部位：根）。

| 形态特征 |

高大草本或半灌木，高 1 ~ 2 m。茎有棱条，髓部白色。羽状复叶的托叶呈叶状或有时退化成蓝色的腺体；小叶 2 ~ 3 对，互生或对生，狭卵形，长 6 ~ 13 cm，宽 2 ~ 3 cm，嫩叶上面被疏长柔毛，先端长渐尖，基部两侧不等，具细锯齿，近基部或中部以下边缘常有 1 或数枚腺齿；顶生小叶卵形或倒卵形，基部楔形，有时与第 1 对小叶相连，小叶无托叶，基部 1 对小叶有时有短柄。复伞形花序顶生；杯形不孕性花不脱落，可孕性花小；花萼筒杯状，萼齿三角形；花冠白色，基部连合，花药黄色或紫色；子房 3 室。果实红色，近圆形，直径 3 ~ 4 mm；核 2 ~ 3，卵形，长 2.5 mm，表面有小疣状突起。花期 4 ~ 5 月，果熟期 8 ~ 9 月。

| 生境分布 |

生于海拔 400 ~ 1 500 m 的林下、草丛、灌丛。湖南各地均有分布。

| 资源情况 | 野生资源丰富。药材来源于野生。

| 采收加工 | 全年均可采收，洗净切碎，晒干或鲜用。

| 药材性状 | **陆英：**本品茎具细纵棱，呈类圆柱形，粗壮，多分枝，直径约 1 cm。表面灰色至灰黑色。幼枝有毛。质脆易断，断面可见淡棕色或白色髓部。羽状复叶，小叶 2 ~ 3 对，互生或对生；小叶片纸质，易破碎，多皱缩，展平后呈狭卵形至卵状披针形，先端长渐尖，基部钝圆，两侧不等，边缘有细锯齿。鲜叶片揉之有臭气。气微，味微苦。以茎质嫩、叶多、色绿者为佳。

陆英根：本品呈不规则弯曲状，长条形，有分枝，长 15 ~ 30 cm，有的长达 50 cm，直径 4 ~ 7 mm。表面灰色至灰黄色，有纵向细而略扭曲的纹及横长皮孔；偶留有纤细须根。质硬或稍软而韧，难折断，切断面皮部灰色或土黄色，木部纤维质，黄白色，易与皮部撕裂分离。气微，味淡。以条均匀、不带须根及地上茎者为佳。

| 功能主治 | **陆英：**甘、微苦，平。利尿消肿，活血止痛。用于肾炎性水肿，腰膝酸痛；外用于跌打肿痛。

陆英果实：甘、酸，平。用于手足疣目。

陆英根：散瘀消肿，祛风活络。用于跌打损伤，扭伤肿痛，骨折疼痛，风湿关节痛。

| 用法用量 | **陆英**：内服煎汤，9 ~ 15 g，鲜品 60 ~ 120 g。外用适量，煎汤洗；或捣敷。

陆英果实：外用适量，捣烂涂。

陆英根：内服煎汤，9 ~ 15 g，鲜品 30 ~ 60 g。外用适量，捣敷；或煎汤洗。

| 附　　注 | 本种的拉丁学名在 FOC 中被修订为 *Sambucus chinensis* Lindl.，曾用学名 *Sambucus javanica* Blume。

忍冬科 Caprifoliaceae 接骨木属 *Sambucus*

接骨木 *Sambucus williamsii* Hance

药材名

接骨木（药用部位：茎枝。别名：大婆参、五叶剑、接骨柳）、接骨木叶（药用部位：叶）、接骨木花（药用部位：花）、接骨木根（药用部位：根）。

形态特征

落叶灌木或小乔木，高 5 ~ 6 m。老枝淡红褐色，具明显的长椭圆形皮孔，髓部淡褐色。羽状复叶有小叶 2 ~ 3 对，有时仅 1 对或多达 5 对，侧生小叶片卵圆形、狭椭圆形至倒矩圆状披针形，先端尖、渐尖至尾尖，边缘具不整齐锯齿，有时基部或中部以下具 1 至数枚腺齿，基部楔形或圆形，有时心形，两侧不对称，最下 1 对小叶有时具长 0.5 cm 的柄，顶生小叶卵形或倒卵形，先端渐尖或尾尖，基部楔形，具长约 2 cm 的柄，初时小叶上面及中脉被稀疏短柔毛，后光滑无毛，叶搓揉后有臭气；托叶狭带形，或退化成带蓝色的突起。花与叶同出，圆锥形聚伞花序顶生；花小而密；花冠在花蕾时带粉红色，开后白色或淡黄色。果实红色，极少蓝紫黑色，卵圆形或近圆形，直径 3 ~ 5 mm；核 2 ~ 3，略有皱纹。花期 4 ~ 5 月，果熟期 9 ~ 10 月。

| 生境分布 | 生于 1 300 m 以下的草丛、灌丛、林边荒地。湖南各地均有分布。

| 资源情况 | 野生资源丰富。栽培资源较少。药材来源于野生和栽培。

| 采收加工 | 全年均可采收，鲜用或切段晒干。

| 药材性状 | 本品茎枝圆柱形，长短不等，直径 5 ~ 12 mm。表面绿褐色，有纵条纹及棕黑色点状凸起的皮孔，有的皮孔呈纵长椭圆形，长约 1 cm。皮部剥离后呈浅绿色至浅黄棕色。体轻，质硬。加工后的药材为斜向横切面，呈椭圆形，厚约 3 mm，切面皮部褐色，木质部浅黄色至浅黄褐色，有环状年轮和细密放射状的白色纹理。髓部疏松，海绵状。体轻。气无，味微苦。以片完整、黄白色、无杂质者为佳。

| 功能主治 | **接骨木：**甘、苦，平。归肝经。接骨续筋，活血止痛，祛风利湿。用于骨折，跌打损伤，风湿性关节炎，痛风，大骨节病，急、慢性肾小球肾炎；外用于创伤出血。

接骨木叶：活血，舒筋，止痛，利湿。用于跌打骨折，筋骨疼痛，风湿疼痛，痛风，脚气，烫火伤。

接骨木花：发汗利尿。用于感冒，小便不利。

接骨木根：祛风除湿，活血舒筋，利尿消肿。用于风湿疼痛，痰饮，黄疸，跌打瘀痛，骨折肿痛，急、慢性肾小球肾炎，烫伤。

| 用法用量 | **接骨木：**内服煎汤，15 ~ 30 g。外用适量。

接骨木叶：内服煎汤，6 ~ 9 g。外用适量。

接骨木花：内服煎汤，4.5 ~ 9 g；或代茶饮。

接骨木根：内服煎汤，15 ~ 30 g。外用适量。

| 附　　注 | 《湖南植物志》中接骨木又名欧接骨木。《湖南中药材质量标准》收载接骨木药用部位为干燥茎叶，可用于皮肤瘙痒，用量 10 ~ 20 g。

忍冬科 Caprifoliaceae 莛子藨属 *Triosteum*

穿心莛子藨 *Triosteum himalayanum* Wall.

| 药材名 | 五转七（药用部位：全草。别名：大对叶草）。

| 形态特征 | 多年生草本。茎高 40 ~ 60 cm，稀开花时先端有 1 对分枝，密生刺刚毛和腺毛。叶通常全株 9 ~ 10 对，基部联合，倒卵状椭圆形至倒卵状矩圆形，长 8 ~ 16 cm，宽 5 ~ 10 cm，先端急尖或锐尖，上面被长刚毛，下面脉上毛较密，并夹杂腺毛。聚伞花序 2 ~ 5 轮，在茎顶或有时在分枝上为穗状花序；萼裂片三角状圆形，被刚毛和腺毛，萼筒与萼裂片间缢缩；花冠黄绿色，花冠筒内紫褐色，长 1.6 cm，约为萼长的 3 倍，外有腺毛，花冠筒基部弯曲，一侧膨大成囊；雄蕊着生于花冠筒中部，花丝细长，淡黄色，花药黄色，矩圆形。果实红色，近圆形，直径 10 ~ 12 cm，冠以由宿存萼齿和缢缩的萼筒组成的短喙，被刚毛和腺毛。

| 生境分布 | 生于海拔 1 800 ~ 2 000 m 的山坡、暗针叶林边、林下、沟边或草地。分布于湖南湘西州（古丈）等。

| 资源情况 | 野生资源稀少。药材来源于野生。

| 采收加工 | 夏、秋季采收，鲜用或切段，晒干。

| 功能主治 | 苦，寒。归肝、脾经。利水消肿，活血调经。用于水肿小便不利，月经不调，劳伤疼痛。

| 用法用量 | 内服煎汤，6 ~ 10 g。外用适量，捣敷。

忍冬科 Caprifoliaceae 荚蒾属 *Viburnum*

桦叶荚蒾 *Viburnum betulifolium* Batalin.

| 药材名 | 红对节子（药用部位：根）。

| 形态特征 | 落叶灌木或小乔木，高可达 7 m。小枝紫褐色或黑褐色，稍有棱角，散生圆形、凸起的浅色小皮孔，无毛或初时稍有毛。冬芽外面多少有毛。叶厚纸质或略带革质，干后变黑色，宽卵形至菱状卵形或宽倒卵形，长 3.5 ~ 8.5（~ 12）cm，先端急短渐尖至渐尖，基部宽楔形至圆形，边缘具浅波状牙齿。复伞形式聚伞花序顶生或生于具 1 对叶的侧生短枝上；花萼筒有黄褐色腺点；萼齿小，宽卵状三角形，先端钝，有缘毛；花冠白色，辐状，裂片圆卵形；雄蕊常高出花冠，柱头高出萼齿。果实红色，近圆形，长约 6 mm；核扁，长 3.5 ~ 5 mm，直径 3 ~ 4 mm，顶尖，有 1 ~ 3 浅腹沟和 2 深背沟。花期 6 ~ 7 月，果熟期 9 ~ 10 月。

| 生境分布 | 生于海拔 1 300 ~ 2 100 m 的林下或灌丛。分布于湘东、湘中、湘西北、湘西南等。

| 资源情况 | 野生资源较少。药材来源于野生。

| 采收加工 | 秋末采挖，洗净，切断（片）晒干。

| 功能主治 | 涩，平。调经，涩精。用于月经不调，遗精，滑精，白浊，带下，口臭。

| 用法用量 | 内服煎汤，30 ~ 60 g；或炖肉食。

忍冬科 Caprifoliaceae 荚蒾属 *Viburnum*

短序荚蒾 *Viburnum brachybotryum* Hemsl.

| 药 材 名 | 羊屎条（药用部位：全株）。

| 形态特征 | 常绿灌木或小乔木，高可达 8 m。幼枝、芽、花序、花萼、花冠外面、苞片和小苞片均被黄褐色簇状毛；小枝黄白色或有时灰褐色，散生凸起的圆形皮孔。冬芽有 1 对鳞片。叶革质，倒卵形、倒卵状矩圆形或矩圆形，长 7 ~ 20 cm，先端渐尖或急渐尖，基部宽楔形至近圆形，边缘自基部 1/3 以上疏生尖锯齿。圆锥花序顶生或常有一部分生于腋出、无叶的退化短枝上，呈假腋生状，直立或弯垂，长 5 ~ 11（~ 22）cm，宽 2.5 ~ 8.5（~ 15）cm。花雌雄异株，生于序轴的第 2 至第 3 级分枝上，无梗或有短梗；花萼筒筒状钟形，先端钝，长约 1 mm；花冠筒极短，裂片卵形至矩圆状卵形，先端钝，为花冠

筒的 2 倍；柱头远高出萼齿。果实鲜红色，卵圆形，先端渐尖，基部圆形，长约 1 cm；常有毛；核卵圆形或长卵形，稍扁，先端渐尖，有 1 深腹沟。花期 1 ~ 3 月，果熟期 7 ~ 8 月。

｜生境分布｜ 生于海拔 400 ~ 1 900 m 的山谷密林或山坡灌丛。分布于湖南湘西州（吉首、花垣、古丈、永顺、保靖）、张家界（武陵源、桑植）、怀化（麻阳、新晃）、永州（道县）等。

｜资源情况｜ 野生资源较少。药材来源于野生。

｜功能主治｜ 根，清热解毒，祛风除湿。用于风湿关节痛，跌打损伤。花，用于风热咳嗽。叶、全株，外用于皮肤瘙痒，体癣。

忍冬科 Caprifoliaceae 荚蒾属 *Viburnum*

金佛山荚蒾 *Viburnum chinshanense* Graebn.

| 药材名 | 金山荚蒾（药用部位：全株或根）。

| 形态特征 | 灌木，高达 5 m。当年小枝被黄白色或浅褐色绒毛，二年生小枝浅褐色而无毛，散生小皮孔。叶纸质至厚纸质，披针状矩圆形或狭矩圆形，长 5 ~ 10（~ 15）cm，先端稍尖或钝形，基部圆形或微心形，全缘，稀具少数不明显小齿。聚伞花序，花通常生于第 2 级辐射枝上；花萼筒矩圆状卵圆形，花冠白色，辐状，直径约 7 mm，外面疏被簇状毛，筒部长约 3 mm，裂片卵圆形或近圆形；雄蕊略高出花冠，花药宽椭圆形，长约 1 mm；花柱略高出萼齿或几等长，红色。果实先红色后变黑色，长圆状卵圆形；核甚扁，长 8 ~ 9 mm，直径 4 ~ 5 mm，有 2 背沟和 3 腹沟。花期 4 ~ 5 月（有时秋季也开花），果熟期 7 月。

| 生境分布 | 生于海拔 100 ~ 1 900 m 的山坡疏林或灌丛。分布于湘西南、湘西北、湘中等。

| 资源情况 | 野生资源稀少。药材来源于野生。

| 功能主治 | 全株或根：清热利湿，祛风活络，凉血止血。

忍冬科 Caprifoliaceae 荚蒾属 *Viburnum*

伞房荚蒾 *Viburnum corymbiflorum* P. S. Hsu et S. C. Hsu

| 药 材 名 | 伞房荚蒾（药用部位：根、叶、种子）。

| 形态特征 | 灌木或小乔木，高达 5 m。枝和小枝黄白色，无毛或近无毛。冬芽有 1 对鳞片。叶皮纸质，稀亚革质，矩圆形至矩圆状披针形，长 6 ~ 10（~ 13）cm，离基部 1/3 以上疏生外弯的尖锯齿，无毛或初时脉上有极稀疏簇状毛，侧脉 4 ~ 6 对，大部直达齿端，连同中脉上面凹陷；叶柄长约 1 cm，初时有疏毛，后变近无毛。花芳香，生于花序轴的第 3 级分枝上，有长梗；花萼筒筒状，长约 2 mm，无毛或几无毛，常有少数腺体，萼齿狭卵形，长约 1 mm；花冠白色，辐状，直径约 8 mm，花冠筒长不足 1 mm，裂片矩圆形，长约 3 mm。果实红色，椭圆形，长 7 ~ 8（~ 10）mm，核倒卵圆形或倒卵状矩圆形，有 1 深腹沟。花期 4 月，果熟期 6 ~ 7 月。

| 生境分布 | 生于海拔 1 000 ~ 1 800 m 的山谷和山坡密林或灌丛湿润地。分布于湘南、湘西南等。

| 资源情况 | 野生资源稀少。药材来源于野生。

| 功能主治 | 用于痈毒。

| 用法用量 | 外用适量，捣敷。

忍冬科 Caprifoliaceae 荚蒾属 *Viburnum*

水红木 *Viburnum cylindricum* Buch.-Ham. ex D. Don

| 药 材 名 | 水红木根（药用部位：根）、水红木叶（药用部位：叶、树皮）、水红木花（药用部位：花）。

| 形态特征 | 常绿灌木或小乔木，高达 8 m。幼枝被微毛，老枝红褐色，变无毛，疏生皮孔。叶对生；叶柄长 1 ~ 3.5 cm；叶革质，叶片椭圆形至长圆形或卵状长圆形，长 6 ~ 16 cm，宽 3 ~ 5 cm，粗壮枝上的叶较薄较大，长达 17 ~ 24 cm，宽 10 cm，先端渐尖至急渐尖，基部狭窄至薄较大，全缘或在中、上部常具少数不整齐疏齿，上面暗绿色，下面灰绿色，疏被红色或黄色微小腺点，侧脉 3 ~ 5 对，弧形；革质。聚伞花序伞形，直径 4 ~ 10 cm，被微毛至仅有微小腺点；总梗长 1 ~ 6 cm，花通常着生于第 3 级辐射枝上；花萼筒长约 1.5 mm，具

细小腺点；萼齿极小；花冠白色或有红晕，钟状，长 4 ~ 6 mm，裂片，圆卵形，长约 1 mm，先红色后紫黑色。核卵圆形，扁，有 1 浅腹沟和 2 浅背沟。

| 生境分布 | 生于海拔 500 ~ 1 300 m 的阳坡疏林或灌丛。分布于湖南张家界（武陵源）、郴州（临武）等。

| 资源情况 | 野生资源较少。药材来源于野生。

| 采收加工 | **水红木根：**全年均可采挖，洗净，鲜用或切段晒干。

水红木叶：全年均可采收叶，春、夏季剥取树皮，均鲜用，或晒干（树皮晒前切段）。

水红木花：夏季采摘，阴干。

| 功能主治 | **水红木根：**苦，凉。祛风活络。用于跌打损伤，风湿筋骨痛。

水红木叶：苦、涩，凉。利湿解毒，活血。用于赤白痢疾，泄泻，疝气，痛经，跌打损伤，尿路感染，痈肿疮毒，皮癣，口腔炎，烫火伤。

水红木花：苦，凉。润肺止咳。用于风热咳喘。

| 用法用量 | **水红木根：**内服煎汤，15 ~ 30 g；或浸酒。

水红木叶：内服煎汤，15 ~ 30 g。外用适量，鲜品捣敷；或干品研末调敷；或煎汤洗。

水红木花：内服煎汤，9 ~ 15 g；或浸酒。

忍冬科 Caprifoliaceae 荚蒾属 *Viburnum*

荚蒾 *Viburnum dilatatum* Thunb.

|药材名| 荚蒾（药用部位：茎叶。别名：酸汤杆）、荚蒾根（药用部位：根）。

|形态特征| 落叶灌木，高达 3 m。幼枝连同叶柄和花序均密被开展的小刚毛状及簇状糙毛，二年生，小枝渐变无毛，灰褐色。叶纸质，宽倒卵形、倒卵形或宽卵形，长 3 ～ 10（～ 13）cm，有时楔形，有牙齿状锯齿，齿端突尖，上面被叉状或简单伏毛，下面被带黄色叉状或簇状毛，叶脉毛密，脉腋集聚簇状毛，有带黄色或近无色的透亮腺点，近基部两侧有少数腺体，侧脉 6 ～ 8 对，直达齿端；叶柄长（5 ～）10 ～ 15 mm。花生于第 3 ～ 4 级辐射枝；花萼和花冠外面均有簇状糙毛；花萼筒狭筒状，长约 1 mm，有暗红色微细腺点，萼齿卵形；花冠白色，辐状，直径约 5 mm，裂片卵圆形；雄蕊高出花冠，花药乳白色。果实红色，椭圆状卵圆形，长 7 ～ 8 mm；核扁，卵形，有

3 浅腹沟和 2 浅背沟。花期 5 ~ 6 月，果熟期 9 ~ 11 月。

| 生境分布 | 生于海拔 100 ~ 1 000 m 的山坡或山谷疏林、林缘及山脚灌丛。湖南各地均有分布。

| 资源情况 | 野生资源较丰富。药材来源于野生。

| 采收加工 | **荚蒾：**春、夏季采收，鲜用，或切段晒干。

荚蒾根：夏、秋季采挖，洗净，切段，晒干。

| 功能主治 | **荚蒾：**味酸，微寒。疏风解毒，清热解毒，活血。用于风热感冒，疔疮发热，产后伤风，跌打骨折。

荚蒾根：味辛、涩，微寒。祛瘀消肿，解毒。用于跌打损伤，牙痛，淋巴结炎。

| 用法用量 | **荚蒾：**内服煎汤，9 ~ 30 g。外用适量，鲜品捣敷；或煎汤洗。

荚蒾根：内服煎汤，15 ~ 30 g；或加酒煎。

忍冬科 Caprifoliaceae 荚蒾属 *Viburnum*

宜昌荚蒾 *Viburnum erosum* Thunb.

| 药材名 | 宜昌荚蒾（药用部位：根）、宜昌荚蒾叶（药用部位：茎叶）。

| 形态特征 | 落叶灌木，高达 3 m。叶纸质，形状变化很大，卵状披针形、卵状矩圆形、狭卵形、椭圆形或倒卵形，长 3 ~ 11 cm，基部圆形、宽楔形或微心形，有波状小尖齿，上面无毛或疏被叉状或簇状短伏毛，下面密被由簇状毛组成的绒毛，近基部两侧有少数腺体，侧脉 7 ~ 10（~ 14）对，直达齿端；叶柄长 3 ~ 5 mm，被短粗毛，基部有 2 宿存、钻形小托叶。复伞形式聚伞花序生于具 1 对叶的侧生短枝之顶，花生于第 2 至第 3 级辐射枝上；花冠白色，辐状，裂片卵圆形；雄蕊略短于至长于花冠，花药黄白色；花柱高出萼齿。果实红色，宽卵圆形；核扁。花期 4 ~ 5 月，果熟期 8 ~ 10 月。

生境分布 生于海拔 100 ~ 1 200 m 的山坡林下或灌丛中。湖南各地均有分布。

资源情况 野生资源丰富。药材来源于野生。

采收加工 **宜昌荚蒾：**全年均可采挖，鲜用，或切段、切片晒干。

宜昌荚蒾叶：春、夏季采收，鲜用。

功能主治 **宜昌荚蒾：**涩，平。祛风，除湿。用于风湿痹痛。

宜昌荚蒾叶：涩，平。解毒，除湿，止痒。用于口腔炎，脚趾湿烂，湿疹。

用法用量 **宜昌荚蒾：**内服煎汤，6 ~ 9 g。

宜昌荚蒾叶：外用适量，捣汁涂。

忍冬科 Caprifoliaceae 荚蒾属 *Viburnum*

红荚蒾 *Viburnum erubescens* Wall.

| 药 材 名 | 红荚蒾（药用部位：根）。

| 形态特征 | 落叶灌木或小乔木，高达 6 m。当年小枝被簇状毛至无毛。冬芽有 1 对鳞片。叶纸质，椭圆形、矩圆状披针形至狭矩圆形，稀卵状心形或略带倒卵形，长 6 ~ 11 cm，边缘基部除外具细锐锯齿，上面无毛或中脉有细短毛，下面中脉和侧脉被簇状毛，侧脉 4 ~ 6 对，多直达齿端，连同中脉上面略凹陷；叶柄长 1 ~ 2.5 cm，被簇状毛或无毛。圆锥花序，长（5 ~ ）7.5 ~ 10 cm，花无梗或有短梗，生于花序轴第 1 ~ 3 级分枝；花萼筒筒状，通常无毛；花冠白色或淡红色，高脚碟状，裂片长 2 ~ 3 mm，先端圆；雄蕊生于花冠筒先端，花药微外露；花柱高出萼齿。果实紫红色，后黑色，椭圆形；核倒卵圆形，扁，直径 4 ~ 5 mm，有 1 深腹沟，腹面上半部有 1 隆起的脊。花期

4 ~ 6 月，果熟期 8 月。

| 生境分布 | 生于海拔（1 500 ~）2 000 m 的针、阔叶混交林。分布于湖南永州（道县）等。

| 资源情况 | 野生资源稀少。药材来源于野生。

| 功能主治 | 清热解毒，凉血，止血。

忍冬科 Caprifoliaceae 荚蒾属 *Viburnum*

紫药红荚蒾 *Viburnum erubescens* Wall. var. *prattii* (Graebn.) Rehder

| 药 材 名 | 紫药红荚蒾（药用部位：根或根皮）。

| 形态特征 | 红荚蒾的变种。叶倒卵形、倒卵状椭圆形至矩圆形或狭矩圆形，长 6 ~ 14 cm，侧脉 7 ~ 9 对，脉腋常集聚簇状毛。花药堇紫色。

| 生境分布 | 生于海拔 1 400 ~ 2 000 m 的山谷溪涧旁密林或林缘。分布于湖南郴州（桂阳）、怀化（麻阳）等。

| 资源情况 | 野生资源稀少。药材来源于野生。

| 功能主治 | 止咳化痰，消积破瘀，止痢，止血。

|附　　注| 本种为红荚蒾 *Viburnum erubescens* Wall. 的变种。

忍冬科 Caprifoliaceae 荚蒾属 *Viburnum*

直角荚蒾 *Viburnum foetidum* Wall. var. *rectangulatum* (Graebn.) Rehder.

|药 材 名|

小五味子（药用部位：嫩枝、叶、果实）。

|形态特征|

植株直立或攀缘状。枝披散，侧生小枝甚长而呈蜿蜒状，常与主枝呈直角或近直角开展。叶厚纸质至薄革质，卵形、菱状卵形、椭圆形至矩圆形或矩圆状披针形，长 3 ~ 6（~ 10）cm，全缘或中部以上有少数不规则浅齿，下面偶有棕色小腺点，侧脉直达齿端或近缘前互相网结，基部 1 对较长而常作离基三出脉状。总花梗通常极短或几缺，很少长达 2 cm；通常具 5 第 1 级辐射枝。花期 5 ~ 7 月，果实成熟期 10 ~ 12 月。

|生境分布|

生于海拔 600 ~ 1 200 m 的山坡林或灌丛。湖南各地均有分布。

|资源情况|

野生资源一般。药材来源于野生。

|功能主治|

清热解毒，利湿生津，止咳，接骨。

忍冬科 Caprifoliaceae 荚蒾属 *Viburnum*

南方荚蒾 *Viburnum fordiae* Hance

药材名 南方荚蒾（药用部位：根、茎、叶）。

形态特征 灌木或小乔木，高 3 ~ 5 m。幼枝、芽、叶柄、花序、花萼和花冠外面均被暗黄色或黄褐色的簇状毛。叶对生；叶柄长 5 ~ 12 mm；叶膜状坚纸质至膜状，叶片宽卵形或鞭状卵形，长 4 ~ 7 cm，宽 2.5 ~ 5 cm，先端尖至渐尖，基部钝或圆形，边缘基部以上疏生浅波状小尖齿，上面绿色，有时沿脉散生有柄的红褐色小腺点，下面淡绿色，沿各级脉上具簇状绒毛，侧脉每边 5 ~ 7 绒毛，伸达齿端，与中脉在叶上面凹陷，在下面凸起。复伞形式聚伞花序顶生或生于具 1 对叶的侧生小枝之顶，直径 3 ~ 8 cm；总梗长 1 ~ 3.5 cm，第 1 级辐射枝 5；花着生于第 3 ~ 4 级辐射枝上；花萼外被簇状毛，花萼筒长约 1 mm；花冠白色，辐状，直径 4 ~ 5 mm；雄蕊 5，近等

长或超出花冠。核果卵状球形，红色；核扁，有2腹沟和1背沟。花期4 ~ 5月，果熟期10 ~ 11月。

| 生境分布 | 生于海拔200 ~ 1 200 m的山谷溪涧旁疏林、山坡灌丛或平原旷野。湖南各地均有分布。

| 资源情况 | 野生资源一般。药材来源于野生。

| 采收加工 | 根，全年均可采挖，洗净，切段，或晒干。茎、叶，夏、秋季采收，鲜用，或切段晒干。

| 功能主治 | 苦、涩，凉。疏风解表，活血散瘀，清热解毒。用于感冒，发热，月经不调，风湿痹痛，跌打损伤，淋巴结炎，疮疖，湿疹。

| 用法用量 | 内服煎汤，6 ~ 15 g；或浸酒。外用适量。

忍冬科 Caprifoliaceae 荚蒾属 *Viburnum*

巴东荚蒾 *Viburnum henryi* Hemsl.

| 药 材 名 |

巴东荚蒾（药用部位：根、枝、叶）。

| 形态特征 |

灌木或小乔木，常绿或半常绿，高达 7 m，全株无毛或近无毛；当年小枝带紫褐色或绿色，二年生小枝灰褐色。冬芽有 1 对外被黄色簇状毛的鳞片。叶亚革质，倒卵状矩圆形至矩圆形或狭矩圆形，长 6 ~ 10（~ 13）cm，先端尖至渐尖，基部楔形至圆形，边缘除 1 叶片的中部或中部以下处全缘外有浅的锐锯齿，两面无毛或下面脉上散生少数簇状毛，侧脉 5 ~ 7 对，至少部分直达齿端，脉腋有趾蹼状小孔和少数集聚簇状毛；叶柄长 1 ~ 2 cm。圆锥花序顶生，长 4 ~ 9 cm；总花梗长 2 ~ 4 cm；苞片条状披针形，绿白色；花生于花序轴的第 2 至第 3 级分枝上；花萼筒筒状至倒圆锥筒状；花冠白色，辐状，花冠筒长约 1 mm；雄蕊与花冠裂片等长或略超出，花药黄白色。果实红色，后变紫黑色；核稍扁，椭圆形，长 7 ~ 8 mm，有 1 深腹沟，背沟常不存。花期 6 月，果期 8 ~ 10 月。

| 生境分布 |

生于海拔 700 ~ 1 900 m 的山谷密林或湿润

草坡。分布于湖南张家界（武陵源）、永州（新田）、怀化（新晃）等。

| 资源情况 | 野生资源稀少。药材来源于野生。

| 功能主治 | 根，清热解毒。枝、叶，用于小儿鹅口疮。

| 附　　注 | 本种与珊瑚树 *Viburnum odoratissimum* Ker.-Gawl. 和短筒荚蒾 *Viburnum brevitubum* (P. S. Hsu) P. S. Hsu 的区别为本种叶革质，侧脉近缘时互相网结，下面脉腋无簇状毛，后者叶纸质，花冠筒状钟形。

忍冬科 Caprifoliaceae 荚蒾属 *Viburnum*

绣球荚蒾 *Viburnum macrocephalum* Fortune

药材名 木绣球茎（药用部位：茎）。

形态特征 落叶或半常绿灌木，高达 4 m。幼枝被垢屑状星状毛，老枝灰黑色，冬芽无鳞片。叶对生；叶柄长 10 ~ 15 mm；叶片纸质；叶卵形、椭圆形至卵状矩圆形，长 5 ~ 11 cm，宽 2.5 ~ 4.5 cm，先端钝或稍尖，基部圆或有时微心形，边缘细齿，下面疏生星状毛，侧脉 5 ~ 6 对，近叶缘前网结，连同中脉在上面略凹陷，在下面凸起。聚伞花序直径 8 ~ 15 cm，全部由大型不孕花组成；总花梗明显，第 1 级辐射枝 5，花生于第 3 级辐射枝上；花萼筒筒状，长约 2.5 mm，萼檐具 5 微齿；花冠白色，辐状，直径 1.5 ~ 4 cm，裂片圆状倒卵形；花冠筒短；雄蕊 5，长约 3 mm；雌蕊不育。花期 4 ~ 5 月。

| 生境分布 | 生于海拔 200 ~ 800 m 的山地疏林、灌丛。分布于湘东、湘北等。

| 资源情况 | 野生资源稀少。药材来源于野生。

| 采收加工 | 全年均可采收，鲜用，或切段，晒干。

| 功能主治 | 燥湿止痒。用于疥癣，湿烂痒痛。

| 用法用量 | 内服煎汤，15 ~ 20 g。外用适量。

| 附　　注 | 本种的拉丁学名在 FOC 中被修订为 *Viburnum keteleeri* 'Sterile'。

忍冬科 Caprifoliaceae 荚蒾属 *Viburnum*

琼花 *Viburnum macrocephalum* Fort. f. *keteleeri* (Carr.) Rehd.

| 药 材 名 | 木绣球茎（药用部位：茎）。

| 形态特征 | 灌木一年生或多年生草本植物。聚伞花序仅周围具大型的不孕花，花冠直径 3 ~ 4.2 cm，裂片倒卵形或近圆形，先端常凹缺；可孕花的萼齿卵形，长约 1 mm；花冠白色，辐状，直径 7 ~ 10 mm，裂片宽卵形，长约 2.5 mm，花冠筒部长约 1.5 mm；雄蕊稍高出花冠，花药近圆形，长约 1 mm。果实红色而后变黑色，椭圆形，长约 12 mm；核扁，矩圆形至宽椭圆形，长 10 ~ 12 mm，直径 6 ~ 8 mm，有 2 浅背沟和 3 浅腹沟。

| 生境分布 | 生于海拔 100 ~ 1 000 m 的丘陵、山坡林下或灌丛。分布于湘南、湘北、

湘东、湘中等。

| 资源情况 | 野生资源一般。药材来源于野生。

| 功能主治 | 除湿止痒。用于风湿疥癣，皮肤湿烂痒痛。

忍冬科 Caprifoliaceae 荚蒾属 *Viburnum*

黑果荚蒾 *Viburnum melanocarpum* Hsu

| 药 材 名 | 黑果荚蒾（药用部位：果实）。

| 形态特征 | 落叶灌木，当年小枝浅灰黑色，连同叶柄和花序均疏被带黄色簇状短毛，二年生小枝变红褐色而无毛；冬芽密被黄白色细短毛。叶纸质，倒卵形、圆状倒卵形或宽椭圆形，稀菱状椭圆形，长 6 ~ 10 cm，先端常短渐尖，基部圆形、浅心形或宽楔形，边缘有小牙齿，齿顶有小凸尖，上面有光泽，小脉横列，叶干后下面呈明显的网格状；托叶钻形，长约 3 mm，早落，或无。复伞形聚伞花序生于具 1 对叶的短枝之顶，散生微细腺点；萼筒筒状倒圆锥形，长约 1.5 mm，被少数簇状微毛或无毛，具红褐色微细腺点，萼齿宽卵形，顶钝；花冠白色，辐状，直径约 5 mm，无毛，裂片宽卵形，略长于筒；雄蕊

高出或略短于花冠，花药宽椭圆形；柱头头状，高出萼齿。果实由暗紫红色转为酱黑色，有光泽，椭圆状圆形，核扁，卵圆形，腹面中央有一纵向隆起的脊。花期 4 ~ 5 月，果期 9 ~ 10 月。

| 生境分布 | 生于海拔约 1 000 m 的山地林中或山谷溪涧旁灌丛。分布于湖南邵阳（绥宁）等。

| 资源情况 | 野生资源稀少。药材来源于野生。

| 采收加工 | 春、夏季采收，鲜用或切段，晒干。

| 功能主治 | 酸，微寒。疏风解表，清热解毒，活血。用于风热感冒，疔疮发热，产后伤风，跌打骨折。

| 用法用量 | 内服煎汤，9 ~ 30 g。外用适量，鲜品捣敷；或煎汤外洗。

忍冬科 Caprifoliaceae 荚蒾属 *Viburnum*

显脉荚蒾 *Viburnum nervosum* D. Don.

| 药 材 名 | 心叶荚蒾根（药用部位：根、叶。别名：黄皮）。

| 形态特征 | 落叶灌木或小乔木，高达 5 m。幼枝、叶下面中脉和侧脉上、叶柄和花序均疏被鳞片状或糠秕状簇状毛；二年生小枝灰色或灰褐色，无毛，具少数大形皮孔。叶纸质，卵形至宽卵形，稀矩圆状卵形，长 9 ~ 18 cm，先端渐尖，基部心形或圆形，边缘常有不整齐钝或圆的锯齿，很少为尖锯齿，上面无毛或近无毛，下面常多少被簇状毛，侧脉 8 ~ 10 对，上面凹陷，下面凸起，小脉横列；叶柄粗壮，长 2 ~ 5.5 cm，有或无托叶。聚伞花序与叶同时开放，直径 5 ~ 15 cm，无大型的不孕花，连同萼筒均有红褐色小腺体，第 1 级辐射枝 5 ~ 7，花生于第 2 至第 3 级辐射枝上；萼筒筒状钟形，长约

1.5 mm，无毛，萼齿卵形，被少数簇状毛；花冠白色或带微红色，辐状，直径 6 ~ 10 mm，裂片长为筒的 2 倍，卵状矩圆形至矩圆形，大小常不等，外侧者常较大，尤以花序边缘的花为甚；花丝长约 1 mm，花药宽卵圆形，紫色；花柱略高出萼齿。果实先红色后变黑色，卵圆形，长约 8 mm，直径 6 ~ 7 mm；核扁，两缘内弯，有 1 浅背沟和 1 深腹沟。花期 4 ~ 6 月，果期 9 ~ 10 月。

| 生境分布 | 生于海拔 1 800 m 左右的山顶或山坡林中和林缘灌丛。分布于湖南邵阳（新宁）、长沙（浏阳）等。

| 资源情况 | 野生资源稀少。药材来源于野生。

| 采收加工 | 秋、冬季采收，切片，晒干。

| 功能主治 | 涩，温。祛风除湿，活血利气。用于风湿痹痛，跌打损伤，腰胁气胀。

| 用法用量 | 内服煎汤，15 ~ 20 g；或浸酒。

忍冬科 Caprifoliaceae 荚蒾属 *Viburnum*

珊瑚树 *Viburnum odoratissimum* Ker-Gawl.

药材名 沙糖木（药用部位：叶、树皮、根。别名：雷片木、鸭屎木、利桐木）。

形态特征 常绿灌木或小乔木，高达 10 m。叶对生；叶柄长 1 ~ 2（~ 3）cm；叶片革质，叶椭圆形至长圆形或长圆状倒卵形至倒卵形，有时几呈圆形，长 7 ~ 20 cm，宽 4 ~ 9 cm，先端急尖或钝，基部阔楔形至近圆形，边缘自基部 1/3 以上疏生尖锯齿，有时近全缘，两面无毛，有时在下面脉腋常有簇状毛；侧脉 5 ~ 7 对，弯拱向上，近缘前互相网结，连同中脉在下面凸起。圆锥花序通常尖塔形，长 5 ~ 11 cm，宽 2.5 ~ 8.5 cm；花无梗或具短梗；花萼筒长约 1.5 mm，萼檐具 5 浅钝齿；花冠白色，辐状，直径约 7 mm；花冠筒长约 1 mm，裂片 5，较花冠筒长 2 ~ 3 倍；雄蕊 5，着生于近花冠筒喉部。核果卵状椭

圆形，先红色后黑色；核椭圆形，扁，长约 8 mm，有 1 腹深沟。花期 4 ~ 5 月（有时不定期开花），果熟期 7 ~ 9 月。

| 生境分布 | 生于海拔 600 ~ 1 200 m 的山谷密林或山坡灌丛。湖南各地均有分布。

| 资源情况 | 野生资源一般。药材来源于野生。

| 采收加工 | 叶、树皮，春、夏季采收，叶鲜用，树皮鲜用，或切段，晒干。
根，全年均可采挖，鲜用，或切段，晒干。

| 功能主治 | 辛，温。祛风除湿，通经活络。用于感冒，风湿痹痛，跌打肿痛，骨折。

| 用法用量 | 叶，外用适量，捣敷。树皮，内服煎汤，30 ~ 60 g。根，内服煎汤，9 ~ 15 g。

忍冬科 Caprifoliaceae 荚蒾属 *Viburnum*

日本珊瑚树 *Viburnum odoratissimum* Ker-Gawl. var. *awabuki* (K. Koch) Zabel ex Rümpler

药材名

日本珊瑚树（药用部位：根、树皮、叶。别名：法国冬青）。

形态特征

叶倒卵状矩圆形至矩圆形，很少倒卵形，长 7 ~ 13（~ 16）cm，先端钝或急狭而钝头，基部宽楔形，边缘常有较规则的波状浅钝锯齿，侧脉 6 ~ 8 对。圆锥花序通常生于具 2 对叶的幼枝顶，长 9 ~ 15 cm，直径 8 ~ 13 cm；花冠筒长 3.5 ~ 4 mm，裂片长 2 ~ 3 mm；花柱较细，长约 1 mm，柱头常高出萼齿。果核通常倒卵圆形至倒卵状椭圆形，长 6 ~ 7 mm。其他性状同珊瑚树。花期 5 ~ 6 月，果熟期 9 ~ 10 月。

生境分布

生于海拔 200 m 以下的山坡、沟谷林中或林缘。分布于湖南邵阳（隆回、洞口、绥宁、新宁、城步、武冈）、衡阳（南岳）、郴州（宜章）、永州（祁阳、东安）、怀化（洪江）等。湖南各地有栽培。

资源情况

野生资源较稀少。药材来源于野生和栽培。

| 采收加工 | 叶和树皮于春、夏季采收，根全年均可采挖，树皮、根鲜用或切段晒干，叶鲜用。

| 功能主治 | 辛，温。清热祛湿，通经活络，拔毒生肌。用于感冒，风湿，跌打肿痛，骨折，痈疽已溃，久不生肌。

| 用法用量 | 内服煎汤，根 9 ~ 15 g，树皮 30 ~ 60 g。叶：外用适量，捣敷。

| 附　　注 | 本种为优良的园林绿化树种，适作绿篱或园景丛植；抗煤烟、粉尘，对 SO_2、Cl_2 具有较强的抗性及吸收能力；耐火性强，适作山麓防火林带造林配置树种；木材纹理致密。

忍冬科 Caprifoliaceae 荚蒾属 *Viburnum*

鸡树条 *Viburnum opulus* L. var. *calvescens* (Rehd.) Hara

|药 材 名| 鸡树条（药用部位：枝、叶）、鸡树条果（药用部位：果实。别名：荚蒾果）。

|形态特征| 落叶灌木，高 2 ～ 3 m。有纵条及软木条层；小枝褐色至赤褐色，具明显条棱。单叶对生；卵形至阔卵圆形，长 6 ～ 12 cm，宽 5 ～ 10 cm，通常 3 浅裂，基部圆形或截形，具掌状三出脉，先端均渐尖或突尖，边缘具不整齐的大齿，上面无毛，下面脉腋有茸毛；叶柄粗壮，无毛，近端处有腺点。伞形聚伞花序顶生，紧密多花，由 6 ～ 8 小伞房花序组成，直径 8 ～ 10 cm；能孕花在中央，外围有不孕的辐状花，总柄粗壮，长 2 ～ 5 cm；花冠杯状，辐状开展，乳白色，5 裂，直径 5 mm；花药紫色；不孕花白色。核果球形，直径 8 mm，鲜红色。

| 生境分布 | 生于海拔 1 200 ~ 1 900 m 的溪谷边、疏林下或灌丛。分布于湖南怀化（洪江），娄底（新化）等。

| 资源情况 | 野生资源稀少。药材来源于野生。

| 采收加工 | **鸡树条：**夏、秋季采收。

鸡树条果：鲜用，或切段，晒干。

| 功能主治 | **鸡树条：**甘、苦，平。枝，通经活络，解毒止痒。用于风湿性关节炎，腰酸腿痛，跌打损伤。叶，通经活络，解毒止痒；外用于疮疖，癣，皮肤瘙痒。

鸡树条果：止咳。用于急、慢性支气管炎，咳嗽。

| 用法用量 | **鸡树条：**内服煎汤，9 ~ 15 g，鲜品加倍；或研末。外用适量，捣敷；或煎汤洗。

鸡树条果：内服煎汤，6 ~ 15 g，鲜品 15 ~ 30 g；或捣汁。

| 附　　注 | 本种的拉丁学名在 FOC 中被修订为 *Viburnum opulus* subsp. *calvescens* (Rehder) Sugimoto。

忍冬科 Caprifoliaceae 荚蒾属 *Viburnum*

粉团 *Viburnum plicatum* Thunb.

| 药 材 名 | 粉团根（药用部位：根、枝条）。

| 形态特征 | 落叶灌木，高 3 m。当年小枝浅黄褐色，四角状，被由黄褐色簇状毛组成的绒毛，二年生小枝灰褐色或灰黑色，稍具棱角或否，散生圆形皮孔，老枝圆筒形，近水平状开展。冬芽有 1 对披针状三角形鳞片。叶纸质，近圆形，长 4 ～ 10 cm，先端圆或急狭而微凸尖，边缘有不整齐三角状锯齿，上面疏被短伏毛，中脉毛较密，下面密被绒毛，或有时仅侧脉有毛，侧脉 10 ～ 13 对，笔直伸至齿端，上面常深凹陷，下面显著凸起，小脉横列，并行，紧密，呈明显的长方形格纹；叶柄长 1 ～ 2 cm，被薄绒毛。聚伞花序伞形式，球形，直径 4 ～ 8 cm，常生于具 1 对叶的短侧枝上，全部由大型的不孕花组成；总花梗长 1.5 ～ 4 cm，稍有棱角，被黄褐色簇状毛，第 1

级辐射枝 6 ～ 8；花萼筒倒圆锥形，无毛或有时被簇状毛，顶钝圆；花冠直径 1.5 ～ 3 cm，裂片有时仅 4，顶圆形，大小常不相等；雌、雄蕊均不发育。花期 4 ～ 5 月。

| 生境分布 | 生于岗地，丘陵。分布于湘西北、湘北、湘南、湘东、湘中等。

| 资源情况 | 野生资源稀少。药材来源于野生。

| 功能主治 | 清热解毒，健脾消积。

忍冬科 Caprifoliaceae 荚蒾属 *Viburnum*

蝴蝶戏珠花 *Viburnum plieatum* Thunb. var. *tomentosam* (Thunb.) Miq.

| 药 材 名 | 蝴蝶树（药用部位：根、茎）。

| 形态特征 | 叶较狭，宽卵形或矩圆状卵形，有时椭圆状倒卵形，两端有时渐尖，下面常带绿白色，侧脉 10 ~ 17 对。花序直径 4 ~ 10 cm，外围有 4 ~ 6 白色、大型的不孕花，具长花梗；花冠直径 4 cm，不整齐 4 ~ 5 裂；中央可孕花直径约 3 mm；花萼筒长约 15 mm；花冠辐状，黄白色，裂片宽卵形，长约等于花冠筒；雄蕊高出花冠，花药近圆形。果实先红色后变黑色，宽卵圆形或倒卵圆形，长 5 ~ 6 mm，直径约 4 mm；核扁，两端钝形，有 1 上宽下窄的腹沟，背面中下部还有 1 短的隆起之脊。花期 4 ~ 5 月，果熟期 8 ~ 9 月。

| 生境分布 | 生于海拔 240 ~ 1 800 m 的丘陵岗地、低山、中山。湖南各地均有分布。

| 资源情况 | 野生资源一般。药材来源于野生。

| 采收加工 | 全年均可采收，切片晒干。

| 功能主治 | 苦、辛、酸，性平。清热解毒，健脾消积。用于风热感冒，风湿痛，淋巴结炎，疳积，疮疡肿痛。

| 用法用量 | 内服煎汤，3 ~ 9 g。外用适量，烧存性研末调敷。

忍冬科 Caprifoliaceae 荚蒾属 *Viburnum*

球核荚蒾 *Viburnum propinquum* Hemsl.

| 药材名 | 六股筋（药用部位：全株或根皮、叶）。

| 形态特征 | 常绿灌木，高达 2 m。全株无毛，当年生小枝具凸起的皮孔。幼叶带紫色，后革质，卵形、卵状披针形、椭圆形或椭圆状长圆形，长 4 ~ 9（~ 11）cm，宽 1.5 ~ 3 cm，基部楔形或近圆形，疏生浅锯齿，基部以上两侧各有 1 ~ 2 腺体，具离基三出脉，脉延伸至叶中部或中部以上，近缘前网结，有时脉腋有集聚簇状毛，中脉和侧脉（有时连同小脉）上面凹陷；叶柄纤细，长 1 ~ 2 cm。花生于第 3 级辐射枝；花梗细；花萼筒长约 0.6 mm；萼齿宽三角状卵形，长约 0.4 mm；花冠绿白色，辐状，直径约 4 mm，内面基部被长毛，裂片宽卵形，先端圆，长约 1 mm，约与花冠筒部等长；雄蕊常稍高出花冠；果实成熟时蓝黑色，有光泽，近圆形或卵圆形，长（3 ~ ）

5 ~ 6 mm；核有 1 极细浅腹沟或无沟。花期 4 ~ 5 月，果期 9 ~ 10 月。

| 生境分布 | 生于海拔 250 ~ 1 300 m 的低山、丘陵岗地。湖南各地均有分布。

| 资源情况 | 野生资源一般。药材来源于野生。

| 采收加工 | 春、夏季采摘叶，全年均可采挖根，均晒干或鲜用，根用时切段。

| 功能主治 | 苦、涩，性温。止血，消肿止痛，接骨续筋。用于风湿关节痛，骨折，跌打损伤，外伤出血。

| 用法用量 | 外用适量，研末撒；或调敷；或鲜品捣敷。

忍冬科 Caprifoliaceae 荚蒾属 *Viburnum*

皱叶荚蒾 *Viburnum rhytidophyllum* Hemsl.

| 药 材 名 | 山琵琶（药用部位：根、枝、叶）。

| 形态特征 | 常绿灌木或小乔木，高达 4 m。幼枝、芽、叶下面、叶柄及花序均被由黄白色、黄褐色或红褐色簇状毛组成的厚绒毛。当年小枝粗壮，稍有棱角，二年生小枝红褐色或灰黑色，无毛，散生圆形小皮孔，老枝黑褐色。叶革质，卵状矩圆形至卵状披针形，长 8 ~ 25 cm，全缘或有不明显小齿，上面深绿色有光泽，幼时疏被簇状柔毛，后变无毛，各脉深凹陷而呈极度皱纹状，下面有凸起网纹，侧脉 6 ~ 12 对，近缘处互相网结，很少直达齿端；叶柄长 1.5 ~ 4 cm。聚伞花序稠密，直径 7 ~ 12 cm；总花梗长 1.5 ~ 7 cm，第 1 级辐射枝 7，四角状，花生于第 3 级辐射枝上，无柄；花萼筒筒状钟形，长 2 ~ 3 mm，被由黄白色簇状毛组成的绒毛，长 2 ~ 3 mm；萼齿微小，

宽三角状卵形，长 0.5 ~ 1 mm；花冠直径 5 ~ 7 mm，几无毛，长 2 ~ 3 mm，略长于花冠筒；花药宽椭圆形，长约 1 mm。果实宽椭圆形，长 6 ~ 8 mm，无毛；核宽椭圆形，两端近截形，长 6 ~ 7 mm，直径 4 ~ 5 mm。花期 4 ~ 5 月，果熟期 9 ~ 10 月。

| 生境分布 | 生于海拔 700 ~ 1 800 m 的山坡林下或灌丛、低山、丘陵岗地、中山。分布于湘西南、湘西北等。

| 资源情况 | 野生资源稀少。药材来源于野生。

| 功能主治 | 清热解毒，祛风除湿，活血止血。

忍冬科 Caprifoliaceae 荚蒾属 *Viburnum*

常绿荚蒾 *Viburnum sempervirens* K. Koch

| 药 材 名 | 白花坚荚树（药用部位：枝、叶）。

| 形态特征 | 常绿灌木，高可达 4 m。树皮褐色，当年生枝淡黄色或灰褐色，四角状，去年生枝变紫褐色或灰褐色，近圆柱状。叶对生；叶柄长 5 ~ 15 mm，带红紫色；叶片革质，叶椭圆形至椭圆状卵形，有时长圆形或倒披针形，长 4 ~ 12 cm，宽 2.5 ~ 5 cm，先端尖或短渐尖，基部渐狭至钝形，有时稍圆，全缘或上部具少数浅齿，上面有光泽，下面有微细褐色腺点，侧脉 3 ~ 5 对，最下 1 对伸长而多少呈离基三出脉状，在上面深凹陷，在下面明显凸起。复伞形聚伞花序顶生，直径 3 ~ 5 cm；总花梗很短，花萼筒筒状倒圆锥形，长约 1 mm，萼檐具 5 微齿；花冠直径约 4 mm。核果红色，近卵圆形或卵状，长约 8 mm；核扁圆形，腹面凹陷，背面凸起。花期 5 月，果

期 10 ~ 12 月。

| 生境分布 | 生于海拔 100 ~ 1 800 m 的山谷密林或疏林、溪涧旁或丘陵地灌丛。分布于湘西北、湘南等。

| 资源情况 | 野生资源稀少。药材来源于野生。

| 采收加工 | 春、夏季采收，鲜用或晒干。

| 功能主治 | 苦，寒。消肿止痛，活血散瘀。用于跌打损伤。

| 用法用量 | 内服煎汤，3 ~ 10 g。外用适量，捣敷。

忍冬科 Caprifoliaceae 荚蒾属 *Viburnum*

茶荚蒾 *Viburnum setigerum* Hance

| 药 材 名 | 鸡公柴（药用部位：根）、鸡公柴果（药用部位：果实）。

| 形态特征 | 落叶灌木，高至 4 m。芽及叶干后变黑色、黑褐色或灰褐色；当年生小枝淡黄色，多少有棱角，无毛，二年生小枝灰色，灰褐色或紫褐色；冬芽通常长 5 mm 以下，最长可达 1 cm 左右，无毛，外面 1 对鳞片为芽体长的 1/3 ~ 1/2。叶对生，卵形至长椭圆形，长 7 ~ 15 cm，宽 2 ~ 5 cm，先端渐尖，基部圆形，边缘中部以上有锐锯齿，上面初时中脉被长纤毛，后变无毛，下面仅中脉及侧脉被浅黄色贴生长纤毛，近基部两侧有少数腺体，侧脉 6 ~ 8 对，笔直而近并行，伸至齿端，在上面略凹陷，在下面显著凸起；叶柄长 1 ~ 2.5 mm，有少数长伏毛或近无毛。聚伞花序顶生，直径 2.5 ~ 5 cm，有极小红褐色腺点；花梗长 1 ~ 3.5 cm；第 1 级辐射枝通常 5，花生于第 3

级辐射枝上，有梗或无，花冠白色，干后变茶褐色或黑褐色，直径 4 ~ 6 mm，5 裂；花萼 5 裂，紫色，有毛；雄蕊 5。果实红色，卵圆形，长约 9 ~ 11 mm，核甚扁，卵圆形，长 8 ~ 10 mm，直径 5 ~ 7 mm，有时则稍圆，间或卵状矩圆形，直径仅 4 ~ 5 mm，凹凸不平，腹面扁平或略凹陷。花期 4 ~ 5 月，果熟期 9 ~ 10 月。

| 生境分布 | 生于海拔 700 ~ 1 600 m 的山谷溪涧旁疏林或山坡灌丛。湖南各地均有分布。

| 资源情况 | 野生资源丰富。药材来源于野生。

| 采收加工 | **鸡公柴：**秋后采挖，洗净，切片晒干。

鸡公柴果：秋季果实成熟时采收，晒干。

| 功能主治 | **鸡公柴：**味微苦，平。用于破血通经，止血，带下，肺痈。

鸡公柴果：味甘，平。健脾。用于脾胃虚弱，纳呆。

| 用法用量 | **鸡公柴：**内服煎汤，15 ~ 30 g。

鸡公柴果：内服煎汤，10 ~ 15 g。

忍冬科 Caprifoliaceae 荚蒾属 *Viburnum*

合轴荚蒾 *Viburnum sympodiale* Graebn.

| 药材名 |

合轴荚蒾根（药用部位：根）。

| 形态特征 |

落叶灌木或小乔木，高可达 10 m。幼枝、叶下面脉上、叶柄、花序及萼齿均被灰黄褐色鳞片状或糠秕状簇状毛，二年生小枝红褐色，有时光亮，最后变灰褐色，无毛。叶长 6 ~ 15 cm，上面无毛或幼时脉上被簇状毛，侧脉 6 ~ 8 对，在上面稍凹陷，在下面凸起，小脉横列，明显；叶柄长 1.5 ~ 4.5 cm；托叶钻形，长 2 ~ 9 mm，基部常贴生于叶柄，有时无托叶。聚伞花序直径 5 ~ 9 cm，花开后几无毛，第 1 级辐射枝常 5，花生于第 3 级辐射枝上；花萼筒近圆球形，长约 2 mm，萼齿卵圆形；花冠白色或带微红，直径 5 ~ 6 mm，裂片卵形，较花冠筒长 2 倍；雄蕊花药宽卵圆形，黄色；花柱不高出萼齿；不孕花直径 2.5 ~ 3 cm，裂片倒卵形，常大小不等。果实成熟卵圆形，长 8 ~ 9 mm；核稍扁，长约 7 mm，直径约 5 mm。花期 4 ~ 5 月，果熟期 8 ~ 9 月。

| 生境分布 |

生于海拔 700 ~ 1 700 m 的林下或灌丛、丘

陵岗地、低山。分布于湖南长沙（望城）、邵阳（绥宁）、郴州（临武）等。

| 资源情况 | 野生资源稀少。药材来源于野生。

| 功能主治 | 清热解毒，消积。外用于疮毒。

忍冬科 Caprifoliaceae 荚蒾属 *Viburnum*

台东荚蒾 *Viburnum taitoense* Hayata

| 药材名 | 对叶油麻根（药用部位：根）、对叶油麻叶（药用部位：叶）。

| 形态特征 | 灌木，高达 2 m。幼枝、芽、叶下面脉上被星状柔毛；冬芽有 1 对狭长的鳞片。叶对生；叶柄长 6 ~ 15 mm；叶厚纸质或带革质，叶片长圆形、长圆状披针形或倒卵状长圆形，长 6 ~ 11 cm，宽 2 ~ 4 cm，先端短尖至近圆形，基部宽楔形或近圆形，边缘除基部外有浅锯齿，齿顶微凸头，上面深绿色有光泽，侧脉 5 ~ 6 对，弧形，连同中脉在上面甚凹陷，在下面明显凸起，小脉在下面稍凸起。圆锥花序顶生，长约 3 cm，宽约 2 cm；总花梗纤细，长约 2 cm；花萼筒筒状钟形，长约 2 mm，萼檐具 5 微齿；花冠白色，漏斗状，直径约 6 mm；花冠筒长约 5 mm，直径约 2 mm，裂片近圆形，长约 3 mm；雄蕊内藏；柱头头状。核果红色，宽椭圆形，长约 9 mm，

直径约 6 mm；核多少呈不规则六角形，有 1 封闭式管形深腹沟。

| 生境分布 | 生于海拔 1 000 m 以下的多石灌丛中或山谷溪涧旁。分布于湖南郴州（桂阳）等。

| 资源情况 | 野生资源稀少。药材来源于野生。

| 采收加工 | **对叶油麻根：** 秋、冬季采挖，切片，晒干。

对叶油麻叶： 春、夏季采收，鲜用。

| 功能主治 | **对叶油麻根：** 味微甘，凉。调经止痛。用于产后瘀血腹痛，痛经。

对叶油麻叶： 味微苦、辛，寒。用于跌打损伤，散瘀止痛，通便。

| 用法用量 | **对叶油麻根：** 内服煎汤，30 ~ 60 g。

对叶油麻叶： 内服煎汤，15 ~ 30 g，鲜品 60 g；或研末，每次 15 g。

忍冬科 Caprifoliaceae 荚蒾属 *Viburnum*

三叶荚蒾 *Viburnum ternatum* Rehder.

药材名 三叶荚蒾（药用部位：根、叶）。

形态特征 落叶灌木或小乔木，高可达 6 m。当年小枝茶褐色，近圆筒形，被带黄色簇状短伏毛，二年生小枝黑褐色。叶 3 轮生，在较细弱枝上对生，叶卵状椭圆形、椭圆形至矩圆状倒卵形，有时倒卵状披针形，长 8 ~ 24 cm，全缘或有时先端具少数大牙齿，中脉毛较密，后变无毛，下面仅中脉及侧脉上被簇状、叉状或简单毛，基部中脉两侧常具圆形大腺斑，侧脉 6 ~ 7 对，弧形，在下面明显凸起；叶柄纤细，长 2 ~ 6 cm，被簇状短毛；托叶 2，披针形，长 4 ~ 5 mm，被短毛。聚伞花序松散，直径 12 ~ 18 cm，疏被簇状短毛，第 1 级辐射枝 5 ~ 10，中间 1 枝最短；花生于第 2 至第 6 级辐射枝上，无梗或有短梗；花萼筒倒圆锥形，长约 1.8 mm，无毛；萼齿微小具缘毛；花

冠直径约 3 mm，裂片半圆形，长约 1.3 mm，略短于花冠筒；雄蕊长约 6 mm，花药黄白色。果实红色，宽椭圆状矩圆形，长约 7 mm，直径约 5 mm；核宽椭圆状矩圆形或卵圆形，长 5 ~ 6 mm，直径 3 ~ 4 mm，灰白色。花期 6 ~ 7 月，果熟期 9 月。

| 生境分布 | 生于海拔 600 ~ 1 400 m 的山谷或山坡丛林或灌丛、丘陵岗地。分布于湖南怀化（麻阳）等。

| 资源情况 | 野生资源稀少。药材来源于野生。

| 功能主治 | 用于腰腿痛。

忍冬科 Caprifoliaceae 荚蒾属 *Viburnum*

烟管荚蒾 *Viburnum utile* Hemsl.

| 药材名 | 黑汉条（药用部位：根。别名：羊屎条根）、羊屎条花（药用部位：花）、羊屎条叶（药用部位：茎叶）。

| 形态特征 | 常绿灌木，高达 2 m。叶下面、叶柄和花序均被由灰白色或黄白色簇状毛组成的细绒毛。叶革质，卵圆状矩圆形，有时卵圆形至卵圆状披针形；叶柄长 5 ~ 10（~ 15）mm。聚伞花序直径 5 ~ 7 cm；总花梗粗壮，长 1 ~ 3 cm；花冠白色，花蕾时带淡红色，辐状，直径 6 ~ 7 mm，无毛，裂片圆卵形，长约 2 mm。果实红色，后变黑色，椭圆状矩圆形至椭圆形，长（6 ~）7 ~ 8 mm。花期 3 ~ 4 月，果熟期 8 月。

| 生境分布 | 生于海拔 300 ~ 1200 m 的山坡林缘或灌丛中。湖南各地均有分布。

| 资源情况 | 野生资源较丰富。药材来源于野生。

| 采收加工 | **黑汉条：**全年均可采挖，洗净，切片，晒干。

羊屎条花：夏、秋季采收，烘干。

羊屎条叶：春、夏季采收，鲜用或晒干。

| 功能主治 | **黑汉条：**利湿解毒，活血通络。用于痢疾，脱肛，痔疮下血，带下，风湿痹痛，跌打损伤，痈疽，湿疮。

羊屎条花：解毒，和络。用于羊毛疔，跌打损伤。

羊屎条叶：止血，接骨。用于外伤出血，骨折，预防流行性感冒。

| 用法用量 | **黑汉条：**内服煎汤，15 ~ 30 g；或浸酒。外用适量，捣敷；或煎汤洗。

羊屎条花：外用适量，研末捣敷。

羊屎条叶：内服煎汤，15 ~ 60 g。外用适量，研末敷。

| 附　　注 | 茎枝民间用来制作烟管。

忍冬科 Caprifoliaceae 锦带花属 *Weigela*

半边月 *Weigela japonica* var. *sinica* (Rehd.) L. H. Bailey

| 药 材 名 | 水马桑（药用部位：根）、水马桑枝叶（药用部位：枝叶）。

| 形态特征 | 落叶灌木，高达 6 m。叶长卵形至卵状椭圆形，稀倒卵形，长 5 ~ 15 cm，宽 3 ~ 8 cm，先端渐尖至长渐尖，基部阔楔形至圆形，边缘具锯齿，上面深绿色，疏生短柔毛，脉上毛较密，下面浅绿色，密生短柔毛；叶柄长 8 ~ 12 mm，有柔毛。单花或具 3 花的聚伞花序生于短枝的叶腋或先端；花萼筒长 10 ~ 12 mm；萼齿条形，深达萼檐基部，长 5 ~ 10 mm，被柔毛；花冠白色或淡红色，花开后逐渐变红色，漏斗状钟形，长 2.5 ~ 3.5 cm，外面疏被短柔毛或近无毛，花冠筒基部呈狭筒形，中部以上突然扩大，裂片开展，近整齐，无毛；花丝白色，花药黄褐色；花柱细长，柱头盘形，伸出花冠外。果实长 1.5 ~ 2 cm，先端有短柄状喙，疏生柔毛；种子具狭翅。花

期 4 ～ 5 月。

| 生境分布 | 生于海拔 200 ～ 1 700 m 的山坡林下、山顶灌丛和沟边等。湖南各地均有分布。

| 资源情况 | 野生资源丰富。药材来源于野生。

| 采收加工 | **水马桑：** 秋、冬季采挖，洗净切片晒干。

水马桑枝叶： 春、夏季采收，切段晒干。

| 功能主治 | **水马桑：** 甘，平。益气，健脾。用于气虚食少，消化不良。

水马桑枝叶： 苦，寒。清热解毒。用于痈疽，疮疖。

| 用法用量 | **水马桑：** 内服煎汤，9 ～ 15 g；或炖鸡蛋食或猪肉食。

水马桑枝叶： 外用适量，煎汤洗。

败酱科 Valerianaceae 败酱属 *Patrinia*

墓头回 *Patrinia heterophylla* Bunge

| 药 材 名 |

墓头回（药用部位：根）。

| 形态特征 |

多年生草本，高（15 ~ ）30 ~ 80（ ~ 100）cm。茎直立，被倒生微糙伏毛。茎生叶对生，茎下部叶常 2 ~ 3（ ~ 6）对羽状全裂；中部叶常具 1 ~ 2 对侧裂片，叶柄长 1 cm；上部叶较窄，近无柄。花黄色，组成顶生伞房状聚伞花序，被短糙毛或微糙毛；总花梗下苞叶常具 1 或 2 对（较少为 3 ~ 4 对）线形裂片，分枝下者线形，常与花序近等长或稍长；花冠钟形；花冠筒长 1.8 ~ 2（ ~ 2.4）mm，上部宽 1.5 ~ 2 mm，基部一侧具浅囊肿，裂片 5，卵形或卵状椭圆形，长 0.8 ~ 1.8 mm，宽 1.6 mm；雄蕊 4 伸出，花丝 2 长 2 短，近蜜囊者长 3 ~ 3.6 mm，其余花丝长 1.9 ~ 3 mm。瘦果长圆形或倒卵形，先端平截；翅状果苞干膜质，先端钝圆，有时 3 极浅裂，或仅一侧有 1 浅裂，长 5.5 ~ 6.2 mm，宽 4.5 ~ 5.5 mm，网状脉常具 2 主脉，较少 3 主脉。花期 7 ~ 9 月，果期 8 ~ 10 月。

| 生境分布 | 生于海拔（300 ~ ）800 ~ 2 100（ ~ 2 600） m 的山地岩缝、草丛、路边、沙质坡或土坡。分布于湖南邵阳（双清）、怀化（芷江）、湘西州（古丈、永顺）、张家界（慈利）等。

| 资源情况 | 野生资源稀少。药材来源于野生。

| 采收加工 | 秋季采挖，除去茎叶、杂质，洗净，鲜用或晒干。

| 药材性状 | 本品根细圆柱形，有分歧。表面黄褐色，有细纵纹及点状支根痕，有的具瘤状突起。质硬，断面黄白色，呈破裂状。

| 功能主治 | 苦、微酸涩，凉。归心、肝经。燥湿止带，收敛止血，清热解毒。用于赤白带下，崩漏，泄泻，痢疾，黄疸，疟疾，肠痈，疮疡肿毒，跌打损伤，子宫颈癌，胃癌。

| 用法用量 | 内服煎汤，9 ~ 15 g。外用适量，捣敷。虚寒诸证者慎服。

败酱科 Valerianaceae 败酱属 *Patrinia*

窄叶败酱 *Patrinia heterophylla* Bunge subsp. *angustifolia* (Hemsl.) H. J. Wang

| 药 材 名 | 狭叶败酱（药用部位：根。别名：败酱）。

| 形态特征 | 本种与墓头回的区别在于本种花序最下分枝处总苞叶不分裂，花丝较长（常长达 3.5 mm 以上），子房较长，长 0.8 ~ 1.5 mm，茎下部和中部叶常不分裂或有时基部仅具 1 ~ 2 对裂片。

| 生境分布 | 生于海拔 90 ~ 1 500（~ 1 700）m 的山坡草丛中、阔叶林下、马尾松林下或荒坡岩石上、沟边和路边。分布于湖南湘潭（湘潭）、湘西州（凤凰）、郴州（临武）、衡阳（衡东）等。

| 资源情况 | 野生资源稀少。药材来源于野生。

| **功能主治** | 辛，温。发表散寒，燥湿理气。用于风寒感冒，泄泻，小儿阴缩。

败酱科 Valerianaceae 败酱属 *Patrinia*

少蕊败酱 *Patrinia monandra* C. B. Clarke

| 药 材 名 | 少蕊败酱（药用部位：全草）。

| 形态特征 | 二年生或多年生草本，高 1.5（~ 2）m。茎被灰白色粗毛，茎上部被倒生的稍弯的糙伏毛或微糙伏毛，或为 2 纵列倒生短糙伏毛。单叶对生，长圆形，长 4 ~ 10（~ 14.5）cm，下部有 1 ~ 2（~ 3）对侧生裂片，边缘具粗圆齿或钝齿，两面疏被糙毛，有时夹生短腺毛；基生叶和茎下部叶开花时常枯萎凋落。聚伞圆锥花序顶生及腋生，常聚生于枝端，呈宽大的伞房状，宽达 20（~ 25）cm；花很小，直径 1 ~ 2（~ 3）mm；花冠和叶片不具微腺毛；花萼 5 齿状；花冠漏斗形，淡黄色，或花序中兼有白色花，花冠筒长 1.2 ~ 1.8 mm；雄蕊 1 或 2 ~ 3，常 1 雄蕊最长，伸出花冠外，极少有 4 雄蕊者。

果苞薄膜质，近圆形至阔卵形，长 5 ~ 7.2 mm，先端常 3 极浅裂，基部圆形微凹或截形，具主脉 2，极少 3，网脉细而明显。花期 8 ~ 9 月，果期 9 ~ 10 月。

| 生境分布 | 生于海拔（150 ~ ）500 ~ 2 400（ ~ 3 100） m 的山坡草丛、灌丛中、林下及林缘、田野溪旁、路边。分布于湖南邵阳（隆回）、永州（零陵、东安、蓝山）、怀化（辰溪、会同、新晃）、湘西州（泸溪）、张家界（桑植）等。

| 资源情况 | 野生资源较少。药材来源于野生。

| 功能主治 | 清热解毒，消肿排脓，止血止痛。用于肠痈，泄泻，肝炎，目赤，产后瘀血腹痛，痈肿疔疮。

| 附　　注 | 本变种与斑花败酱（原变种）*Patninia punctiflora* P. S. Hsu et H. J. Wang 的不同在于植物体粗壮；茎下部叶多为大头羽状全裂或深裂，顶生裂片卵形，长 6 ~ 10（ ~ 13）cm，宽 3 ~ 6.5（ ~ 8）cm。花冠较大，裂片长 1.5 ~ 2 mm，宽 1.1 ~ 1.2 mm，花冠筒长 1.5 ~ 1.7 mm，上部宽 2.2 mm；子房长 0.8 ~ 1 mm，宽 1 mm；花柱长 2.1 ~ 2.5 mm。

败酱科 Valerianaceae 败酱属 *Patrinia*

斑花败酱 *Patrinia punctiflora* P. S. Hsu et H. J. Wang

| 药 材 名 |

斑花败酱（药用部位：全草或根茎）。

| 形态特征 |

二年生或多年生草本，高 45 ~ 150（~ 200）cm，常无匍匐根茎。单叶对生，纸质，卵形、椭圆形、卵状披针形或长圆状披针形，长 2.5 ~ 7（~ 8）cm，宽 1 ~ 5 cm，不分裂，稀基部具 1 耳状小裂片或 1 ~ 2 对耳状小裂片，基部楔形下延，边缘具不整齐粗钝齿或浅齿，两面有棕褐色微腺毛至疏糙伏毛。聚伞花序组成顶生疏散伞房花序，具 5 ~ 6 级分枝，被白色倒生粗糙毛；花梗极短，其下贴生 1 卵形小苞片；萼齿 5，钝齿状或微波状；花冠钟状，直径 2.5 ~ 4 mm，淡黄色，稀花序中兼有白色花，具棕红色或褐色微腺毛；雄蕊 4，二强，伸出。翅状果苞干膜质，卵形或阔卵形，长 3.3 ~ 3.8（~ 4）mm，宽 3.3 ~ 3.4 mm，先端钝圆，基部圆形或截形，有主脉 2，网状脉明显；种子扁椭圆形，长 1.1 mm，宽 0.8 mm。花期 7 ~ 10 月，果期 8 ~ 10 月。

| 生境分布 |

生于海拔（100 ~）400 ~ 1 300（~ 1 600）m

的山坡草丛或疏林下、溪边、路旁。湖南各地均有分布。

| 资源情况 | 野生资源较丰富。药材来源于野生。

| 功能主治 | 清热解毒，排脓，活血祛瘀。用于阑尾炎，痢疾，肠炎，肝炎，眼结膜炎，产后瘀血腹痛，痈肿疮伤。

| 附　　注 | 本种在 FOC 中被修订为少蕊败酱 *Patrinia monandra* C. B. Clarke.。

败酱科 Valerianaceae 败酱属 *Patrinia*

岩败酱 *Patrinia rupestris* (Pall.) Juss.

| 药材名 | 岩败酱（药用部位：全草）。

| 形态特征 | 多年生草本，高 20 ~ 60（~ 100）cm。茎丛生，连同花序梗被短糙毛。基生叶开花时常枯萎脱落，叶片倒卵状长圆形、长圆形、卵形或倒卵形，长 2 ~ 6（~ 7）cm，羽状浅裂、深裂至全裂或不分裂而有缺刻状钝齿；茎生叶长圆形或椭圆形，长 3 ~ 7 cm，羽状深裂至全裂，通常具 3 ~ 6 对侧生裂片，裂片疏具缺刻状钝齿或全缘，顶裂片与侧裂片常全裂成 3 条形裂片或羽状分裂，叶柄短，上部叶无柄。花冠黄色，漏斗状钟形，盛开时直径 3 ~ 5（~ 5.5）mm，花冠筒长 1.8 ~ 2 mm，基部一侧有浅的囊肿；近蜜囊处 2 花丝长 3 ~ 4 mm，下部有柔毛，另 2 花丝稍短，长 2.6 ~ 3.5 mm，无毛。

瘦果倒卵状圆柱形，长 2.4 ~ 2.6 mm，果柄长 0.5 ~ 1 mm，与下面增大的干膜质苞片贴生。花期 7 ~ 9 月，果熟期 8 月至 9 月中旬（或 10 月上旬）。

| 生境分布 | 生于海拔（200 ~）400 ~ 1 800（~ 2 500）m 的小丘顶部、石质山坡岩缝、草地、草甸草原、山坡桦树林缘及杨树林下。分布于湖南张家界（慈利）等。

| 资源情况 | 野生资源稀少。药材来源于野生。

| 采收加工 | 夏季采收，切段，晒干。

| 药材性状 | 本品长 20 ~ 40 cm。茎 2 至多数丛生，稀单一。叶羽状深裂至全裂，无毛，裂片 4 ~ 9，线状披针形，全缘或有疏齿。聚伞花序排成顶生的伞房花序；花黄色。蒴果具膜质圆翅。

| 功能主治 | 辛、苦，寒。清热解毒，活血，排脓。用于痢疾，泄泻，黄疸，肠痈。

| 用法用量 | 内服煎汤，9 ~ 15 g。

败酱科 Valerianaceae 败酱属 *Patrinia*

败酱 *Patrinia scabiosifolia* Fisch. ex Trevir.

| 药 材 名 | 败酱（药用部位：全草。别名：野黄花）、败酱根（药用部位：根）。

| 形态特征 | 多年生草本，高达 1（～ 2） m。茎下部常被脱落性倒生的白色粗毛或几无毛，上部常近无毛或被倒生稍弯糙毛，或疏被 2 列纵向短糙毛。基生叶丛生，花时枯落，卵形、椭圆形或椭圆状披针形，不分裂或羽状分裂或全裂，具粗锯齿，两面被糙伏毛或几无毛，叶柄长 3 ～ 12 cm；茎生叶对生，宽卵形或披针形，长 5 ～ 15 cm，常羽状深裂或全裂，具 2 ～ 3（～ 5）对侧裂片，顶裂片先端渐尖，具粗锯齿，两面被白色糙毛或几无毛，叶柄长 1 ～ 2 cm，上部叶渐窄小，无柄。聚伞花序组成伞房花序，具 5 ～ 6（～ 7）级分枝；花序梗上方一侧被开展白色粗糙毛；总苞片线形。瘦果长圆形，具 3 棱；种子 1，椭圆形，扁平。花期 7 ～ 9 月。

| 生境分布 | 生于海拔 50 ~ 2 100 m 的山坡林下、林缘、灌丛中及路边、田埂边的草丛中。湖南各地均有分布。

| 资源情况 | 野生资源丰富。药材来源于野生。

| 采收加工 | **败酱：**7 ~ 9 月采收，切段，晒干。

| 药材性状 | **败酱：**本品常折叠成束。根茎圆柱形，弯曲，长 5 ~ 15 cm，直径 2 ~ 5 mm，先端直径可达 9 mm；表面有栓皮，易脱落，紫棕色或暗棕色，节疏密不等，节上有芽痕及根痕；断面纤维性，中央具棕色“木心”。根长圆锥形或长圆柱形，长达 10 cm，直径 1 ~ 4 mm；表面有纵纹，断面黄白色。茎圆柱形，直径 2 ~ 8 mm；表面黄绿色或黄棕色，具纵棱及细纹理，有倒生粗毛。茎生叶多卷缩或破碎，两面疏被白毛，完整者多羽状深裂或全裂，裂片 5 ~ 11，边缘有锯齿；茎上部叶较小，常 3 裂。有的枝端有花序或果序；小花黄色。瘦果长椭圆形，无膜质翅状苞片。气特异，味微苦。

| 功能主治 | **败酱：**辛、苦，微寒。归胃、大肠、肝经。清热解毒，活血排脓。用于肠痈，肺痈，痈肿，痢疾，产后瘀滞腹痛。

败酱根：苦、辛，凉。清热利湿，解毒排脓，活血祛瘀。用于肠痈，泄泻，目赤，产后瘀血腹痛，痈肿疔疮。

| 用法用量 | **败酱：**内服煎汤，10 ~ 15 g。外用适量，鲜品捣敷。

| 附　　注 | 目前我国大部分地区使用的败酱并非本种，北方地区多用菊科全叶苦苣菜 *Sonchus transcaspicus* Nevski 或者苣荬菜 *Sonchus arvensis* L.，商品称为“北败酱”；江苏、安徽、浙江、湖北等地多用十字花科菥蓂 *Thlaspi arvensis* L. 的干燥带果实的全草，商品称为“苏败酱”。此为后世造成的混乱，需要明确或者予以纠正。

败酱科 Valerianaceae 败酱属 *Patrinia*

攀倒甑 *Patrinia villosa* (Thunb.) Juss.

| 药 材 名 | 败酱（药用部位：带根全草或根茎。别名：苦斋公、白花败酱）。

| 形态特征 | 多年生草本，高 50 ~ 100（ ~ 120） cm。地下根茎长而横走，偶在地表匍匐生长。基生叶丛生，叶片卵形、宽卵形或卵状披针形至长圆状披针形，先端渐尖，边缘具粗钝齿；茎生叶对生，与基生叶同形，或菱状卵形，先端尾状渐尖或渐尖，基部楔形下延，边缘具粗齿，上部叶较窄小，常不分裂；叶柄长 1 ~ 3 cm，上部叶渐近无柄。聚伞花序组成顶生圆锥花序或伞房花序，分枝达 5 ~ 6 级，花序梗密被长粗糙毛或仅有 2 纵列粗糙毛；花萼小，萼齿 5；花冠钟形，白色，5 深裂，裂片不等形，卵形、卵状长圆形或卵状椭圆形，长（0.75 ~ ）1.25 ~ 2 mm，宽 1.1 ~ 1.65（ ~ 1.75）mm；雄蕊 4，伸出；

子房下位，花柱较雄蕊稍短。瘦果倒卵形，与宿存增大苞片贴生。花期 8 ～ 10 月，果期 9 ～ 11 月。

| 生境分布 | 生于海拔（50 ～）400 ～ 1 500（～ 2 000）m 的山地林下、林缘或灌丛、草丛。湖南各地均有分布。

| 资源情况 | 野生资源丰富。药材来源于野生。

| 采收加工 | 7 ～ 9 月采收，切段，晒干。

| 药材性状 | 本品根茎短，长约 10 cm，有的具细长的匍匐茎，断面无棕色“木心”。茎光滑，直径可达 1.1 cm。完整叶卵形或长椭圆形，不分裂或基部具 1 对小裂片。花白色；苞片膜质，多具 2 主脉。

| 功能主治 | 辛、苦，凉。清热利湿，解毒排脓，活血祛瘀。用于肝炎，目赤肿痛，泄泻，肠痈，产后瘀滞腹痛，痈肿疔疮。

| 用法用量 | 内服煎汤，10 ～ 15 g。外用适量，鲜品捣敷。

败酱科 Valerianaceae 缬草属 *Valeriana*

柔垂缬草 *Valeriana flaccidissima* Maxim.

| 药材名 | 柔垂缬草（药用部位：全草）。

| 形态特征 | 细柔草本，高 20 ~ 80 cm，植株稍多汁。根茎细柱状，具明显的环节。匍枝细长，具有柄的心形或卵形小叶。基生叶与匍枝叶同形，有时 3 裂，钝头，全缘或具波状圆齿；茎生叶卵形，羽状全裂，裂片 3 ~ 7，疏离；先端裂片卵形或披针形，长 2 ~ 4 cm，宽 1 ~ 2 cm，钝头或渐尖，边缘具疏齿，侧裂片与顶裂片同形而依次渐小。花序顶生，有时自上部叶腋出，伞房状聚伞花序，分枝细长，果期为甚；苞片和小苞片线形至线状披针形，最上部的小苞片与果实等长或稍短于果实；花淡红色；花冠长 2.5 ~ 3.5 mm，花冠裂片长圆形至卵状长圆形，较花冠筒短；雌、雄蕊常伸出花冠之外。瘦果线状卵形，长约 3 mm，光秃，有时被白色粗毛。花期 4 ~ 6 月，果期 5 ~ 8 月。

| 生境分布 | 生于海拔 1 000 ~ 1 600 m 的山坡、林缘、草地、溪边等水湿环境中。分布于湖南娄底（新化）、怀化（麻阳、洪江）、湘西州（花垣）等。

| 资源情况 | 野生资源稀少。药材来源于野生。

| 采收加工 | 夏、秋季采收，除去茎叶，洗净，鲜用或晒干。

| 功能主治 | 辛、微甘，温。祛风，散寒，除湿，消食。用于外感风寒，风湿痹痛，食积腹胀。

| 用法用量 | 内服煎汤，9 ~ 15 g。

败酱科 Valerianaceae 缬草属 *Valeriana*

长序缬草 *Valeriana hardwickii* Wall.

| 药 材 名 | 豆豉草（药用部位：全草或根）。

| 形态特征 | 大草本，高 60 ~ 150 cm。根茎短缩，呈块柱状。茎直立，粗壮，中空。基生叶通常 3 ~ 5（~ 7）羽状全裂或浅裂，稀不分裂而为心形全叶；两侧裂片依次稍小，疏离，叶柄细长；茎生叶与基生叶相似，向上叶渐小，叶柄渐短；全部叶多少被短毛。极大的圆锥状聚伞花序顶生或腋生。苞片线状钻形；小苞片三角状卵形，全缘或具钝齿，最上部的小苞片长仅为果实的 1/2 或更短；花小，白色；花冠长 1.5 ~ 2.5（~ 3.5）mm，漏斗状扩张，裂片卵形，长常为花冠的 1/2；雌、雄蕊常与花冠等长或稍伸出花冠。果序极度延展，在成熟的植株上，常长达 50 ~ 70 cm。瘦果宽卵形至卵形，长 2 ~ 2.5

（~3）mm，宽 1 ~ 1.2 mm，常被白色粗毛，也有光秃者。花期 6 ~ 8 月，果期 7 ~ 10 月。

| 生境分布 | 生于海拔 1 000 ~ 1 800 m 的草坡、林缘或林下、溪边。分布于湖南邵阳（邵阳）、怀化（麻阳、新晃）、张家界（永定、桑植）等。

| 资源情况 | 野生资源稀少。药材来源于野生。

| 采收加工 | 夏、秋季采收，洗净，晒干。

| 功能主治 | 辛、甘，平。活血调经，祛风利湿，健脾消积。用于月经不调，痛经，经闭，风湿痹痛，小便不利，疳积，跌打伤痛，脉管炎。

| 用法用量 | 内服煎汤，10 ~ 15 g；或浸酒。外用适量，煎汤洗。

败酱科 Valerianaceae 缬草属 *Valeriana*

蜘蛛香 *Valeriana jatamansi* Jones

药材名

蜘蛛香（药用部位：根及根茎。别名：土细辛）。

形态特征

植株高 20 ~ 70 cm。根茎粗厚，块柱状，节密，有浓烈香味。茎 1 至数枝丛生。基生叶发达，叶片心状圆形至卵状心形，长 2 ~ 9 cm，宽 3 ~ 8 cm，边缘具疏浅波齿，被短毛或有时无毛，叶柄长为叶片的 2 ~ 3 倍；茎生叶不发达，每茎 2 对，有时 3 对，下部叶心状圆形，近无柄，上部叶常羽裂，无柄。花序为顶生的聚伞花序；苞片和小苞片长钻形，中肋明显，最上部的小苞片常与果实等长；花白色或微红色，杂性；雌花小，长 1.5 mm，不育花药着生在极短的花丝上，位于花冠喉部，雌蕊伸出花冠外，柱头 3 深裂；两性花较大，长 3 ~ 4 mm，雌、雄蕊与花冠等长。瘦果长卵形，两面被毛。花期 5 ~ 7 月，果期 6 ~ 9 月。

生境分布

生于海拔 2 000 m 以下的山顶草地、林中或溪边。分布于湘西北、湘西南等。

| 资源情况 | 野生资源稀少。药材来源于野生。

| 采收加工 | 9 ~ 10 月采挖，除去茎叶，洗净，晒干。

| 药材性状 | 本品根茎呈圆柱形，略扁，稍弯曲，具分枝，长 2 ~ 7 cm，直径 0.5 ~ 2 cm；表面灰褐色或灰棕色，有紧密的环节及凸起的点状根痕，有的先端膨大，具茎叶残基；质坚，不易折断，断面较平整，灰棕色，可见维管束断续排列成环。根多数，细而稍弯曲。气特异，味微苦、辛。以粗壮、坚实、香气浓者为佳。

| 功能主治 | 辛、微苦，温。理气和中，散寒除湿，活血消肿。用于脘腹胀痛，呕吐，泄泻，痞积，风寒湿痹，脚气水肿，月经不调，跌打损伤，疥疮。

| 用法用量 | 内服煎汤，3 ~ 9 g。外用适量，捣汁涂。

败酱科 Valerianaceae 缬草属 *Valeriana*

缬草 *Valeriana officinalis* L.

药材名

缬草（药用部位：根及根茎。别名：七姐妹、山射、五里香）。

形态特征

多年生草本，高可达 1.5 m。根茎粗短，呈头状，须根簇生。茎中空，有纵棱，被粗毛，尤以节部为多，老时毛少。匍枝叶、基生叶和基部茎生叶在花期常凋萎；茎生叶卵形至宽卵形，羽状深裂，裂片 7 ~ 11，披针形或条形，先端渐窄，基部下延，全缘或有疏锯齿，两面及叶柄多少被毛。伞房状三出聚伞圆锥花序顶生；小苞片中央纸质，两侧膜质，长椭圆状长圆形、倒披针形或线状披针形，先端芒状突尖，边缘多少有粗缘毛；花冠淡紫红色或白色，长 4 ~ 5（~ 6）mm，花冠裂片椭圆形；雌、雄蕊约与花冠等长。瘦果长卵形，长 4 ~ 5 mm，基部近平截。花期 5 ~ 7 月，果期 6 ~ 10 月。

生境分布

生于海拔 1 500 m 的林下或沟边。分布于湘西南、湘西北、湘中、湘东等。

| 资源情况 | 野生资源较少。药材来源于野生。

| 采收加工 | 9 ~ 10 月间采挖，除去茎叶及泥土，洗净，晒干。

| 药材性状 | 本品根茎呈类圆柱形，较粗短，长 0.5 ~ 2 cm，直径 0.4 ~ 1.5 cm；表面黄棕色至褐色，粗糙，有叶柄残基，上端残留茎基，中空，有的根茎有横生分枝，远端节部有茎基残留，节间长 1 ~ 2 cm，根茎周围和下端丛生多数细根。根末端纤细，表面黄棕色至褐色，具纵皱纹。质稍韧，断面周围黄褐色或褐色，中心黄白色。有特异臭气，干品更浓，味微辣，后微苦，且有清凉感。

| 功能主治 | 辛、苦，温。归心、肝经。安心神，祛风湿，行气血，止痛。用于心神不安，心悸失眠，癫狂，脏躁，风湿痹痛，脘腹胀痛，痛经，经闭，跌打损伤。

| 用法用量 | 内服煎汤，3 ~ 9 g；或研末；或浸酒。外用适量，研末调敷。

川续断科 Dipsacaceae 川续断属 *Dipsacus*

川续断 *Dipsacus asperoides* C. Y. Cheng et T. M. Ai

| 药材名 | 续断（药用部位：根）。

| 形态特征 | 多年生草本，高达 2 m。根黄褐色，稍肉质。茎中空，具棱，棱上疏生下弯的粗短硬刺。基生叶稀疏丛生，琴状羽裂；茎中下部叶为羽状深裂，茎下部叶具长柄，向上叶柄渐短，茎上部叶披针形，不分裂或基部 3 裂。头状花序球形；总苞片披针形或线形叶状；花冠淡黄色或白色，花冠管基部狭缩成细管，先端 4 裂；雄蕊 4，花药紫色；子房下位，柱头短棒状。瘦果长倒卵形柱状，包藏于小总苞内。花期 7 ~ 9 月，果期 9 ~ 11 月。

| 生境分布 | 生于海拔 1 500 m 以下的低山、丘陵、岗地、中山。湖南各地均有分布。

| 资源情况 | 野生资源丰富。药材来源于野生。

| 采收加工 | 秋播第 3 年采收；春播第 2 年采收。霜冻前采挖，除去泥土，用火烘干或晒干，也可将鲜根置沸水或蒸笼中蒸或烫至根稍软时取出，堆起，用稻草覆盖任其发酵，至草上出现水珠时，再摊开晒干或烤至全干，除去须根、泥土。

| 药材性状 | 本品呈长圆柱形，略扁，微弯曲，长 5 ~ 15 cm，直径 0.5 ~ 2 cm。表面棕褐色或灰褐色，有多数明显而扭曲的纵皱纹及沟纹，并可见横长皮孔及少数须根痕。质稍软，久置干燥后变硬，易折断，断面不平坦，皮部绿褐色或淡褐色，木部黄褐色，常有放射状花纹。气微香，味苦、微甜而后涩。以条粗、质软、皮部绿褐色为佳。

| 功能主治 | 苦、辛，微温。归肝、肾经。补肝肾，强筋骨，调血脉，止崩漏。用于腰背酸痛，肢节痿痹，跌仆创伤，损筋折骨，胎动漏红，血崩，遗精，带下，痈疽疮肿。

| 用法用量 | 内服煎汤，6 ~ 15 g；或入丸、散剂。外用适量，鲜品捣敷。

| 附　　注 | 《中国植物志》中川续断的拉丁学名为 *Dipsacus asper* Wallich ex Candolle，但没有形态描述。FOC 沿用了 *Dipsacus asper* Wallich ex Candolle 这一传统拉丁学名，但记载湖南没有分布。经考证，*Dipsacus asper* C. Y. Cneng et T. M. Ai 与 *Dipsacus asper* Wallich ex Candolle 实为同一物种。本书采用 *Dipsacus asperoides* C. Y. Cheng et T. M. Ai。本种为《中华人民共和国药典》（2020 版）续断的基原植物。

川续断科 Dipsacaceae 川续断属 Dipsacus

日本续断 *Dipsacus japonicus* Miq.

| 药 材 名 | 北巨胜子（药用部位：果实）、小血转（药用部位：根）。

| 形态特征 | 多年生草本，高 1 ~ 1.5 m。主根长圆锥状，黄褐色。茎中空，向上分枝，具 4 ~ 6 棱，棱上具钩刺。基生叶具长柄，长椭圆形，分裂或不分裂；茎生叶对生，椭圆状卵形至长椭圆形，先端渐尖，基部楔形，长 8 ~ 20 cm，宽 3 ~ 8 cm，常 3 ~ 5 裂，顶裂片最大，裂片基部下延成窄翅，具粗齿或近全缘，有时全为单叶对生，正面被白色短毛，叶柄和叶背脉上均具疏的钩刺和刺毛。头状花序圆球形，直径 1.5 ~ 3.2 cm；总苞片线形，具白色刺毛；苞片倒卵形，长达 9 ~ 11 mm，先端喙尖长 5 ~ 7 mm，两侧具长刺毛；花萼盘状，4 裂，被白色柔毛；花冠筒长 5 ~ 8 mm，基部细管长 3 ~ 4 mm，

4 裂，外被白色柔毛；小总苞具 4 棱，长 5 ~ 6 mm，被白色短毛，先端具 8 齿。瘦果长圆楔形。花期 8 ~ 9 月，果期 9 ~ 11 月。

| 生境分布 | 生于海拔 1 300 以下的山坡、路旁和草坡。分布于湘西北、湘西南等。

| 资源情况 | 野生资源稀少。药材来源于野生。

| 功能主治 | **北巨胜子：** 补肝肾，强筋骨，利关节，治崩漏。用于腰膝酸痛，风湿骨痛，骨折，跌打损伤，先兆流产，功能失调性子宫出血，带下，遗精，尿频。

小血转： 苦、辛，微温。补肝肾，续筋骨，调血脉。用于腰背酸痛，足膝无力，崩漏，带下，遗精，金疮，跌打损伤，痈疽疮肿。

川续断科 Dipsacaceae 双参属 *Triplostegia*

双参 *Triplostegia glandulifera* Wall. ex DC.

|药材名|

双参（药用部位：根。别名：大花囊苞花）。

|形态特征|

柔弱多年生直立草本，高 15 ~ 30（~ 40）cm。根茎细长，四棱形，具 2 ~ 6 节，节间长 0.5 ~ 2 cm，节上生不定根。主根常为 2 枚并列，稍肉质，近纺锤形，长 3 ~ 5 cm，直径 2 ~ 3 mm，棕褐色。茎方形，有沟，近光滑或微被疏柔毛。叶近基生，呈假莲座状，3 ~ 6 对叶生于缩短节上或在茎下部松散排列；叶片倒卵状披针形，连柄长 3 ~ 8 cm，2 ~ 4 回羽状中裂，中央裂片较大，两侧裂片渐小，边缘有不整齐浅裂或锯齿，基部渐狭成长 1 ~ 3 cm 的柄，上面深绿色，被稀疏白色渐脱毛，下面苍绿色，沿脉上具疏柔毛；茎上部叶渐小，浅裂，无柄。花在茎先端成疏松窄长圆形聚伞圆锥状花序；各分枝处有苞片 1 对；苞片长 2 ~ 4 mm，具中脉 1，边缘疏生柔毛；花具短梗，果时梗长达 1 mm；小总苞 4 裂，裂片披针形，长 1.5 ~ 2 mm，外面密被紫色腺毛；萼筒壶状，长约 1.5 mm，具 8 肋棱，先端收缩成 8 微小牙齿状或锯齿状的檐部；花冠白色或粉红色，长 3 ~ 4（~ 5）mm，短漏斗状，

5 裂，裂片先端钝，近辐射对称；雄蕊 4，略外伸，花药内向，白色，花丝直立，长 5 mm，着生于花冠近口部；花柱略长于雄蕊，长 2 mm，直伸，子房包于囊状小总苞内（囊苞）。瘦果包于囊苞中；果时囊苞长 3 ~ 4 mm，外被腺毛，4 裂，裂片先端长渐尖，多曲钩。花果期 7 ~ 10 月。

| 生境分布 | 生于海拔 1 500 ~ 2 000 m 的林下、溪旁、山坡草地、草甸及林缘路旁。分布于湖南湘西州（永顺、龙山）等。

| 资源情况 | 野生资源稀少。药材来源于野生。

| 采收加工 | 秋季采挖，洗净，鲜用或晒干。

| 药材性状 | 本品呈棒状，肉质，常 2 个双生，外皮呈淡褐色，内面呈白色，干后变蓝色。以粗壮、均匀、肉质肥厚者为佳。

| 功能主治 | 甘、微苦，平。益肾，活血调经。用于肾虚腰痛，遗精，阳痿，月经不调，不孕，闭经。

| 用法用量 | 内服煎汤，15 ~ 30 g。

桔梗科 Campanulaceae 沙参属 *Adenophora*

丝裂沙参 *Adenophora capillaris* Hemsl.

| 药材名 | 泡沙参（药用部位：根）。

| 形态特征 | 茎单生，高可超过 1 m，无毛或有长硬毛。茎生叶常为卵形、卵状披针形，少为条形，先端渐尖，全缘或有锯齿，无毛或有硬毛，长 3 ~ 19 cm，宽 0.5 ~ 4.5 cm。花序具长分枝，常组成大而疏散的圆锥花序，少为狭圆锥花序，稀仅数花集成假总状花序，花序梗和花梗常纤细如丝；花萼筒部球状，少为卵状，裂片毛发状，下部有时有 1 至数个瘤状小齿，偶尔叉状分枝，伸展开或反折，长（3 ~ ）6 ~ 14（ ~ 20）mm；花冠细，近筒状或筒状钟形，长 11 ~ 18 mm，白色、淡蓝色或淡紫色，裂片狭三角形，长 3 ~ 4 mm；花盘细筒状，长 2 ~ 5 mm，常无毛；花柱长 20 ~ 25 mm。蒴果多为球状，极少为卵状，长 4 ~ 9 mm，直径 4 ~ 5 mm。

| 生境分布 | 生于海拔 1 400 m 的林下、林缘或草地。分布于湖南郴州（嘉禾）等。

| 资源情况 | 野生资源稀少。药材来源于野生。

| 采收加工 | 播种后 2 ～ 3 年采收，秋季采挖，除去茎叶及须根，洗净泥土，趁鲜用竹片刮去外皮，切片，晒干。

| 功能主治 | 甘、微苦，凉。养阴清肺，祛痰止咳。

| 用法用量 | 内服煎汤，45 ～ 72 g，鲜品 50 ～ 150 g；或入丸、散剂。

桔梗科 Campanulaceae 沙参属 *Adenophora*

杏叶沙参 *Adenophora hunanensis* Nannf.

|药材名|

南沙参（药用部位：根。别名：沙参）。

|形态特征|

茎高 60 ~ 120 cm，不分枝。茎生叶或至少下部茎生叶具柄，很少近无柄，叶片卵圆形、卵形至卵状披针形，长 3 ~ 10（~ 15）cm，宽 2 ~ 4 cm。花序分枝长，几平展或弓曲向上，常组成大而疏散的圆锥花序；花梗极短而粗壮，常仅 2 ~ 3 mm，极少达 5 mm，花序轴和花梗有短毛或近无毛；花萼常有或疏或密的白色短毛，稀无毛，筒部倒圆锥状，裂片卵形至长卵形，长 4 ~ 7 mm，宽 1.5 ~ 4 mm，基部通常彼此重叠；花冠钟状，蓝色、紫色或蓝紫色，长 1.5 ~ 2 cm，裂片三角状卵形，长为花冠的 1/3；花盘短筒状，长（0.5 ~ ）1 ~ 2.5 mm，先端被毛或无毛；花柱与花冠近等长。蒴果球状椭圆形或近卵状，长 6 ~ 8 mm，直径 4 ~ 6 mm；种子椭圆状，有 1 棱，长 1 ~ 1.5 mm。花期 7 ~ 9 月。

|生境分布|

生于海拔 2 000 m 以下的山坡、丘陵荒地、沟边、草丛、林缘或灌丛中。湖南各地均有分布。

| 资源情况 | 野生资源较丰富。药材来源于野生。

| 采收加工 | 播种后 2 ~ 3 年采收，秋季采挖，除去茎叶及须根，洗净泥土，趁鲜用竹片刮去外皮，切片，晒干。

| 功能主治 | 甘、微苦，微寒。清热养阴，润肺止咳，生津，祛痰。

| 用法用量 | 内服煎汤，10 ~ 15 g，鲜品 15 ~ 30 g；或入丸、散剂。

桔梗科 Campanulaceae 沙参属 *Adenophora*

中华沙参 *Adenophora sinensis* A. DC.

| 药材名 |

南沙参（药用部位：根）。

| 形态特征 |

茎单生或数枝发自同一茎基上，不分枝，无毛或疏生糙毛。基生叶卵圆形，基部圆钝，并向叶柄下延；茎生叶互生，下部具长至 2.5 cm 的叶柄，上部无柄或具短柄，叶片长椭圆形至狭披针形，基部楔形，先端钝至渐尖，长 3 ~ 8 cm，宽 0.5 ~ 2 cm，边缘具尖或钝的细锯齿，两面无毛。花序常有纤细的分枝，组成狭圆锥花序；花梗纤细，长可至 3 cm；花萼通常无毛，少数疏生粒状毛，常呈球状，少为球状倒卵形，裂片条状披针形，长 5 ~ 7 mm，宽约 1 mm；花冠钟状，紫色或紫蓝色，长 13 ~ 15 mm；花盘短筒状，长 1 ~ 1.5 mm；花柱超出花冠 2 ~ 4 mm。蒴果椭圆状球形或圆球状，长 6 ~ 7 mm，直径约 5 mm；种子椭圆状，棕黄色，有 1 狭翅状棱，长 1.8 mm。花期 8 ~ 10 月。

| 生境分布 |

生于海拔 1 200 m 以下的河边草丛或灌丛。分布于湖南郴州（桂东、宜章）等。

| 资源情况 | 野生资源稀少。药材来源于野生。

| 采收加工 | 播种后 2 ～ 3 年采收，秋季采挖，除去茎叶及须根，洗净泥土，趁鲜用竹片刮去外皮，切片，晒干。

| 功能主治 | 甘、微苦，微寒。清热养阴，祛痰止咳。

| 用法用量 | 内服煎汤，10 ～ 15 g，鲜品 15 ～ 30 g；或入丸、散剂。

桔梗科 Campanulaceae 沙参属 *Adenophora*

长柱沙参 *Adenophora stenanthina* (Ledeb.) Kitag.

| 药 材 名 |

泡参（药用部位：根）。

| 形态特征 |

茎常数枝丛生，高 40 ~ 120 cm，有时上部有分枝，通常被倒生糙毛。基生叶心形，边缘有深刻而不规则的锯齿；茎生叶丝条状至宽椭圆形或卵形，长 2 ~ 10 cm，宽 1 ~ 20 mm，全缘或有疏离的刺状尖齿，通常两面被糙毛。花序无分枝而集成假总状花序或有分枝而集成圆锥花序；花萼无毛，筒部倒卵状或倒卵状矩圆形，裂片钻状三角形至钻形，长 1.5 ~ 5（~ 7）mm，全缘或偶有小齿；花冠细，近筒状或筒状钟形，5 浅裂，长 10 ~ 17 mm，直径 5 ~ 8 mm，呈浅蓝色、蓝色、蓝紫色、紫色；雄蕊与花冠近等长；花盘细筒状，长 4 ~ 7 mm，完全无毛或有柔毛；花柱长 20 ~ 22 mm。蒴果椭圆状，长 7 ~ 9 mm，直径 3 ~ 5 mm。花期 8 ~ 9 月。

| 生境分布 |

生于中山。分布于湖南永州（蓝山）等。

| 资源情况 |

野生资源稀少。药材来源于野生。

| 功能主治 | 甘、苦，凉。清热养阴，润肺止咳，生津。

| 用法用量 | 内服煎汤，9 ~ 15 g。

桔梗科 Campanulaceae 沙参属 *Adenophora*

沙参 *Adenophora stricta* Miq.

| 药材名 | 南沙参（药用部位：根）。

| 形态特征 | 茎高 40 ~ 80 cm，不分枝，常被短硬毛或长柔毛。基生叶心形，大而具长柄；茎生叶无柄或仅下部有极短而带翅的柄，叶片椭圆形、狭卵形，基部楔形，先端急尖或短渐尖，边缘有不整齐的锯齿，被短毛，长 3 ~ 11 cm，宽 1.5 ~ 5 cm。花萼全部被硬毛，毛常极密，筒部常呈倒卵状，裂片狭长，多为钻形，长 6 ~ 8 mm，宽至 1.5 mm；花冠宽钟状，蓝色或紫色，外面被短硬毛，有时仅上部脉上有毛，个别近无毛，长 1.5 ~ 2.3 cm，裂片长为花冠的 1/3，三角状卵形；花盘短筒状，长 1 ~ 1.8 mm，无毛；花柱常略长于花冠。蒴果椭圆状球形，长 6 ~ 10 mm；种子棕黄色，稍扁，有 1 棱，长约 1.5 mm。花期 8 ~ 10 月。

| 生境分布 | 生于海拔 1 500 m 以上的岗地、低山、中山。湖南各地均有分布。

| 资源情况 | 野生资源丰富。药材来源于野生和栽培。

| 采收加工 | 春、秋季采挖，除去须根，洗后趁鲜刮去粗皮，洗净，干燥。

| 药材性状 | 本品呈圆锥形或圆柱形，略弯曲，长 7 ~ 27 cm，直径 0.8 ~ 3 cm。表面黄白色或淡棕黄色，凹陷处常残留粗皮，上部多有深陷横纹，呈断续的环状，下部有纵纹和纵沟，先端具 1 或 2 根茎。体轻，质松泡，易折断，断面不平坦，黄白色，多裂隙。气微，味微甘。

| 功能主治 | 甘，微寒。归肺、胃经。养阴清肺，益胃生津，化痰，益气。用于肺热燥咳，阴虚劳嗽，干咳痰黏，胃阴不足，食少呕吐，气阴不足，烦热口干。

| 用法用量 | 内服煎汤，10 ~ 15 g，鲜品 15 ~ 30 g。

| 附　　注 | 本种为《中华人民共和国药典》（2020 版）南沙参的基原植物之一。

桔梗科 Campanulaceae 沙参属 *Adenophora*

无柄沙参 *Adenophora stricta* Miq. subsp. *sessilifolia* D. Y. Hong

药材名

无柄沙参根（药用部位：根）。

形态特征

茎高 40 ~ 80 cm，不分枝，常被短硬毛或长柔毛。基生叶心形，大而具长柄；茎生叶无柄或仅下部的有极短而带翅的柄，叶片椭圆形、狭卵形，基部楔形，先端急尖或短渐尖，边缘有不整齐的锯齿，被短毛，长 3 ~ 11 cm，宽 1.5 ~ 5 cm。花序常不分枝而成假总状花序，或有短分枝而集成极狭的圆锥花序；花梗长不足 5 mm；花萼多被短硬毛或粒状毛，稀无毛，筒部常呈倒卵状，裂片狭长，多为钻形，长 6 ~ 8 mm，宽至 1.5 mm；花盘短筒状，长 1 ~ 1.8 mm，无毛；花柱常略长于花冠。蒴果椭圆状球形，长 6 ~ 10 mm。花期 8 ~ 10 月。

生境分布

生于岗地、中山、低山、丘陵。分布于湖南长沙（岳麓）、怀化（麻阳）、湘西州（吉首、花垣、古丈、永顺）等。

资源情况

野生资源稀少。药材来源于野生。

| 功能主治 | 甘，凉。养阴清肺，化痰，益气。用于肺热咳嗽，口燥咽干，干咳痰黏，气阴不足。

桔梗科 Campanulaceae 沙参属 *Adenophora*

轮叶沙参 *Adenophora tetraphylla* (Thunb.) Fisch.

| 药 材 名 |

南沙参（药用部位：根）。

| 形态特征 |

茎高大，可达 1.5 m，不分枝，无毛，稀有毛。茎生叶 3 ~ 6 轮生，无柄或有不明显叶柄，叶片卵圆形至条状披针形，长 2 ~ 14 cm，边缘有锯齿，两面疏生短柔毛。花序狭圆锥状，花序分枝（聚伞花序）大多轮生，细长或很短，生数花或单花；花萼无毛，筒部倒圆锥状，裂片钻状，长 1 ~ 2.5（~ 4）mm，全缘；花冠筒状细钟形，口部稍缢缩，呈蓝色、蓝紫色，长 7 ~ 11 mm，裂片短，三角形，长 2 mm；花盘细管状，长 2 ~ 4 mm；花柱长约 20 mm。蒴果球状圆锥形或卵圆状圆锥形，长 5 ~ 7 mm，直径 4 ~ 5 mm；种子黄棕色，矩圆状圆锥形，稍扁，有 1 棱，并由棱扩展成 1 白带，长 1 mm。花期 7 ~ 9 月。

| 生境分布 |

生于低山、中山、丘陵岗地。分布于湖南邵阳（武冈）、郴州（临武、安仁）等。

| 资源情况 |

野生资源稀少。药材来源于野生。

| 采收加工 | 春、秋季采挖，除去须根，洗后趁鲜刮去粗皮，洗净，干燥。

| 药材性状 | 本品呈圆锥形或圆柱形，略弯曲，长 7 ~ 27 cm，直径 0.8 ~ 3 cm。表面黄白色或淡棕黄色，凹陷处常残留粗皮，上部多有深陷横纹，呈断续的环状，下部有纵纹和纵沟，先端具 1 或 2 根茎。体轻，质松泡，易折断，断面不平坦，黄白色，多裂隙。气微，味微甘。

| 功能主治 | 甘，微寒。归肺、胃经。养阴清肺，益胃生津，化痰，益气。用于肺热燥咳，阴虚劳嗽，干咳痰黏，胃阴不足，食少呕吐，气阴不足，烦热口干。

| 用法用量 | 内服煎汤，10 ~ 15 g，鲜品 15 ~ 30 g。

| 附　　注 | 本种为《中华人民共和国药典》（2020 版）南沙参的基原植物之一。

桔梗科 Campanulaceae 沙参属 *Adenophora*

聚叶沙参 *Adenophora wilsonii* Nannf.

| 药 材 名 | 聚叶沙参（药用部位：根）。

| 形态特征 | 茎直立，常 2 至数枝发自同一茎基上，不分枝或上部分枝，高 25 ~ 80 cm，无毛，花期下部已无叶，而中部聚生许多叶。叶条状椭圆形或披针形，基部长楔状，下延成短柄，长 4 ~ 10 cm，宽 0.5 ~ 1.2 cm，厚纸质，边缘具锯齿或波状齿，齿尖向叶顶，两面无毛。花梗短，有时长达 1 cm；花萼无毛，筒部倒卵状或倒卵状圆锥形，裂片钻形或条状披针形，长 5 ~ 7 mm，宽 1 mm，边缘具 1 ~ 2 对瘤状小齿；花盘环状或短筒状，长不及 1.2 mm，无毛；花柱长 20 ~ 25 mm，伸出花冠约 5 mm。蒴果球状椭圆形，长 7 ~ 8 mm，直径 4 ~ 5 mm。花期 8 ~ 10 月，果期 9 ~ 10 月。

| 生境分布 | 生于丘陵、岗地。分布于湖南怀化（辰溪）、湘西州（凤凰）等。

| 资源情况 | 野生资源稀少。药材来源于野生。

| 功能主治 | 滋阴润肺，生津，补虚，下乳。

桔梗科 Campanulaceae 牧根草属 *Asyneuma*

球果牧根草 *Asyneuma chinense* D. Y. Hong

| 药 材 名 | 牧根草根（药用部位：根）。

| 形态特征 | 根胡萝卜状，肉质。茎单生，稀多枝丛生，直立，通常不分枝，高 40 ~ 100 cm，或多或少被长硬毛。叶全部近无柄，或茎下部的有长达 3 cm 的叶柄，叶片卵形、卵状披针形、披针形或椭圆形，基部楔形，先端钝、急尖或渐尖，长 2.5 ~ 8 cm，宽 0.7 ~ 3.5 cm，边缘具锯齿，两面多少被白色硬毛。穗状花序少花，有时仅具数花；每总苞片腋间有花 1 ~ 4，总苞片有时被毛；花萼通常无毛，稀被硬毛，筒部球状，裂片长 7 ~ 10 mm，稍长于花冠，开花以后常反卷；花冠紫色或鲜蓝色；花柱稍短于花冠。蒴果球状，基部平截，甚至凹入，下部最宽，有 3 纵而宽的沟槽，长、宽均为 4 mm；种子卵状矩圆形，稍扁，有 1 棱，棕黄色，长 0.5 mm。花果期 6 ~ 9 月。

| 生境分布 | 生于丘陵岗地。分布于湖南永州（江永）等。

| 资源情况 | 野生资源稀少。药材来源于野生。

| 功能主治 | 养阴清肺，清虚火，止咳。用于咳嗽，疳积。

桔梗科 Campanulaceae 金钱豹属 *Campanumoea*

金钱豹 *Campanumoea javanica* Bl. subsp. *japonica* (Makino) Hong

| 药材名 | 土党参（药用部位：根）。

| 形态特征 | 草质缠绕藤本，具乳汁，具胡萝卜状根。茎无毛，多分枝。叶对生，极少互生，具长柄，叶片心形或心状卵形，边缘有浅锯齿，极少全缘，长 3 ~ 11 cm，宽 2 ~ 9 cm，无毛或有时背面疏生长毛。花单生于叶腋，各部无毛；花萼与子房分离，5 裂至近基部，裂片卵状披针形或披针形，长 1 ~ 1.8 cm；花冠上位，白色或黄绿色，内面紫色，钟状，裂至中部；雄蕊 5；柱头 4 ~ 5 裂，子房和蒴果 5 室。浆果黑紫色、紫红色，球状；种子呈不规则状，常为短柱状，表面有网状纹饰。

| 生境分布 | 生于低山、岗地、中山。湖南各地均有分布。

| 资源情况 | 野生资源丰富。药材来源于野生。

| 采收加工 | 以秋、冬季采集为好，采后不要立即水洗，以免折断，待根缩水变软后再洗净蒸熟，晒干。

| 药材性状 | 本品呈圆柱形，少分枝，扭曲不直，长 10 ~ 25 cm，直径 0.5 ~ 1.5 cm。顶部有密集的点状茎痕。表面灰黄色，全株具纵皱纹。质硬而脆，易折断，断面较平坦，可见明显的形成层，木质部黄色，木化程度较高。气微，味淡、微甜。

| 功能主治 | 甘、微苦，平。补中益气，润肺生津，祛痰止咳。用于肾虚泄泻，肺虚咳嗽，疳积，乳汁稀少。

| 用法用量 | 内服煎汤，9 ~ 15 g，鲜品 15 ~ 30 g。外用适量。

桔梗科 Campanulaceae 金钱豹属 *Campanumoea*

长叶轮钟草 *Campanumoea lancifolia* (Roxb.) Merr.

| 药 材 名 | 蜘蛛果（药用部位：根。别名：红果参、肉算盘、山荸荠）。

| 形态特征 | 直立或蔓性草本，有乳汁，通常全部无毛。茎高可达 3 m，中空，分枝多而长，平展或下垂。叶对生，偶轮生，具短柄，叶片卵形、卵状披针形至披针形，长 6 ~ 15 cm，宽 1 ~ 5 cm，先端渐尖，边缘具细尖齿、锯齿或圆齿。花通常单朵顶生兼腋生，有时 3 花组成聚伞花序，花梗或花序梗长 1 ~ 10 cm，花梗中上部或花基部有 1 对丝状小苞片；花萼仅贴生至子房下部，裂片（4 ~ ）5（ ~ 7），相互间远离，丝状或条形，边缘有分枝状细长齿；花冠白色或淡红色，管状钟形，长约 1 cm，5 ~ 6 裂至中部，裂片卵形至卵状三角形；雄蕊 5 ~ 6，花丝与花药等长，花丝基部宽而呈片状，边缘具长毛，柱头（4 ~ ）5 ~ 6 裂；子房（4 ~ ）5 ~ 6 室。浆果球状，

（4 ~ ）5 ~ 6 室，成熟时紫黑色，直径 5 ~ 10 mm；种子为多角体。花期 7 ~ 10 月。

| 生境分布 | 生于海拔 1 000 m 以下的低山、岗地。分布于湘西北、湘西南、湘北、湘南等。

| 资源情况 | 野生资源丰富。药材来源于野生。

| 采收加工 | 夏、秋季采收，晒干。

| 功能主治 | 甘、微苦，平。益气补虚，祛瘀止血，散结止痛。用于肺痨咳嗽，吐血，崩漏，带下，瘰疬，疝气。

| 用法用量 | 内服煎汤，9 ~ 15 g。外用适量。

| 附　　注 | 本种的拉丁学名在 FOC 中被修订后的接受名为 *Cyclocodon lancifolius* (Roxb.) Kurz.。

Campanulaceae *Codonopsis*

羊乳 *Codonopsis lanceolata* (Sieb. et Zucc.) Trautv.

| 药 材 名 | 羊乳根（药用部位：根。别名：山海螺、牛奶参）。

| 形态特征 | 草质藤本，全株光滑无毛。茎基近圆锥状，表面有多数瘤状茎痕；根常肥大，呈纺锤状而有少数细小侧根，表面灰黄色，近上部有稀疏环纹，下部疏生横长皮孔。茎缠绕。主茎上的叶互生。花单生或对生于小枝先端；花萼贴生至子房中部，筒部半球状，裂片弯缺处狭尖，先端尖，全缘；花冠阔钟状，黄绿色或乳白色，内有紫色斑；花丝钻状，基部微扩大；子房下位。蒴果下部半球状，上部有喙；种子多数，卵形，有翼，细小，棕色。花果期 7 ~ 8 月。

| 生境分布 | 生于海拔 1 500 m 以下的山地灌木林下沟边阴湿地区或阔叶林内。栽培于肥沃、土层深厚、质地疏松、排水良好的土壤中。湖南各地

均有分布。

| 资源情况 | 野生资源丰富。药材来源于野生和栽培。

| 采收加工 | 秋季采收，除去须根和根头，洗净，切段，晒干。

| 药材性状 | 本品呈圆锥形或纺锤形，有的有分枝，扭曲不直，长 6 ~ 15 cm，直径 2 ~ 6 cm。表面灰棕色至棕褐色，先端有多数疣状凸起的茎痕及芽，茎痕呈圆形凹陷，根的上部有致密的横环纹，向下环纹渐稀疏而粗，全株有纵皱纹，粗糙不平。质硬而脆，断面略平坦，多裂隙，形成层环明显，木质部黄色，皮部类白色。气微，味淡、微甜。

| 功能主治 | 甘，平。补虚通乳，排脓解毒。用于病后体虚，乳汁不足，乳腺炎，肺脓肿，痈疖疮疡。

| 用法用量 | 内服煎汤，15 ~ 60 g，鲜品 45 ~ 120 g。外用适量。

桔梗科 Campanulaceae 党参属 *Codonopsis*

川党参 *Codonopsis pilosula* (Franch.) Nannf. subsp. *tangshen* (Oliver) D. Y. Hong

| 药 材 名 |

川党参（药用部位：根）。

| 形态特征 |

植株除叶片两面密被微柔毛外，全株近光滑无毛。茎基微膨大，具多数瘤状茎痕；根常肥大，呈纺锤状或纺锤状圆柱形。小枝具叶，不育或先端着花，淡绿色、黄绿色或下部微带紫色。叶在主茎及侧枝上的互生，在小枝上的近对生，叶片卵形，基部楔形或较圆钝，边缘具浅钝锯齿，上面绿色，下面灰绿色。花单生于枝端，与叶柄互生或近对生；花冠上位，淡黄绿色而内有紫斑，浅裂，裂片近正三角形；花丝基部微扩大。蒴果下部近球状，上部短圆锥状；种子多数，椭圆状，无翼，细小，光滑，棕黄色。

| 生境分布 |

生于海拔 900 ~ 1 800 m 的山地林边灌丛。栽培于海拔 1 000 ~ 1 600 m、土层厚度超过 30 cm、土质肥沃疏松、富含腐殖质、排水良好的地块。分布于湖南湘西州（龙山）、张家界（桑植）等。

| 资源情况 | 野生资源稀少。药材来源于野生和栽培。

| 药材性状 | 本品长圆柱形，稍弯曲，长 10 ~ 35cm，直径 0.4 ~ 2cm。表面灰黄色、黄棕色至灰棕色，根头部有多数疣状突起的茎痕及芽，每个茎痕的顶端呈凹下的圆点状；根头下有致密的环状横纹，向下渐稀疏，有的达全长的 1/2，栽培品环状横纹少或无；全体有纵皱纹和散在的横长皮孔样突起，支根断落处常有黑褐色胶状物。质稍柔软或稍硬而略带韧性，断面稍平坦，有裂隙或放射状纹理，皮部淡棕黄色至黄棕色，木部淡黄色至黄色。有特殊香气，味微甜。

| 功能主治 | 健脾益肺，养血生津。用于脾肺气虚，食少倦怠，咳嗽虚喘，气血不足，面色萎黄，心悸气短，津伤口渴，内热消渴。

| 用法用量 | 内服煎汤，9 ~ 30 g。

| 附　　注 | 本种为《中华人民共和国药典》（2020 版）党参的基原植物之一。

桔梗科 Campanulaceae 半边莲属 *Lobelia*

半边莲 *Lobelia chinensis* Lour.

| 药材名 | 半边莲（药用部位：全草。别名：小急解索、疳积草）。

| 形态特征 | 茎细弱，匍匐，节上生根，分枝直立，高 6 ~ 15 cm，无毛。叶互生，无毛。花通常 1，生于分枝上部叶腋；花梗细；萼筒倒长锥状，无毛，裂片披针形；花冠粉红色或白色，喉部以下生白色柔毛，裂片全部平展于下方，呈 1 平面，两侧裂片披针形，较长，中间 3 裂片椭圆状披针形，较短；雄蕊花丝中部以上连合，花丝筒无毛，未连合部分的花丝侧面生柔毛，背部无毛或疏生柔毛。蒴果倒锥状；种子椭圆状，稍扁压，近肉色。

| 生境分布 | 生于海拔 80 ~ 1 800 m 的水田边、沟边及潮湿草地上。湖南各地均

有分布。

| 资源情况 | 野生资源丰富。药材来源于野生。

| 采收加工 | 夏季采收，除去泥沙，洗净，晒干。

| 药材性状 | 本品常缠结成团。根茎极短，直径 1 ~ 2 mm；表面淡棕黄色，平滑或有细纵纹。根细小，黄色，侧生纤细须根。茎细长，有分枝，灰绿色，节明显，有的可见附生的细根。叶互生，无柄，叶片多皱缩，绿褐色，展平后叶片呈狭披针形，长 1 ~ 2.5 cm，宽 0.2 ~ 0.5 cm，全缘或具疏而浅的齿。花梗细长，花小，单生于叶腋，花冠基部筒状，上部 5 裂，偏向一边，浅紫红色，花冠筒内有白色茸毛。气微特异，味微甘、辛。

| 功能主治 | 清热解毒，利尿消肿。用于痈肿疔疮，蛇虫咬伤，腹胀水肿，湿热黄疸，湿疹湿疮。

| 用法用量 | 内服煎汤，9 ~ 15 g。外用适量，鲜品捣敷。

| 附　　注 | 本种为《中华人民共和国药典》（2020 版）半边莲的基原植物。

桔梗科 Campanulaceae 半边莲属 *Lobelia*

江南山梗菜 *Lobelia davidii* Franch.

| 药 材 名 |

江南山梗菜（药用部位：全草或根）。

| 形态特征 |

主根粗壮，侧根纤维状。茎直立，分枝或不分枝，幼枝有隆起的条纹，无毛。叶螺旋状排列，下部的早落；叶片卵状椭圆形至长披针形；叶柄两边有翅，向基部变窄。总状花序顶生；苞片卵状披针形至披针形。花梗有极短的毛；花萼筒倒卵状，基部浑圆；花冠紫红色或红紫色，近二唇形，上唇裂片条形，下唇裂片长椭圆形，中肋明显，喉部以下生柔毛，底部常背向花序轴。种子黄褐色，稍压扁，椭圆状，一边厚而另一边薄，薄边颜色较淡。

| 生境分布 |

生于海拔 100 ～ 1 900 m 的亚热带直至热带地区的山坡草地或林缘。

| 资源情况 |

野生资源较丰富。药材来源于野生。

| 采收加工 |

夏、秋季采收，洗净，鲜用或晒干。

| 功能主治 | 全草，辛，平；有小毒。宣肺化痰，清热，利尿，消肿。用于咳嗽痰喘，水肿，痈肿疔毒，胃寒痛，毒蛇咬伤，蜂蜇，疔疮。根，用于痈肿疮毒，胃寒痛。

| 用法用量 | 内服煎汤，3 ~ 9 g。外用适量，鲜品捣敷。

桔梗科 Campanulaceae 半边莲属 *Lobelia*

线萼山梗菜 *Lobelia melliana* E. Wimm.

|药 材 名|

线萼山梗菜（药用部位：带花全草或根、叶）。

|形态特征|

主根粗，侧根纤维状。茎禾杆色，无毛，分枝或不分枝。叶螺旋状排列，光滑无毛，先端长尾状渐尖，基部宽楔形，边缘具睫毛状小齿；有短柄或近无柄。总状花序生于主茎和分枝先端；花稀疏，朝向各方；下部花的苞片与叶同形，向上变狭至条形，长于花，具睫毛状小齿；花梗背腹压扁，全缘，果期外展；花冠淡红色；雄蕊基部密生柔毛，在基部以上连合成花丝筒，花丝筒无毛，背部疏生柔毛。蒴果近球形，上举，无毛；种子矩圆状，稍压扁，表面有蜂窝状纹饰。

|生境分布|

生于海拔 1 000 m 以下的沟谷、道路旁、水沟边或林中潮湿地。分布于湖南郴州（汝城、桂东）等。

|资源情况|

野生资源稀少。药材来源于野生。

| 采收加工 | 夏季采收，鲜用或晒干。

| 功能主治 | 有小毒。宣肺化痰，清热解毒，利尿消肿。用于利尿，催吐，泻下，毒蛇咬伤。

| 用法用量 | 内服煎汤，5 ~ 15 g。外用适量，鲜品捣敷。

桔梗科 Campanulaceae 袋果草属 *Peracarpa*

袋果草 *Peracarpa carnosa* (Wall.) Hook. f. et Thoms.

药材名

袋果草（药用部位：全草）。

形态特征

纤细草本，茎肉质，无毛。叶多集中于茎上部，叶片膜质或薄纸质，卵圆形或圆形，基部平钝或浅心形，先端圆钝或多少急尖，两面无毛或上面疏生贴伏的短硬毛，边缘波状，弯缺处有短刺；茎下部的叶疏离而较小。花梗细长而常伸直；花萼无毛；花萼筒部倒卵状圆锥形，裂片三角形至条状披针形；花冠白色或紫蓝色，裂片条状椭圆形。果倒卵状；种子棕褐色。

生境分布

生于海拔 1 200 m 以下的林下及沟边潮湿岩石。分布于湖南湘西州（吉首、花垣）等。

资源情况

野生资源稀少。药材来源于野生。

功能主治

祛风除湿，利尿消肿。用于风湿性关节炎，筋骨疼痛，湿疹，泄泻，小便不利，小儿惊风。

桔梗科 Campanulaceae 桔梗属 *Platycodon*

桔梗 *Platycodon grandiflorus* (Jacq.) A. DC.

| 药 材 名 | 桔梗根（药用部位：根。别名：铃铛花根、包袱花根）。

| 形态特征 | 多年生草本。茎通常无毛，不分枝。叶全部轮生，无柄，叶片卵形，基部宽楔形至圆钝，先端急尖，上面无毛而绿色，下面常无毛而有白色花粉，有时脉上有短毛或瘤突状毛，边缘具细锯齿。单花顶生，或数花集成假总状花序，或有花序分枝而集成圆锥花序；花萼筒部半圆球状或圆球状倒锥形，被白色花粉，裂片三角形，有时齿状；花冠大，蓝色或紫色。蒴果球状，或球状倒圆锥形。花期 7 ~ 9 月。

| 生境分布 | 生于海拔 2 000 m 以下的阳处草丛、灌丛，少数生于林下。分布于湖南娄底、怀化（溆浦），武陵山系等。

| 资源情况 | 野生资源稀少。药材来源于野生和栽培。

| 采收加工 | 春、秋季采挖，洗净，除去须根，趁鲜剥去外皮或不去外皮，干燥。

| 药材性状 | 本品呈圆柱形或略呈纺锤形，下部渐细，有的有分枝，略扭曲，长 7 ~ 20 cm，直径 0.7 ~ 2 cm。表面淡黄白色至黄色，不去外皮者表面黄棕色至灰棕色，具纵扭皱沟，并有横长的皮孔样斑痕及支根痕，上部有横纹。有的先端有较短或不明显的根茎，其上有数个半月形茎痕。质脆，断面不平坦，形成层环棕色，皮部黄白色，有裂隙，木质部淡黄色。气微，味微甜、后苦。

| 功能主治 | 苦、辛，平。归肺经。宣肺，利咽，祛痰，排脓。用于咳嗽痰多，胸闷不畅，咽痛音哑，肺痈吐脓。

| 用法用量 | 内服煎汤，3 ~ 10 g。

| 附　　注 | 本种为《中华人民共和国药典》（2020 版）桔梗的基原植物。

桔梗科 Campanulaceae 铜锤玉带属 *Pratia*

铜锤玉带草 *Pratia nummularia* (Lam.) A. Br. et Aschers.

| 药 材 名 | 铜锤玉带草（药用部位：全草。别名：地莲子、地杨梅）。

| 形态特征 | 多年生草本，有白色乳汁。茎平卧，节上生根。叶互生，叶片圆卵形、心形或卵形，先端钝圆或急尖，基部斜心形，边缘有齿；叶柄长 2 ~ 7 mm，生开展短柔毛。花单生于叶腋；萼筒坛状，长 3 ~ 4 mm，宽 2 ~ 3 mm，无毛，裂片条状披针形，伸直，长 3 ~ 4 mm，每边生 2 或 3 小齿；花冠紫红色、淡紫色、绿色或黄白色，长 6 ~ 7（~ 10）mm；花冠筒檐部二唇形，裂片 5，上唇 2 裂片条状披针形，下唇裂片披针形；雄蕊在花丝中部以上连合，花丝筒无毛，花药管长可超过 1 mm，背部生柔毛，下方 2 花药先端生髯毛。果实为浆果，紫红色，椭圆状球形，长 1 ~ 1.3 cm；种子多数，近圆球状，稍扁压，表面有小疣突。在热带地区整年可开花结果。

| 生境分布 | 生于海拔 1 000 m 以下的田边、路旁以及丘陵、低山草坡或疏林中的潮湿地。湖南各地均有分布。

| 资源情况 | 野生资源一般。药材来源于野生。

| 采收加工 | 夏季采收，洗净，鲜用或晒干。

| 功能主治 | 辛、苦，平。祛风除湿，活血，解毒。用于风湿疼痛，跌打损伤，月经不调，目赤肿痛，乳痈，无名疼痛。

| 用法用量 | 内服煎汤，9 ~ 15 g；研末吞服，每次 0.9 ~ 1.2 g；或浸酒。外用适量，捣敷。

| 附　　注 | 本种的拉丁学名在 FOC 中被修订为 *Lobelia nummularia* Lam.。

桔梗科 Campanulaceae 蓝花参属 *Wahlenbergia*

蓝花参 *Wahlenbergia marginata* (Thunb.) A. DC.

|药 材 名| 兰花参（药用部位：带根全草或根。别名：毛鸡腿、小蓝花草）。

|形态特征| 多年生草本，有白色乳汁。根细长，外表面白色，细胡萝卜状，直径可达 4 mm，长约 10 cm。茎自基部多分枝，直立或上升，长 10 ~ 40 cm，无毛或下部疏生长硬毛。叶互生，无柄或具长至 7 mm 的短柄，常在茎下部密集，下部的匙形、倒披针形或椭圆形，上部的条状披针形或椭圆形，长 1 ~ 3 cm，宽 2 ~ 8 mm，边缘波状或具疏锯齿，或全缘，无毛或疏生长硬毛。花梗极长，细而伸直，长可达 15 cm；花萼无毛，筒部倒卵状圆锥形，裂片三角状钻形；花冠钟状，蓝色，长 5 ~ 8 mm，分裂达 2/3，裂片倒卵状长圆形。蒴果倒圆锥状或倒卵状圆锥形，有 10 不甚明显的肋，长 5 ~ 7 mm，直径约 3 mm；种子矩圆状，光滑，黄棕色，长 0.3 ~ 0.5 mm。花

果期 2 ~ 5 月。

| 生境分布 | 生于海拔 1 000 m 以下的田边、路边和荒地，有时生于山坡或沟边。湖南各地均有分布。

| 资源情况 | 野生资源丰富。药材来源于野生。

| 采收加工 | 夏、秋季采收，洗净，鲜用或晒干。

| 药材性状 | 本品长 10 ~ 30 cm。根细长，稍扭曲，有的有分枝，长 4 ~ 8 cm，直径 0.3 ~ 0.5 cm。表面棕褐色或淡棕黄色，具细纵纹，断面黄白色。茎丛生，纤细。叶互生，无柄；叶片多皱缩，展开后呈条形或倒披针状匙形，长 1 ~ 3 cm，宽 0.2 ~ 0.8 cm；灰绿色或棕绿色。花单生于枝顶，浅蓝紫色。蒴果圆锥形，长约 5 mm；种子多数，细小。气微，味微甜，嚼之有豆腥气。

| 功能主治 | 益气健脾，止咳祛痰，止血。用于虚损劳伤，自汗，盗汗，疳积，带下，感冒，咳嗽，衄血，疟疾，瘰疬。

| 用法用量 | 内服煎汤，15 ~ 30 g，鲜品 30 ~ 60 g。外用适量，捣敷。

| 附　　注 | 兰花参一名始载于《滇南本草》，原书中无形态描述，《滇南本草图谱》云：“兰花参当作蓝花参，兰、蓝音同致误，蓝花盖指其花色，参则指其功效耳。易门（县）土名蓝花草是证。”《滇南本草》整理本认为其所指即为桔梗科植物蓝花参 *Wahlenbergia marginata* (Thunb.) A. DC.。